羅孚友朋書札

羅海雷、高林 編

上冊

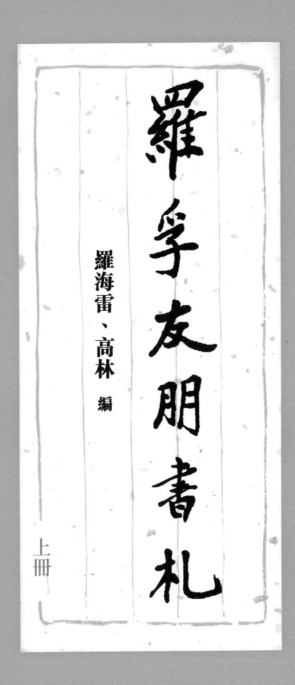

【目錄】（上冊）

序一・邵燕祥……7
序二・沈昌文……8
羅孚小傳・高林……10
凡例……13

甲輯

周作人致羅孚信（十三通）……17
包天笑致羅孚信（三通）……26
梁漱溟致羅孚信（二通）……30
豐子愷致羅孚信（一通）……32
巴金致羅孚信（七通）……34
冰心致羅孚信（一通）……40
艾蕪致羅孚信（一通）……43
白樺致羅孚信（一通）……44
劉白羽致羅孚信（二通）……44
草明致羅孚信（二通）……47
荒蕪致羅孚信（一通）……48
戈寶權致羅孚信（二通）……49
附：戈寶權致何達信（一通）……51
李一氓致羅孚信（一通）……51
秦牧致羅孚信（五通）……52
鍾敬文致羅孚信（一通）……56
鍾敬文致羅海星信（一通）……57
袁水拍致羅孚信（一通）……61
梁宗岱致羅孚信（一通）……61
葉君健致羅孚信（一通）……62
姚雪垠致羅孚信（二通）……63

黃濟人致羅孚信（一通）…… 65
王益知致羅孚信（四通）…… 65
李鐵錚致羅孚信（一通）…… 71
郁雲致羅孚信（一通）…… 72
黃秋耘致羅孚信（一通）…… 73
羅孚致姚克信（一通）…… 74
附：人民文學出版社致姚克信（一通）…… 74
朱仲麗致羅孚信（一通）…… 76
張友鸞致潘際坰信（一通）…… 78
王力致黃克夫信（一通）…… 79
李何林致羅孚張向天何達信（一通）…… 80
周海嬰致羅孚信（一通）…… 81

乙輯

曹聚仁致羅孚信（七通）…… 85
鄧珂雲致羅孚信（二通）…… 89
聶紺弩致羅孚信（八通）…… 92
洪遒致羅孚信（三通）…… 99
黃慶雲致羅孚信（二通）…… 103
杜運燮致羅孚信（二通）…… 105
吳祖光致羅孚信（五通）…… 108
黃苗子致羅孚信（三通）…… 114
郁風致羅孚信（一通）…… 120
羅孚致黃苗子郁風信（一通）…… 122
陳邇冬致羅孚信（五通）…… 125
楊憲益致羅孚信（一通）…… 129
范用致羅孚信（十八通）…… 131
羅孚致范用信（一通）…… 153
冒舒諲致羅孚信（三通）…… 154
冒舒諲致荒蕪信（一通）…… 158
沈峻致羅孚信（二通）…… 159
羅孚致丁聰沈峻信（一通）…… 165
公劉致羅孚信（四通）…… 167
舒蕪致羅孚信（四通）…… 171
端木蕻良致羅孚信（一通）…… 175

秦似致羅孚信（二通）……177
林鍇致羅孚信（二通）……181
徐淦致羅孚信（二通）……190
邵燕祥致羅孚信（四通）……193
樓適夷致羅孚信（二通）……199
李駱公致羅孚信（一通）……200
柯靈致羅孚信（十二通）……201
沈昌文致羅孚信（二通）……211
羅孚致沈昌文信（十通）……214
許覺民致羅孚信（一通）……221
李慎之致羅孚信（二通）……223
許良英致羅孚信（二通）……226
華君武致羅孚信（一通）……228
姜德明致羅孚信（四通）……231
陳丹晨致羅孚信（二通）……237
蕭蓮父致羅孚信（三通）……240
李子雲致羅孚信（二通）……244
司徒華致羅孚信（八通）……247
朱襲文致羅孚信（五通）……259
姚錫佩致羅孚信（四通）……266
黃裳致羅孚信（二通）……271
錢伯誠致羅孚信（一通）……272
杜宣致羅孚信（一通）……273
邵濟群致羅孚信（一通）……274
羅孚致周健強信（十二通）……275

丙輯

徐鑄成致羅孚信（十一通）……287
徐盈致羅孚信（四通）……300
唐振常致羅孚信（四通）……303
羅孚致唐振常信（一通）……307
王文彬致羅孚信（一通）……308
蕭乾致羅孚信（五通）……309
文潔若致羅孚信（一通）……317
李光詒致羅孚信（一通）……320

譚文瑞致羅孚信（一通）……321
譚秉文致羅孚信（一通）……323
陳偉球致羅孚信（一通）……324

丁輯

趙隆侃致羅孚信（八通）……327
羅宗淩致羅孚信（一通）……340
張亞冰致羅海雷信（一通）……342
張亞冰致吳秀聖信（一通）……343

戊輯

曹聚仁致羅孚信（一通）……351
全如珦致羅孚吳秀聖信（一通）……351
薛君度致羅孚信（二通）……359
李鑄晉致羅孚信（一通）……362
楊慶堃致羅孚信（一通）……363
周策縱致羅孚信（二通）……367
王浩致羅孚信（一通）……370
聶華苓致羅孚信（一通）……371
凌叔華致羅孚信（一通）……373
蔣彝致羅孚信（三通）……374
曾景文致羅孚信（一通）……377
黃俊東致羅孚信（一通）……379
葛浩文致羅孚信（一通）……379
葉維廉致羅孚信（二通）……381
夏易致羅孚信（一通）……383
簡華玉致羅孚信（一通）……386
高凌珠致羅孚信（一通）……387
羅孚致高凌珠信（一通）……389
吳秀聖致高凌珠簡幼文信（一通）……390
卜少夫致羅孚信（一通）……391
胡菊人致羅孚信（一通）……391
關朝翔致羅海雷信（一通）……394
陸鏗致羅孚信（一通）……394
崔蓉芝致羅孚信（一通）……398

序一

邵燕祥

前此《羅孚友朋書札輯》海豚版問世，讀者或有未能窮其篋藏之憾。這回卻是除了涉及隱私的少數以外，友朋書札盡都收在此卷中了。

楊絳先生曾說，讀書就是跟古今中外的作者交談。那麼讀羅孚先生朋友的魚書雁信，猶如在旁聽他們談生活和工作，談寫作和出版；互致問候，交流信息；也談心，亦話舊；有海闊天空，又有人間煙火……難得的是一個真字！

讀書是讀人，讀信更是讀人。既讀來信的人，又可以從這個朋友圈瞥見受信者的身影、丰神。羅孚廣交遊，與之過從的多是文人。二十世紀幾代中國文人有其共性，同時各有各的個性。為甚麼這麼多人都樂於跟他來往？我想，羅公一身書卷氣，卻沒有朱自清先生說的那種「書生的酸氣」；他兼具傳統士人的溫良恭謹和現代知識分子的開放和包容，這就是他的個人魅力之所在吧。

讓我們一起來讀這部雋永有味的書，長見識，開胸懷，啓良知，解困惑，藉以從羅孚及其眾多老當益壯、窮且益堅的友人那裏，獲取樂觀曠達又勤奮進取的「不死」之心吧！

二〇一八年元月廿八日，丁酉臘月十二於京門

邵燕祥，（一九三三—二〇二〇），北京人，詩人、作家、文學評論家。主要作品有《到遠方去》、《在遠方》、《遲開的花》、《邵燕祥抒情長詩集》和《一個帶灰帽子的人》等。和羅孚有密切交往。羅孚曾寫有《鐵骨錚錚邵燕祥》等文章。

序二

沈昌文

記得一九八三年某月，在北京的報上看到羅孚先生的消息，想到我曾在香港見過他。過了一些時候，忽一天，我在我們出版社的走廊裏碰到了他，驚異之間，他說，現在更名為「史林安」，住在北京雙榆樹某處，還給了地址。

我懷着萬分好奇之心，去雙榆樹拜訪了他。看上去，那是一個地地道道的某單位職工宿舍，沒有任何異狀。我知道這位老香港文人才具不凡，得知他在京可以參加各種文化活動，我更是高興非常。我那時主持三聯書店不多年，處境十分困難。缺錢、無房之外，尤其是同著作界聯繫太少，特別是港台的文化人。

羅孚先生是三聯書店的常客，儘管他總是說自己是「老史」，但我們大家總是稱呼他「老羅」，他那時也六十多歲了。老羅以「柳蘇」為筆名，為《讀書》寫稿，寫的大多是香港文壇的故事，觀點鮮明，材料翔實，文筆生動，在這裏的文化圈裏當然有很大影響，「柳蘇」之名也因而大彰。

柳蘇的一篇重頭文章是《你一定要看董橋》。我由是同他長談多次，知道董橋和張愛玲在上世紀五十年代都在美國人在香港經營的「今日世界出版社」工作過。我找了董橋等人，才知道這家出版社其實就是後來在北京的美國大使館的新聞處。我幾次去那裏拜訪，在他們協助下出版了好多好多美國歷史讀物，即著名的黑皮書系列美國文庫，其中包括霍桑、奧尼爾、愛倫·坡等美國著名作家文集。為甚麼那時如此關心美國史？那是因為在《第三次浪潮》暢銷以後，文化界希望「向後看」，多了解美國的過去。當時萬萬沒有想到，這類事也靠了老羅的幫忙。此外，我們與港台交往的重要關係也都是他介紹的，通過他我們聯繫到了許多香港的作者，又通過這些作者把三聯的出版範圍擴展到海外。可以這樣說，三聯書店的「對外開放」是從羅孚開始，他幫助我們開闢了一條通往外面世界的道路。

一九九三年，他回香港了，此後，我們通了不少信。老羅，也慢慢地變成了「羅老」。他曾給《萬象》和遼寧教育出版社寫稿寫書，還介紹了不少作者。二〇一一年，羅老九十歲時我還通過視頻給他祝壽。

羅老在北京文化界活躍了十年，對我和當時的三聯書店幫助甚大。他和朋友的通信中，也有許多內容和這十年密切相關。讀羅老和朋友們的通信，可以更多更深地了解這十年及以後他經歷過的種種。我相信，這一切都是——God Blesses Me!

二〇一七年十二月

沈昌文，（一九三一—二〇二一），浙江寧波人，出版家。曾任生活·讀書·新知三聯書店總經理兼總編輯、《讀書》雜誌主編。主要作品有《知道》、《閣樓人語》和《也無風雨也無晴》等。曾發表和出版多部羅孚作品。

羅孚小傳

高林

羅孚（一九二一—二〇一四），原名羅承勳，曾用名史林安，筆名辛文芷、吳令湄、文絲、程雪野、絲韋、柳蘇等。廣西桂林人。他的一生，經歷之「奇」，涉獵範圍之廣，在他的同輩人當中是不多見的。他雖然歷經坎坷，但也豐富多彩，他在許多領域都非常專業，都有不菲的成就，他是報人、編輯、記者、作家、詩人、文學評論家，也是繪畫和書法作品的收藏家和鑒賞家，還是圖書策劃人和出版家。當然，他也是一位中共的統戰工作者。

一九二一年，羅孚出生在一個經營鎖具的手藝人家庭，父親早逝，家境困頓。少年時在桂林中學讀書，受到著名學者朱蔭龍的影響，接觸進步書籍。因有左傾進步言論，為躲避追捕，被親屬安排進入桂系部隊任文書近半年。中學畢業後，因無法負擔學費而放棄讀大學。

一九四一年，羅孚考取桂林《大公報》練習生，在編輯部跟隨徐鑄成、楊剛等著名報人工作。一九四四年，他隨桂林《大公報》撤退到重慶，參與新組建的重慶《大公晚報》，負責編輯副刊「小公園」。一九四八年，被選派到香港，參與香港《大公報》復刊工作，先後擔任編輯主任、副總編輯。一九五〇年十月，參與《大公報》子報《新晚報》創刊，先後任《新晚報》副總編輯、總編輯前後共三十二年。他還編過香港《文匯報》的「文藝」週刊，創辦並主編《海光文藝》月刊。一九七九年，他作為港澳地區代表參加了第四屆文代會，他還擔任過全國政協委員和中國作協會員。

從一九四四年初在桂林《大公報》發表第一篇文章起，羅孚一生撰寫了超過千萬字的報刊專欄文章、散文和隨筆，曾在內地和香港十餘家報刊開設「無花的薔薇」、「西窗小品」、「北京十年」、「島居雜文」等專欄。這些文章大都結集出版，主要作品有《北京十年》、《燕山詩話》、《香港，香港……》、《南斗文星高》、《風雷集》、《西窗小品》、《文苑繽紛》、《香港文叢・絲韋卷》、《繁花時節》和《我重讀香港》等。二〇一二年，中央編譯出版社出版了七卷本《羅孚文集》。

一九四六年，羅孚參加了重慶地下黨活動，成為重慶南岸和城中心區支部的外圍骨幹和組織考察目標，還參與了重慶地下黨理論刊物《反攻》的編輯工作。到香港後，即加入了中國共產黨，擔任過《大公報》的黨小組長。新中國成立後，羅孚作為當時香港《大公報》唯一的黨員繼續在香港工作。一九六七年，他積極參與「反英抗暴」鬥爭，任《大公報》社鬥爭委員會執行小組組長。以後十幾年內，他逐漸擴大了工作的範圍，先後和戴天、胡菊人、龍繩文、龍繩德、徐復觀、卜少夫等政治立場不同的人交往，組織北美華裔學者、著名人士回國訪問，聯絡和左派陣營決裂的查良鏞，以及香港知識分子牟潤孫、葉靈鳳等人，為中共在香港的宣傳和統戰工作做出了貢獻。

一九八二年，羅孚到北京接受審查。一九八三年，因「將我國重要國家機密提供給外國間諜」而被判刑十年，但很快獲得假釋，並安排在北京海淀區雙榆樹南里居住。一九九三年刑滿後回香港定居。在北京期間，潛心讀書和寫作，寫下了數十萬字的散文和隨筆。同時也反思和檢討自己的過去，在編輯自己的散文集時說，早年的文章不忍卒讀，「四十多年來我寫了不少假話，錯話，鐵案如山，無地自容」。他還和當時北京文化圈和各路知識分子廣泛接觸，和黃苗子、郁風、丁聰、吳祖光、范用、楊憲益、黃宗江、邵燕祥、舒蕪、陳邇冬、冒舒諲等吟詩作賦、唱和作答。他還向沈從文、冰心、啓功、鍾敬文等請教問題，並記錄下了許多寶貴的資料。

讀詩和寫詩，也是羅孚生活的一個重要方面。一九七八年，他以「野草出版社」為名，編輯出版聶紺弩的詩集《三草》，首次向公眾介紹聶紺弩的詩作，為確立了聶紺弩在近代詩的地位打下基礎。一九九二年又編選完成《聶紺弩詩全編》。一九九七年，他解讀當代知識分子詩作的著作《燕山詩話》出版。羅孚也是一位詩人，他一生中創作了近體詩和詞二百餘首，其中《贈徐鑄成》、《悼聶紺弩》等詩作，早已廣為傳誦。

羅孚還編過許多書，促成過許多名作的出版。一九五四年，他推動梁羽生、金庸創作武俠小說，直接催生了新派武俠小說，也改變了左派報紙的面貌。其後，他又策劃唐人和宋喬寫作《金陵春夢》和《侍衛官雜記》，這兩部書發行數百萬冊，產生了廣泛的影響。他還與曹聚仁一起，編輯刊行周作人晚年重要著作《知堂回想錄》，歷經八年，使這一重要史料得以傳承。在北京期間，羅孚為新組建的三聯書店出謀劃策，聯絡香港的出版資源，擴大了三聯書店的出版範圍，開闢了一條與港台出版界合作的道路。他還編輯了葉靈鳳的「香港系列著作」和《讀書隨筆》，推動過鄭超麟回憶著作《史事與回憶》的出版。

羅孚自一九五〇年代起，涉足書畫的收藏和鑒賞，他的收藏出於公心。一九六一年，他參與籌備《大公報》主辦的「黃賓虹畫展」，編輯《黃賓虹先生畫集》。他收藏並鑒賞黃賓虹、林風眠等人的畫作，推動了社會對他們的重新認識。一九七二年，他和梁羽生一道促成著名學者簡又文把珍藏的隋代石刻「劉猛進碑」捐獻給廣東省博物館。二〇〇四年，他通過許禮平向廣東省博物館捐贈了趙焯夫、陳子壯題詩圖等明清繪畫。他還捐贈了周作人手稿和自己的大部份藏書。

羅孚的晚年，一直在香港。他說，我對香港，未免有情，我戀香港。餘年無多，「島居」最久，葉落歸根，就在香港。他和香港文化界有着廣泛而深入的交往。在北京期間，他寫的《香港，香港……》一度成為當時內地來港公務人士必讀之選。他曾為《讀書》雜誌撰稿，較早為內地讀者介紹董橋、劉以鬯、蕭銅、小思等香港作家，為香港文學正名，出版了專門論述香港文學和作家的著作《南斗文星高》。他還編了一個香港人寫香港的文集《香港的人和事》。他多次撰文討論「一國兩制」和香港的民主建設。在生命的最後一年多裏，他多次表示反對「佔中」，反對有些人打出殖民時期的龍獅旗。

二〇一四年五月，羅孚在香港的家中平安離開。

凡例

本書依據羅孚先生珍藏的五十多年來二百多位朋友和工作聯繫人的往來書札整理編選而成。

在羅孚一生所從事的工作中，書信往來是必不可少的。一個人在平凡的日常生活中，更能反映出他的快樂和煩惱，更能讓人體會到那些未加掩飾的性格和情感。因此，書信比之其他文體，更能體現一個人的人格、思想和愛憎。閱讀書信，往往能加深對一個人乃至一個時代的理解。這些信札不僅記錄了羅孚自己的人生歷程，也從一個別樣的角度記載了一段段難忘的時光和真摯的感情。這不僅是羅孚個人的精神財富，也是一代文人和知識分子的心靈史。

本書共收入信札五百多通，涉及寫信收信的相關人士二百多人。其中包括羅孚家人七人，家書十二通。上述信件中，絕大部份是羅孚收到的友朋書札，也包括小量的羅孚寫給他人的信件，還有一些信札羅孚雖不是寫信人或收信人，但與他本人有直接關係且為他所收藏。

本書依據羅孚的生平事跡和信札的主要內容，將信札分為十一個部份，包括羅孚在香港辦報時和作者的交往、和親朋好友交往（包括在北京期間）、和一九四九年前《大公報》同事的交往、和重慶地下黨同志的交往、和美國學者及有關人士的交往、和香港統戰宣傳工作同事的交往、和香港文化界及作家的交往、羅孚作為作者和編輯的交往、羅孚作為編者和作者出版者的交往、和書畫收藏界的交往、部份家書摘錄。

一、整理時，為保存信札原貌，一概原文照錄。原文無標點者，加標點；

二、信札原文中涉及的人名、地名、作品名（含外文）均做了核定和校正；

三、部份信札寫作時間原文未注明，能根據其他資料確定的加（）附於信札日期之後；不能確定寫作時間的未作標注；

四、同一寫信人有多封信札的在標題後注明信札數量，信札排序按照寫信時間先後；

五、對信札原文中的錯、別、衍字，用（）表明；字跡模糊難以辨認的，用*表示；

六、對信札原文中涉及寫信人、收信人和他人的個人隱私部份和家庭住址、電話（傳真）等其他不適宜公開的內容，做了必要的刪節；

七、為幫助讀者理解，對原文中的重要人名（別名、暱稱等）、事件以及部份寫作背景做了注釋，注釋依據公開發表的資料、羅孚著作、羅孚家人和其他相關人士提供的資料；注釋僅針對被注釋者的基本情況和其與羅孚及信札原文的關係而作；在原文中已有表述和交代的內容不做注釋；

八、對所涉及的全部寫信人、收信人，在書後附「書中相關人士簡介」予以介紹。

甲輯

周作人致羅孚信（十三通）
包天笑致羅孚信（三通）
梁漱溟致羅孚信（二通）
豐子愷致羅孚信（一通）
巴金致羅孚信（七通）
冰心致羅孚信（一通）
艾蕪致羅孚信（一通）
白樺致羅孚信（一通）
劉白羽致羅孚信（二通）
草明致羅孚信（二通）
荒蕪致羅孚信（一通）
戈寶權致羅孚信（二通）
附：戈寶權致何達信（一通）
李一氓致羅孚信（一通）
秦牧致羅孚信（五通）
鍾敬文致羅孚信（一通）
鍾敬文致羅海星信（一通）
袁水拍致羅孚信（一通）
梁宗岱致羅孚信（一通）
葉君健致羅孚信（一通）
姚雪垠致羅孚信（二通）
黃濟人致羅孚信（一通）
王益知致羅孚信（四通）
李鐵錚致羅孚信（一通）
郁雲致羅孚信（一通）
黃秋耘致羅孚信（一通）
羅孚致姚克信（一通）
附：人民文學出版社致姚克信（一通）
朱仲麗致羅孚信（一通）
張友鸞致潘際坰信（一通）
王力致黃克夫信（一通）
李何林致羅孚張向天何達信（一通）
周海嬰致羅孚信（一通）

周作人致羅孚[1]信（十三通）

第一通

承勳先生：

附呈小文，乞察閱。又有小說二篇，日本西野辰吉所作，寫日本現在社會情形者，故微帶反美的意思，由小兒豐一（北大戰前外文系畢業，現在北京圖書館東文組）譯出，日後或當寄上請一看。以小說（fiction）論似於結構上不無問題，但卻是很好的社會報道，如大公文匯不嫌反美氣味，乞賜考慮，如或不合用，祈即退還為幸。此致

敬禮

作人啓

三月廿七日（一九六三年）

第二通

承勳先生：

昨日省齋[2]過訪，承悉仲切，囑寫頁冊，當由省齋帶回。寄款一節，乞這一回由銀行匯下，以後或由

1 羅孚先生曾於一九九四年四月三日在《華僑日報》上撰文《周作人的幾封信》寫道「手邊有周作人的十四封短箋」，其中十三通為周作人致羅孚信，一通為周作人遵囑所寫冊頁。文章之節錄內容見本書下冊第七四二頁。

2 朱省齋，書畫鑒賞家，時居香港。

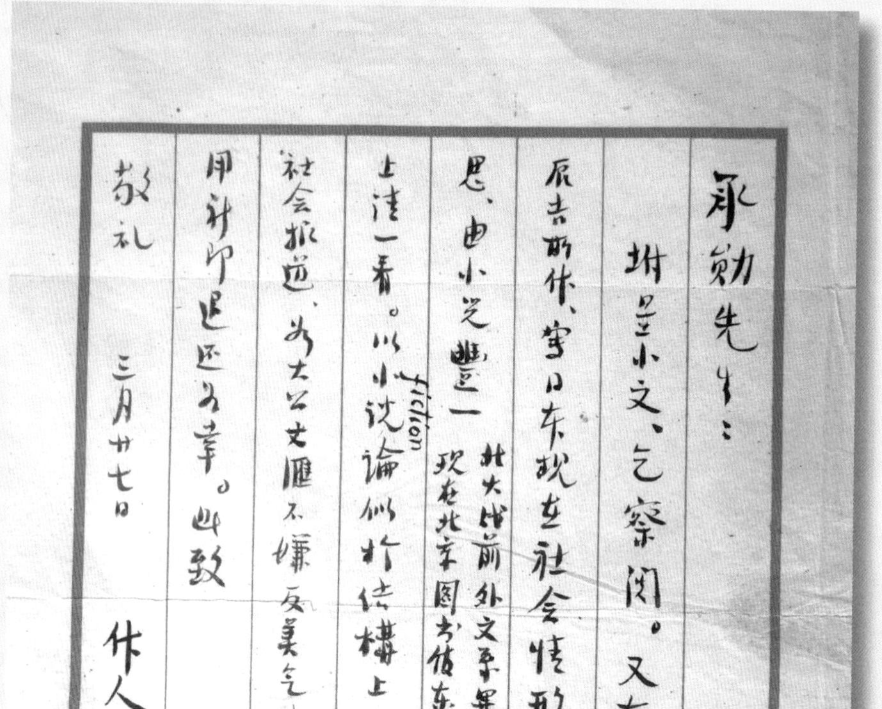
承勋先生：

拙呈小文，乞察阅。又有小说二篇，日本西野辰吉所作，写日本现在社会情形者，故微带反美的意思，由小芝豊一（北大战前外文系毕业，现在北京图书馆东文组）译出，可以或当寄上请一看。以小说（fiction）论似於结構上不无问题，但却是很好的社会报道，如大公文汇不嫌反美气味，乞赐考虑，如或不合用即退还为幸。此致

敬礼

三月廿七日

作人启

周作人致羅孚信第一通

廣州轉寄。因僑匯票亦有便利，有些物資非此不可得也。拙稿已轉到否？本來廣州亦有辦事處可轉，但因不知地名，故現在暫煩潘君轉寄也。此請

近安

九月廿五日（一九六三年）

作人 啓

又及

前寄上之「越諺著者范嘯風」，有些地方與「名人的日記」前半重出，或請將此篇抽下，轉賜寄回更幸。

第三通

承勳先生：

前曾寄奉周豐一譯之西野辰吉小說二篇，其一「美系日人」既承採用在報上發表，尚有「烙印」一篇，現有人民文學出版社來信索閱，請費心一查，如能找到原稿，希望擲下，不勝幸甚。此請

近安

七月十二日（一九六四年）

周啓明

第四通

承勳先生：

日前寄一信，請求將前此所寄上周豐一譯之小說「烙印」一篇檢出寄還。現此文底稿已經找到，故前此所說一節可請無須矣。專此即請

近安

七月十五日（一九六四年）

周啓明

第五通

承勳先生：

六七月中已寄上雜文八篇，約計共萬五千字，匯款祈仍從廣州寄下為幸。專此即請

近安

七月廿九日（一九六四年）

周啓明 奉

第六通

承勳先生：

茲附上小文一篇，祈察收。近因新學期稍有需用，可否乞付下稿費，唯請由銀行匯寄，其理由前已說

明，茲不再贅。此請
近安

八月十九日（一九六四年）
作人啓

第七通

承勳先生：
前承寄款後，先後三個月中計已寄上稿件十三篇，約有二萬字，想已蒙收入。上月末函請給予款項，未得回信為念。今特再次懇請，務祈照查迅即由廣州匯給為荷。此致
敬禮

八月卅一日（一九六四年）
周啓明

第八通

承勳先生：
廿八日手書誦悉。稿件已改由廣州轉寄，計寄去三篇，八月中尚有潘君[3]轉上的三篇，想均次第收入矣。所云廿八日由廣州賜寄之款，則尚未到，計前後已有十四天，郵局不致遺失，想或者廣州未曾寄出，祈

3 潘君，指潘際坰。

一查詢為要。即請

近安

九月十日（一九六四年）

作人啓

第九通

承勳先生：

前日寄一信，想已蒙查覽矣。嗣得潘際坰君來信，云稿可轉寄，故已經奉託，前後兩次共計九篇。上月中寄信，因中間附有短篇，並未超過份量，乃亦被一總退還，故今寄至尊寓，不復寄報館也。前信有所請求，茲特附上，請賜察閱，亦省得重寫一遍耳。即請

近安

九月十六日（一九六四年）

作人啓

第十通

承勳兄：

廣州寄款已於十八日收到，謝謝。拙稿曾由潘君寄上三篇，後由黃君[4]轉上七篇，共計長短十篇，乞

4 黃君，指黃克夫，時為《大公報》駐京記者。

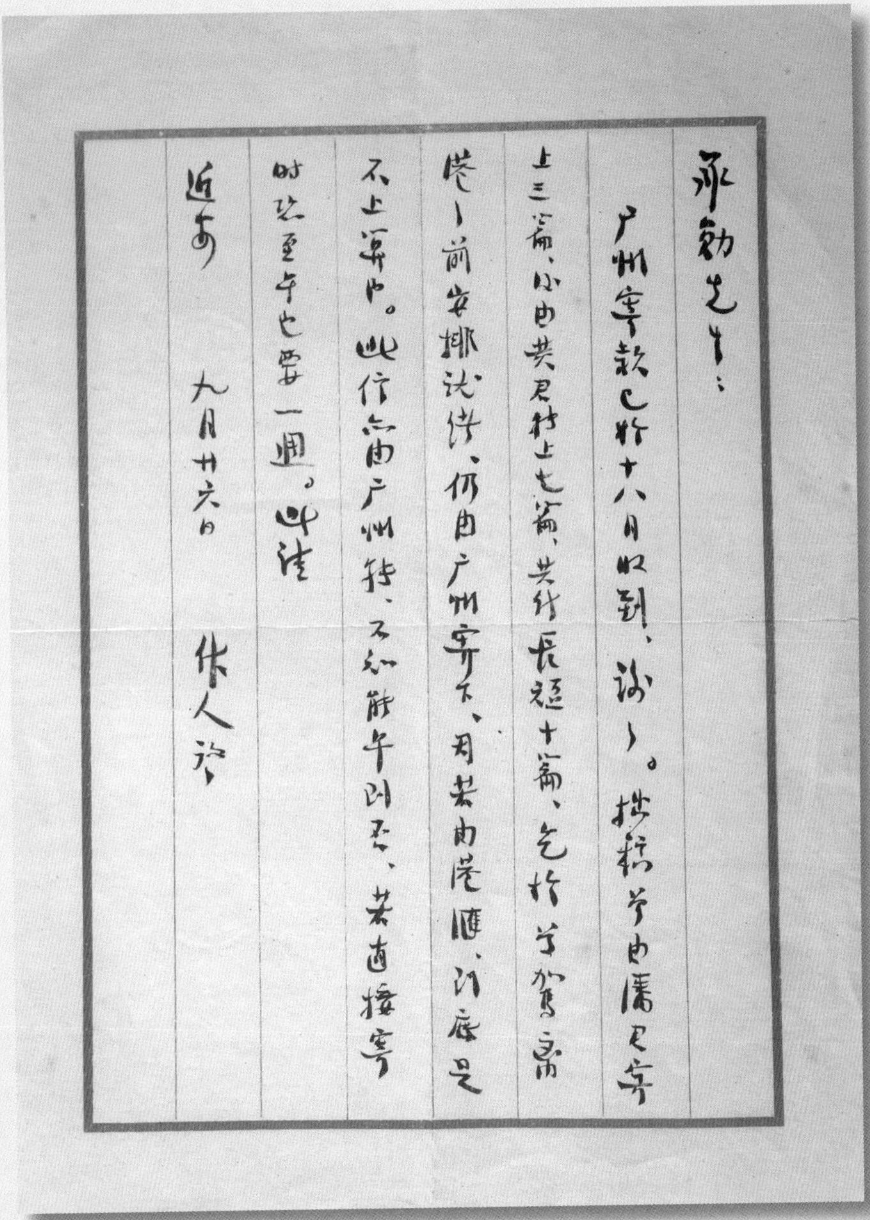
承勳先生：
廣州寄款已於十八日收到，謝謝。抄稿前由馮君寄
上三篇，後由黃君轉上七篇，共計長短十篇，乞於[illegible]
港[illegible]前安挪借，仍由廣州寄下，因若由港匯，[illegible]麻是
不上算也。此件亦由廣州轉，不知能早日到否，若直接寄
時恐至今也要一週。此請
近安
九月廿六日 作人啓

周作人致羅孚信第十通

於尊駕離港之前安排就緒，仍由廣州寄下。因若由港匯，到底是不上算也。此信亦由廣州轉，不知能早到否。若直接寄時，恐至早也要一週。此請
近安

九月廿六日（一九六四年）
作人　啓

第十一通

承勳先生：

昨日從廣州專呈一信，想已收到。因忘記了一件事，所以今日補寫。回想錄現在所有，仍只是前回寄來的二十節，希將起後的源源寄下，或者以二十天作一段落寄來亦可。此事煩瑣，甚為費心，唯因向來不留底稿，不得（已）請費神代留剪報耳。專此

即請
近安

九月廿七日（一九六四年）
作人　啓

第十二通

承勳先生：

承電匯港幣二百元已於前日領收，昨又得廿七日手書，誦悉一之。僑匯因有購物券，可以買得尋常不易

買到的東西，故有時覺得需要，唯此後如計算稿費時，可由廣州寄下，如有必要，當臨時再行奉告。港報上的議論經友人示知一二，（《新生》及《明報》上的），曹君[5]則不曾言及，其實拙文之不好並不自今日始，即如「文抄公」的批評，即前函「夜讀抄」的時候，亦已眾口一詞矣。此請

近安

十月一日（一九六四年）

作人　啓

第十三通

承勳先生：

依照指示，由黃克夫先生轉上的小文已有十篇，想均蒙查收。現在不久將近陰曆過年，務於年底請求賜款，仍由廣州郵寄，但乞先行示知，不勝幸甚。專此

即請　近安

一月五日（一九六五年）

周啓明　上奉

5　曹君，指曹聚仁。

包天笑致羅孚信（三通）

第一通

承勳先生：

前有友人寄給我曼殊遺照數幀。

一、為百助眉史調箏圖。此在我前辦雜誌上，後被周瘦鵑借去亦登過，此為翻印者漸模糊了。

一、曼殊與沈君合照，立左首＊者為曼殊。

一、曼殊所寫「非夢記」小說墨跡，此小說首登我所編的「小說大觀」上，原稿未收回，不知＊如何覓得。按曼殊尚有一譯作曰《慘世界》法國囂俄原作，其署名蘇子由、陳由己合譯，實則蘇子由即曼殊，陳由己即陳仲甫，我有此書惜失去。

我無法收藏，望為存留。敬問

撰祺

弟　天笑　手

七、二

第二通

承勳先生惠鑒：

前由曹聚仁兄告我，曾將拙稿《釧影樓回憶錄》送呈公處鑒閱，此書所寫，皆為家庭瑣屑，及青年時代

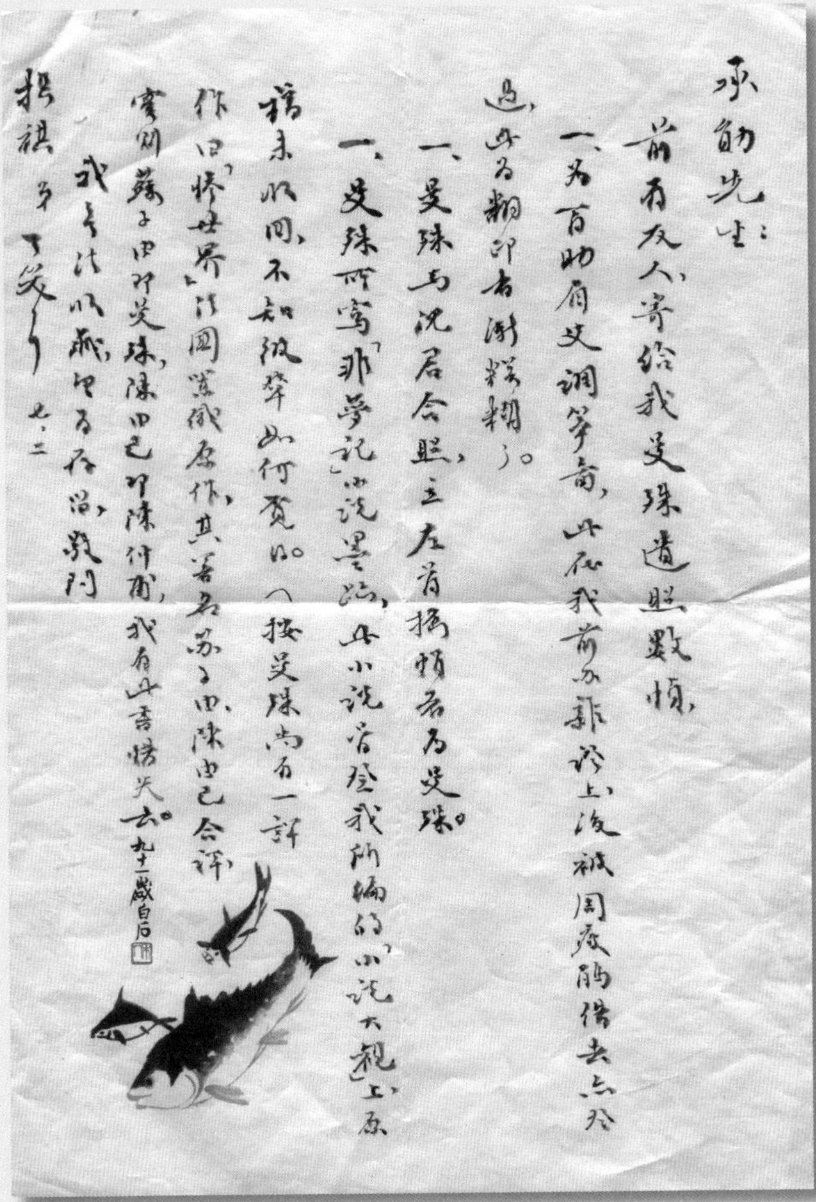

承勛先生：

前有友人寄給我曼殊遺照數幀，

一為百助眉史調箏圖，此係我前刊於雜誌上，後被周瘦鵑借去，亦於過，此為翻印者，稍模糊了。

一、曼殊與沈君合照，立左首樹傍者為曼殊。

一、曼殊所寫「非夢記」小說墨跡，此小說曾登我所編的「小說大觀」上，原稿未收回，不知被竊如何覓得。（按曼殊尚有一譯作曰「慘世界」，法國囂俄原作，其署名為蘇子穀、陳由己合譯，實則蘇子穀即曼殊，陳由己即陳仲甫，我有此書惜失去。）

我今記憶不好，恐有錯誤，敬問

撰祺

弟天笑上 七、二

包天笑致羅孚信第一通

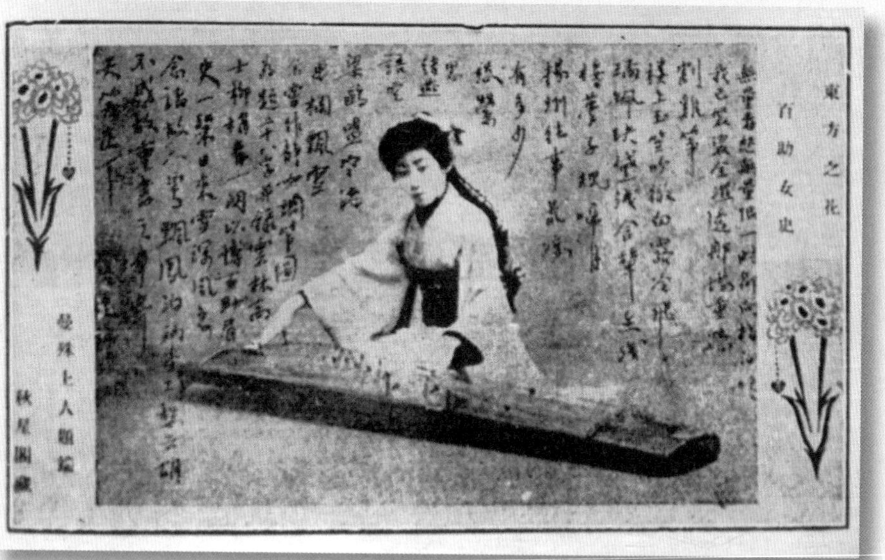

包天笑致羅孚信第一通附照「百助眉史調箏圖」。

奔走衣食諸端。及握管寫時，亦在二十年前，尚未解放時期，久思續寫，蹉跎至今，實不足以登大雅之堂，倘能辱賜指正，尤為感幸。年老步蹇，艱於趨謁。敬問

起居

敝稿是否已在尊處或已交回曹聚兄，乞示。

弟 天笑 啓上

五月廿七[6]

第三通

承勳先生惠鑒：

五月廿七日，曾寄奉一書，詢問拙稿《釧影樓回憶錄》是否尚留尊處？想已鑒及。昨日曹聚仁兄來舍，他說，「他們會把稿子還給您的。」至為欣慰。

長日無聊，弟又續寫了數章，約兩萬字左右，皆清末民初故事，追憶所及，恐已很少為今人所知者。唯記憶力已日趨衰弱，必須參照前文。務懇將拙稿早日擲還。但不知此稿在尊處，抑在慶澍兄處也。

兄等為國賢勞，以此小事瑣瀆麻煩，心殊不安。尚希原諒，並賜裁答，至感至盼。敬問

撰祺

慶澍兄均此不另

弟 天笑 手啓

六月十六日

6 《釧影樓回憶錄》於一九七一年出版，此信應寫於一九七一年前。

梁漱溟致羅孚信（二通）

第一通

（無上款）

三月十九日函示敬悉，我以拒不批孔，政治上受到孤立，但我的態度是獨立思考和表裏如一，無所畏懼，一切聽其自然發展，此時如從香港來人看我，大不相宜，此紙可轉君毅、時三[7]一閱。我身體精神至佳，雖年紀八十有三，仍然像六十許人，可以告慰遠方朋友。

漱溟 手覆

三月廿八日

羅孚注：一九七五年四月六日收到

第二通

承勳先生吾兄左右

二月十六日手教暨附寄各件均奉悉，深感關切之厚意。僕偶因陸鏗來信述及昔年在南京邵力子先生介紹晤談之往事，並約我寫稿，即率爾以一短文回報，不意被傳至台北，供人利用，此正由我不了解錯綜之情

7 時三，指胡應漢。胡應漢，號時三，梁漱溟學生，居香港。

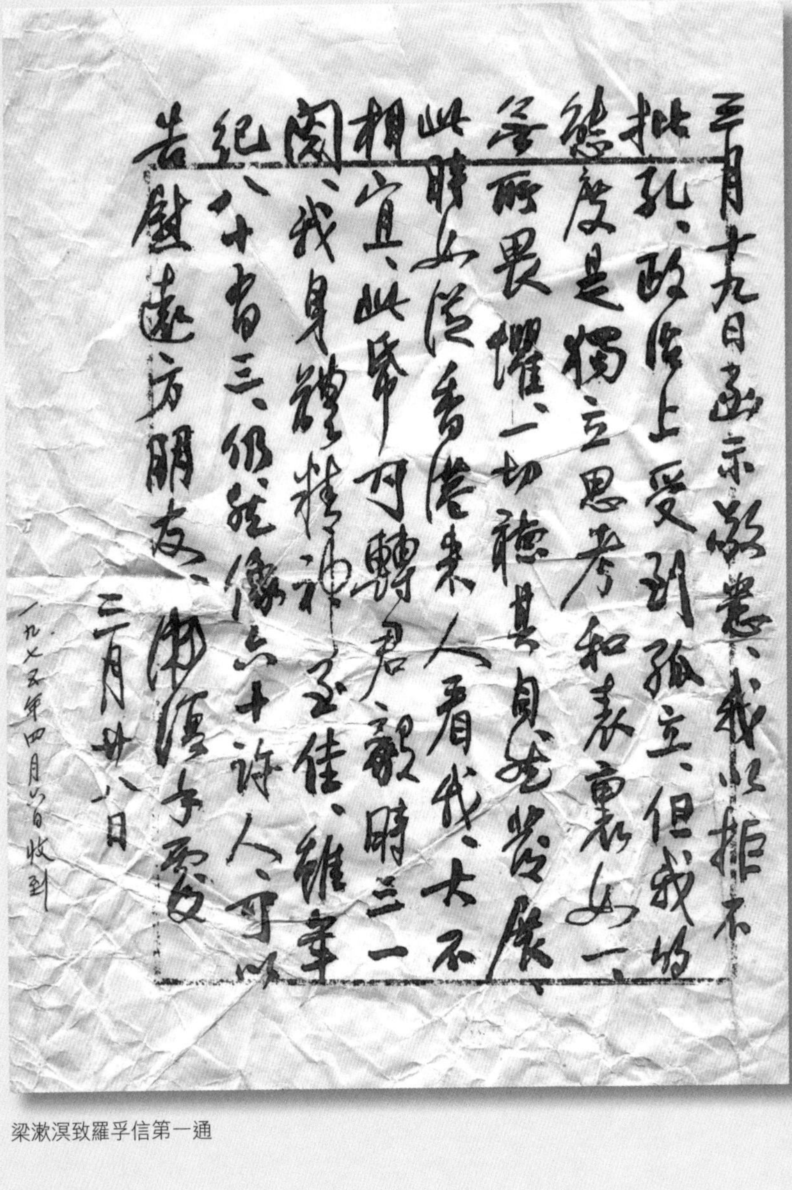
三月十九日函示敬悉，我以拒不
批孔，政治上受到孤立，但我的
態度是獨立思考和表裏如一，
無所畏懼，一切聽其自然發展，
此時如從香港來人看我，大不
相宜，此際可轉告君毅，明三一
閱，我身體精神至佳，雖年
紀八十有三，仍能像四十許人，可以
告慰遠方朋友。漱溟手覆
三月廿八日
一九七五年四月六日收到

梁漱溟致羅孚信第一通

況。其後辭謝新亞書院金校長之講學邀請，蓋亦避免多言有失也。拙著「人心與人生」經兄介紹付印，甚好。頃即函囑胡時三君代表我應付其事矣。

肅復不盡欲宣，乞隨時指教幸甚！

弟 梁漱溟 再拜

一九八二年二月廿四日

豐子愷致羅孚信（一通）

承勳先生惠鑒：

承託寄竹久夢二《出帆》一大冊，已於昨日妥收。此書乃旅日華僑盧瑋鑾女士所贈。弟欲寄書道謝而不知其址，今備函附奉欲乞先生代為寄遞，費神甚感。專此即請

編安

弟 豐子愷 上

一九七五年一月十七日

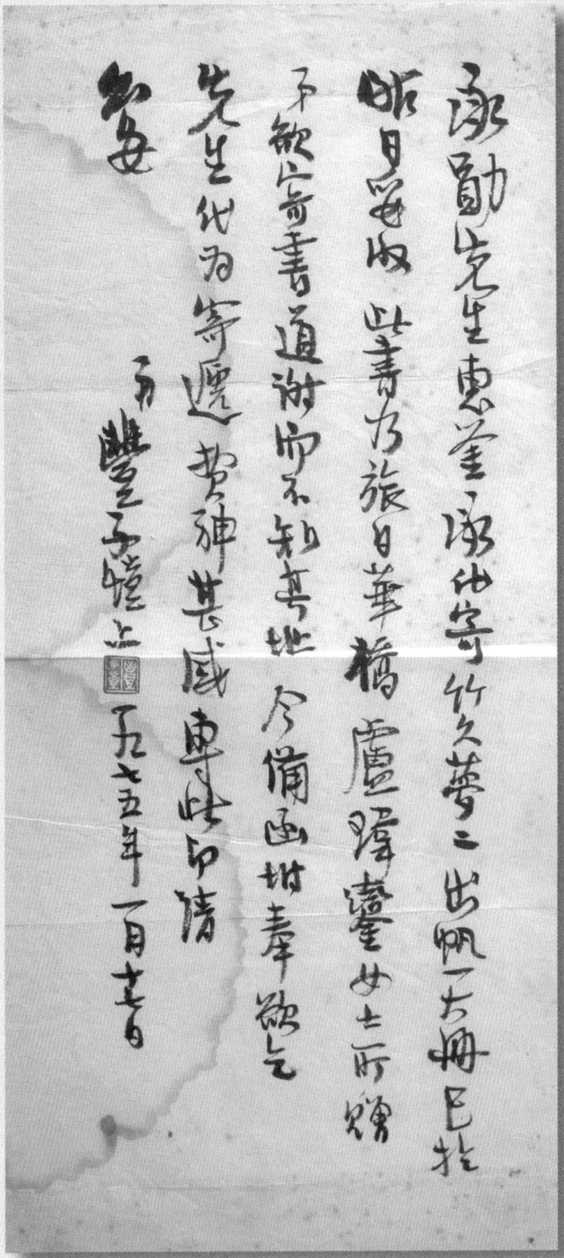
承勖先生惠鑒：承代寄竹久夢二出帆一大冊，已於昨日收到。此書乃旅日華僑盧靜鑾女士所贈，予欲寄書道謝而不知其地址，今備函附奉，敬乞先生代為寄遞，費神甚感。專此即請
教安
弟 豐子愷上
一九七五年一月十五日

豐子愷致羅孚信

巴金致羅孚信（七通）

第一通

承勳同志：

介紹一篇散文稿給您，這是我愛人寫的，因為較長，不打算在國內發表全文。倘使「文藝」需要，請留下，否則請退回原稿。

幾年不見了，近況如何，甚念。

祝好

巴金

五月十二日

第二通

承勳同志：

好久不通信了。去年年底兩次過港，都不曾見到您，頗為想念。後來聽說您還到過上海。真不湊巧。

寄上文章一篇，請審閱。這篇文章是為我那本訪越小書《攜手前進》寫的，只收在單行本內，不打算在國內報刊發表，原稿請不要退還。《攜手前進》還差一篇「代序」，尚未發排，出版期當在九月以後。

此致

敬禮

巴金

五月二十日（一九六一年）

第三通

承勳同志：

好久沒有給您寫信了，近況如何？念念。

寄上一篇訪越文章，請您看看，能不能在「文藝」發表。原文將在本月二十五日出版的第二期《收穫》上刊出，我現在做了些刪改。

我還在寫訪越文章，快寫完了，準備編一本小書。

去年十月底我從越南回來，住華僑大廈，陳凡同志也住在那裏，經常在飯廳裏遇見他。

此致

敬禮

巴金

三月七日（一九六四年）

第四通

承勳同志：

我已看到了五月二十七日「文藝」，謝您發表了我的文章。介紹「南方來信」的文章，我原說不在國內發表，最近上海《文匯報》要發表有關越南的稿子，我把那篇文章刪改後給了「筆會」，大約在後天刊出。

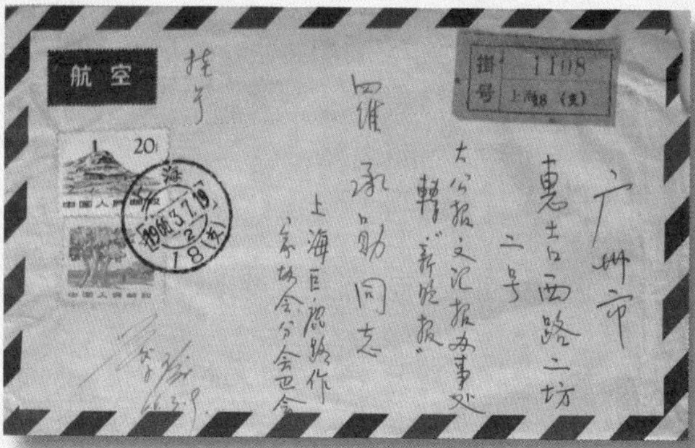

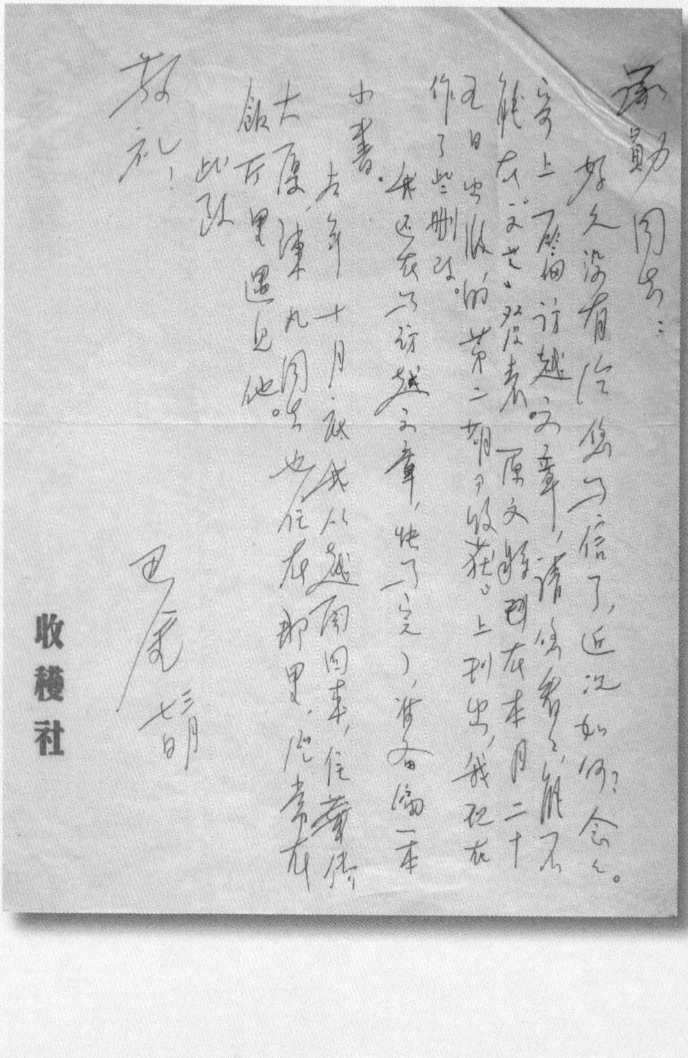

承勋同志：

好久没有给您写信了，近况如何？念念。寄上一篇访越的文章，请您看看，能不能在文艺发表。原文将在本月二十五日出版的第二期收获上刊出，我把它作了些删改。我还在写访越文章，他们一定要，准备写一本小书。

去年十月，我从越南回来，住华侨大厦，陈九同志也住在那里，我常在饭店里遇见他。

此致

敬礼！

巴金

七月三日

收穫社

巴金致羅孚信第三通
及信封

現在又寄上短文一篇，請查收，不知道是否來得及在十日刊出。這是刪改後的新稿，我手邊還有一個較長的文字略有不同的底稿（題目也不相同），打算過幾天（九、十日）寄給《光明日報》的「東風」。

匆此，祝

好

巴金

六月三日（一九六四年）

第五通

承勳同志：

六月寄來的信早收到了，我一直忙，（我去山西住了將近一個月），因此沒有寫回信，請原諒。您講的「秋色賦」的作者是孫峻青同志，他前些時候去煙台養病，最近回來，身體還是不好。聽以群同志說，他去年在上海見過您。今年國慶節已過，未見您來上海，希望明年能有機會見面。您來信還提到我的文章，我剛為《收穫》寫完了一篇關於「大寨」的散文，字數較多，準備刪改一下，縮成八、九千字寄給您。（現在寄去徵求山西作協意見，等原稿寄回我），寄上「賢良橋畔」＊想已收到，上次告訴您小書的名稱是「攜手前進」，後來出版社一位朋友説，「攜手前進」不像文藝書的書名，我便改用了「賢良橋畔」。最後還想託您辦一件事：金仲華同志最近去日本訪問（可能是兩週），路過香港，倘使可能的話，請您代買一架日本製最小型半導體收音機（火柴盒那樣大，我在東京、在上海日本工業展覽會上都見過）交給他帶回上海。謝謝。祝

好！

巴金

十一月十二日（一九六四年）

1992 年 10 月，巴金（右）和羅孚在上海巴金寓所。

第六通

承勳同志：

我十七日從長崎飛回上海，想起半年前的一筆文債，感到不妥。手邊有一篇在日本廣島寫成，在京都宣讀的講話稿，連忙檢出寄上。您以為可用，就發表它；以為不可用，就請退稿。別的話以後再説吧。

祝

好

巴金

四月廿一日（一九八〇年）

第七通

承勳先生：

信收到，謝謝您寄「星海」給我。

本月二日我因感冒發燒，家裏人拉我看門診，誰知一來就給留下了，已經住了一星期，大約還要住六七天。生一次病倒得到了休息。

有一件事要告訴您：人民文學出版社在京重排《隨想錄》，印了十萬冊，不久可以發行。您説甚麼「發言人」，這是過譽。在我只是「人之將死，其言也善」。我的文章，不過是我對「善」字的解釋而已。

祝

好

巴金

十日（一九八〇年十月）

冰心致羅孚信（一通）

承勳同志：

您替楊慶堃先生寄來的兩本書，都收到了。感謝之至，如果不太麻煩，請再把其餘的書也寄來。（另外有三本 Max Weber 的書，不知是否您替楊慶堃寄來的？至今仍扣在天橋郵局，我們當設法去取。）「櫻花和友誼」原稿在日文版《人民中國》那裏，他們把打樣送來了，更好，清楚一些。「因為我們還年青」這首詩沒有發表過，是登在民院牆報上的，只給李政道先生寫過一份，茲也抄一份寄上，反正都不怎麼好，您看着辦吧。

您替我寄書的寄費怎麼還法？費彝民先生有女兒在北京（聽說），您可否告訴我是多少錢，我撥還她人民幣，怎樣？此信到日，新年已過了，拜個晚年吧。

問彝民好。

冰心

一九七三年元旦夜

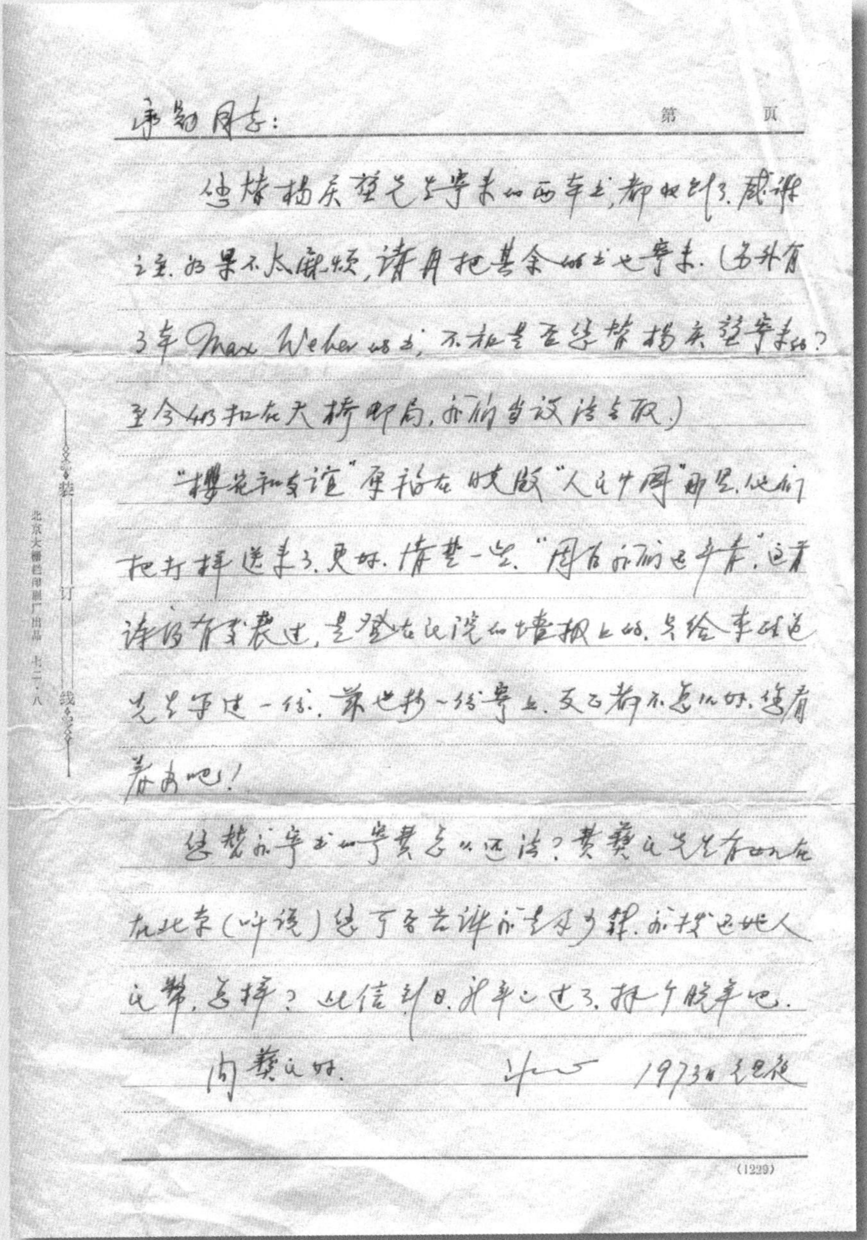
承勋同志：

您替杨宪益先生寄来的两本书，都收到了，感谢之至。如果不太麻烦，请再把其余的书也寄来。（另外有一本 Max Weber 的书，不知是否经您替杨宪益寄来的？至今仍扣在大桥邮局，我们当设法去取。）

"樱花和友谊"原稿在时敢"人民中国"那里，他们把打样送来了，更好。清楚一些。"周总理和我们在一起"，这首诗从前发表过，是登在民院的墙报上的，只给李硕道先生写过一份，我也抄一份寄上，文字看不怎么好，您看着办吧！

您替我寄书的费用怎么还法？黄蒙田先生前些时在北京（听说）您可否告诉我他的地址。我找过他人的帮，怎样？此信到日，我年已过了，拜个晚年吧。

问蒙田好。　冰心　1973年2月夜

冰心致羅孚信

1989 年 5 月，冰心（右）和羅孚在北京冰心寓所。

艾蕪致羅孚信（一通）

承勳兄：

今天有香港《廣角鏡》的總編輯李國祥（強）先生來訪，還帶來關諸先生一信，知道您身體健康，很是高興！

每個星期都收到您寄的《星海》刊物，讀到您用絲韋筆名發表的文章，感佩您工作精神真好。每期都寄來，十分感謝！

我五月二十一日寄您一封信（由《大公報》轉交），並另外掛號寄您一包小說稿子，請您代轉香港時代圖書公司的陳國祥和許聖新（這是他們今年三月在北京約的小說稿），不知您收到轉交沒有？請您在百忙中回我一信為荷！再一次麻煩您，至為不安！

此致

敬禮

艾蕪

一九八〇年七月八日於成都

白樺致羅孚信（一通）

羅孚兄：

一別又是一年了。

最近耀邦同志的講話你可能已見到，此事算是結束了，由他來宣佈了結，足見此事之複雜。

去年我寫的那篇關於傅聰的文章請剪一份寄來。香港還有甚麼關於我的反映，也請剪幾張報紙來。

唐瑜在香港，請將信速轉交他。

新年好！

白樺

八一年一月一日

劉白羽致羅孚信（二通）

第一通

承勳兄：

好久沒寄信給你，曾託陳凡兄致敬。

我在上海已三個月，可能要住到春暖。在上海治療顯然比在北京好，纏綿七年得毛病，也許得以好轉。

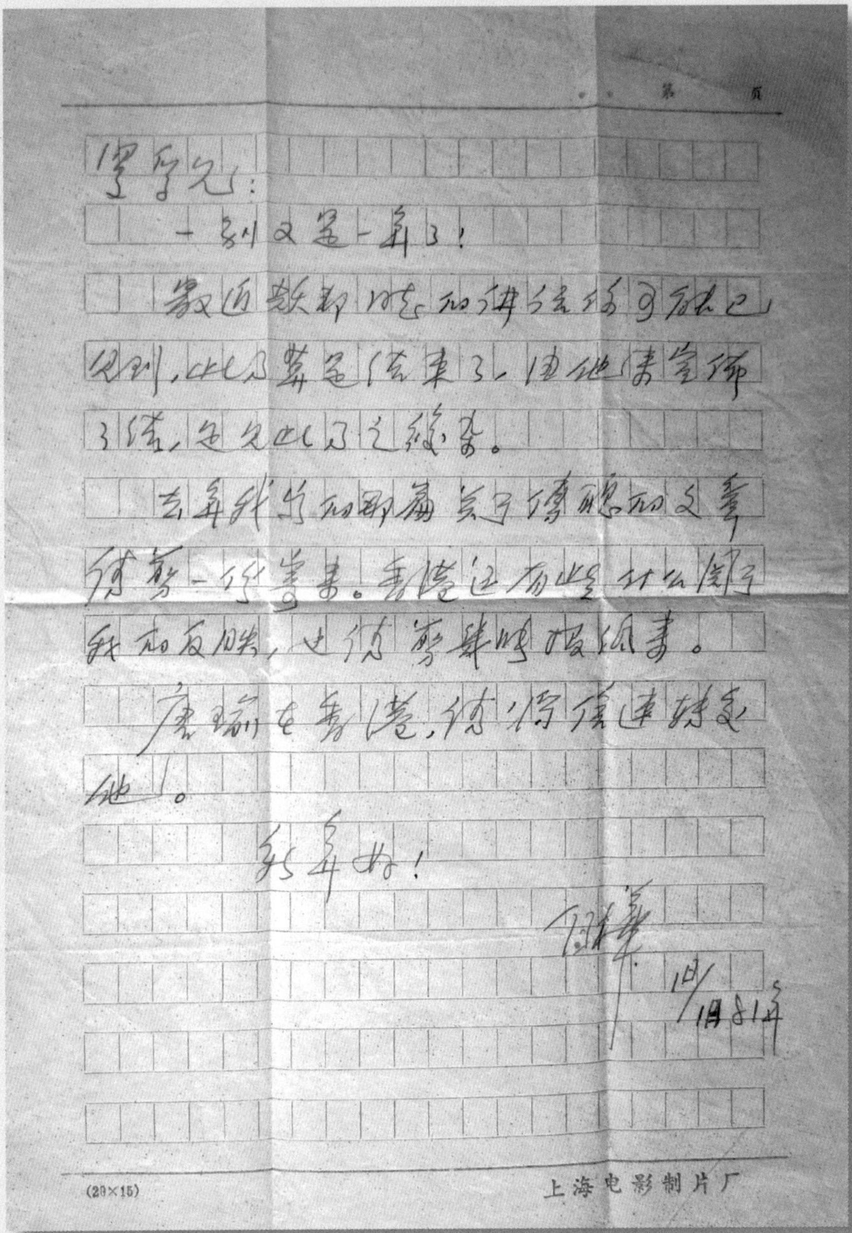

白樺致羅孚信

現在，寄上一篇《大同江》給你，是寫朝鮮的，不知好用否？我還打算陸續寫三四篇。這一篇，我沒有底稿，當然也還沒發表，您發表後希望立即寄我。因為有一個編輯部還想要這稿子。

我想拜託你一件事，就是我前後從報館一共借用了多少錢？除這幾篇稿子之外，還要寫多少字？請你無論如何告訴我一下。我想把在上海的時間好好安排一下。我怕一旦恢復工作，又沒有時間了。

上海書局那套外國文學叢書，有沒有出新的？如有，請你務必設法購寄。

通訊處：上海巨鹿路中國作家協會上海分會轉交

劉白羽

一月五日（一九六二年）上海

第二通

承勳同志：

我生病，很久沒通信。現在，還在大連治療。

在你那兒欠了不少債，可是一直都沒能寫甚麼。

最近，由於出版社要出我一個小冊子，寫篇序，因是對大躍進那個春天的回憶，一寫就寫得不短，現在寄你一篇，看能不能作為一篇文章發表？便中請函示。

信請仍寄北京中國作家協會轉為盼。

祝好。

劉白羽

四月十四日（一九六四年）

草明致羅孚信（二通）

第一通

羅承勳先生：

前寄去拙作《小加的經歷》、《草明小説選》各一本，未知已否收到？又，十天前寄出拙稿《故鄉之戀》，也不知收到否？念念。前者是寄信箱十九號的。後者是寄軒尼詩道的。

如果《故鄉之戀》未收到，請告我，以便再抄一份寄去。這樣的寫法和內容，不知是否合適，亦請不客氣地指出，不勝感謝！（以後如有回憶錄這類文章，還準備再寄些去。）

我已收到你寄的四份《新晚報》。可惜關於冰心寫的前面的一篇沒有看到。可否補寄一份？特此致謝！

並祝

著祺

草明

一九八〇．一．八

第二通

承勳先生：

我已訪日歸國，寫了兩篇散文，寄你一閱，為你刊能用請轉發，讓日本朋友看見也好。這兩篇同時寄《人民日報》，不知結果如何。

計算機出國前已收到，對科研很適合，謝謝！我也沒甚麼急需的東西要買的了，如方便的話可否代購被套一二個，要白色的。

這次日本朋友送我一個錄音機（雙用的）。如方便，請弄點錄音磁帶也好！

你如需甚麼雜誌或書，請告，待我寄去。

祝撰安！

草明

八一

荒蕪致羅孚信（一通）

承勳同志：

四月十九日示悉。剪報三紙亦收到，謝謝。

我和蕭乾兄都住在天壇南面，相去僅一站之遙，時相過從，常常談及閣下。三十餘年前在重慶時，我住張家花園，當時和徐盈、子岡夫婦、高集等有來往，也常為《大公報》副刊寫稿，思之恍如隔世。

今年二月十七日，曾寄一篇雜文《人·神·鬼·英雄·狗熊》給潘際坰同志，迄無下文。您們是一家，他如不用，請您要來看看，如用，最好。否則，替我轉給一個合適的刊物，如何？

我正在寫一篇《漫談惠特曼》約五段，每段二三千字不等，獨自成篇，將來寄上一兩段請正。打油詩亦將續寄。專覆，即頌

撰安

荒蕪

戈寶權致羅孚信（二通）

第一通

承勳我兄：

您好！

承你經常惠寄「星海」文藝週刊，從信封上的字來看，都是你親手寫的，真是太感激了！記得二、三月間，我曾寄過一封信並寄了幾種新出的刊物（其中有我寫的文章）給你，都是親到深圳〇一九信箱發的，不知曾否收到？

本該早為《星海》寫點文章，但因四月間到武漢去參加為紀念馬雅可夫斯基逝世五十週年舉行的學術討論會，一直到現在才把《憶葉靈鳳》文章寫出來，現寄上，請審閱。不知是否可用？如蒙刊登，盼能多贈《星海》幾份。又稿酬請存在你們那裏，供買書物之用。

此處有幾件事要麻煩你：

1、上次寫給你的信中，請你協助把《明報月刊》第一一三期中梁國豪寫的有關魯迅和青木正兒通信的文章影印出來，不知曾否找到這篇文章？

2、北京現要出版一本文代會圖片集（名「文壇繁星譜」），編者來找過我，想請何達兄寫一個三百字的小傳，我上月曾為此事寫信給他，先寄到銅鑼灣和頓道六十號C座七樓的，但至今未有覆信，不知他是否收到？現再附上一行，煩請你代為傳音和代催一下。

3、香港在一九五四年出版過一部 Max Perleberg 編的「*Who's who in Modern China*」，不知其中有無戈公振（Koo Kung Chen）的條目，今年是家叔誕辰九十週年和逝世四十五週年，準備要寫一些紀念文章。

如你處有此書，可否請將有關家叔的條目影印或打印出來。

4、現在香港中文大學編輯「*Renditions*」的宋淇（淇字對嗎？），聞係宋春舫之子，確否？三十年代初我和宋春舫很熟，曾編過他翻譯的一本小說集，現查到他的生年是一八九一，但《辭海》中是一八九二—一九三八，不知那一個年代對，有無辦法代為打聽。

以上諸多麻煩，謹在此敬致謝意！

此致

敬禮！

戈寶權

八〇年五月十四日

第二通

承勳兄：

你好！

今天寄了一封航空信給你，是直寄到香港《新晚報》編輯部的。現再將我為「星海」寫的《憶葉靈鳳》，掛號寄到深圳〇一九信箱轉給你，接到後盼煩示教數語為感！

此致

敬禮

戈寶權

八〇年五月十五日

附：戈寶權致何達信（一通）

何達先生：

你好！

上月我曾寫過一封信給你，是寄到銅鑼灣禮頓道六十號C座七樓的，不知曾否收到？北京現正編一本文代會圖片集，名《文壇繁星譜》，其中有我們合照的像片，編者特為此事來找我，請你寫一個三百字的小傳（包括生年，籍貫，經歷及著作），因他們要對照片上的文藝界人士作些介紹。盼接信後，望即將小傳寄來，以後轉交。

此致

敬禮！

戈寶權

八〇年五月十三日

李一氓致羅孚信（一通）

在《新晚報》上寫黃山時，說：漸江墓在始信峰。這不對，漸江墓在徽州城對岸披雲峰山下，請更正一下為好。下丞相源在擲鉢禪院附近，側有熊漁山（開元）的墓。

右致

承勳先生

李一氓

六月廿六日北京

秦牧致羅孚信（五通）

第一通

承勳兄：

近來怎樣？

鍾敬文所需的《全清詞鈔》，我日昨已收到，想是你通知書店掛號寄來的。日間即轉寄北京。書款怎樣還給你，請告知。

甚麼時候回來，至希一晤，打倒「四人幫」後大家心情舒暢，文藝事業看來明年是可以比較繁榮的。專覆。並候

文祺

牧

十九·十二（一九七六年）

第二通

羅兄：

春節期間一晤，忽忽又已一旬，近況諒好？

《全清詞鈔》贈予鍾先生事，已函告。並代索題詩一幅，頃已得回書，特附上一閱。

下次來穗時，該幅手書當可寄到。

特覆，並問

安好

六·三（一九七七年）　牧

第三通

承勳兄：

近來好吧？

我在上海《少年文藝》發表了一篇《吃動物》，這稿子我想你會有興趣的，而且在《新晚報》上轉載可以滿足海外讀者的好奇心，也讓他們知道我們並不是老板着面孔的。因而，特剪寄。

有空請為我撥個電話給敏之，他編的文藝週刊我已看到，很不錯。如能有更多的新鮮、潑辣感，並進一步消滅錯字，就更好。

祝

康樂！

三·十五夜（一九八〇年）　牧

第四通

承勳兄：

很久沒得到你的消息，不知近況怎樣？聽説你病了一場，最近已經復原了，是嗎？

我到晚報來大半年了，主要是搞文藝方面的事情，秋雲（耘）最近也來了，一做老編，忙忙碌碌，其他文章就少寫了。屢承寄贈書刊，十分感謝。

1980 年，秦牧（左）、劉殿爵（中、香港中文大學教授）和羅孚攝於廣州。

以前和楊奇聯名約你寫的《約翰遜別傳》一組文章，不知你寫得怎樣？這些文章，上面和我們都寄望甚殷，如果條件許可，希望你盡快寄下，這樣的內容文章，大家都是以先睹為快的。

專函詢問，並祝

建好

秦牧

二十九．三（一九八〇年）

第五通

承勳兄：

你好！

最近，我出發湖南各地訪問，日昨回來，收到你們寄到機關贈送的《海洋文藝》，（由於直接寄到創作室，三包都收到了），謝謝！我初步翻閱一下，覺得頗充實，日間還要找個時間好好瀏覽。

我不久將出發惠東縣，搞農村教育運動，大概將住鄉間八個月，這段時間，就暫時不搞文學創作了。

第八期的《解放軍文藝》有關於三大起義的好幾篇文藝性報告，其中關於廣州起義的一篇是我寫的。我花了近一個月的時間，看材料和訪問，寫了這篇東西。你如有空，請給看一看。《解放軍文藝》公開發行，想也可出口。

近來健康、生活各方面都好吧？

此問

康樂

弟 牧

十八．八

鍾敬文致羅孚信（一通）

承勳同志：

春間得秦牧同志信，知道《全清詞鈔》一書，為您所購贈，心感不盡。至今才寫信對您道謝，殊覺歉仄！

我拙於書法，更不能寫較大的字幅。年老手顫和眼花，勉強執筆塗抹，實在不成樣子。敢於奉上者，特愛我者的原諒事也。

《紅樓夢注釋》、《東海漁歌》、《瘦庵詩集》等數種寄呈左右，不成敬意，聊博一笑耳。（附詩詞稿二紙、詞影片一張。）

聞港九近年來出版業頗旺盛，其中有些書，從書名看來，似可供工作上的參考。像《魯迅詩箋選注》（文學研究社編，一九六七）、《魯迅詩新解》（文教出版社版）、《魯迅評傳》（曹聚仁著、三育圖書文具公司（？）出版），以及《文壇三十年》（曹聚仁著）、《知堂回憶錄》（周遐壽著）之類，有機會都想看看。這些不知好買否？（不管新、舊都可以）。如方便，請代收集一下！時間長短，關係不大。入手後，請趁便由您自己或託朋友帶至廣州寄來（有便人帶來自然更好，也可交秦牧同志或淩秋雲（黃秋耘）同志代寄）。直接由港付郵，怕會寄失（過去有人有過這類經驗）。又，我擬寫點關於詞的格律的通俗書，手頭沒有清代王奕清等編輯的《（欽定）詞譜》，頗感不便。港中舊書店不知有法子找到否？（北京舊書店久缺此書，成天借圖書館的，又不大好意思。該書原版已不可多得，這裏說的是解放前上海醫學書局的影印本）。購書書價，務請直接示知，以便匯還，千萬不能像前次那樣客氣！

您認識的朋（友）陳邇冬、聶紺弩等同志，有時曾見面，並提到您。

何巧生同志，不知還在大公報社否？見面時乞代問好。

您如因事來京，請示知，以便面晤。（來信最好由廣州轉）。

近來寫了一些關於魯翁的論文，待刊出時寄上請教。

草草。順祝秋安。

鍾敬文

十．二十六（一九七七年）

鍾敬文致羅海星信（一通）

海星同志：

您突然接到這封信，開始不免感到奇怪吧。請您原諒我的冒昧！您的通訊處是秦牧同志告訴我的，因為我要向您的父親去信，從他（秦）那裏得到您的住址。

現在託友人黃秋耘同志順便帶去給您父親的信和書籍、字畫等數種。請您即設法轉交您父親（付郵或託使人帶都可以）。

以後您父親給我寄信或書籍，可能也要麻煩您代轉，並此致謝。

您有機會來北京時，便中請到敝寓談談。

我離開廣州已三十年，再回去，恐怕一切都不認得了。在中國人民經歷上多麼重要的這個「三十年」呀！

我的通訊處：（略）。祝好。

鍾敬文

十．二十六（一九八三年）

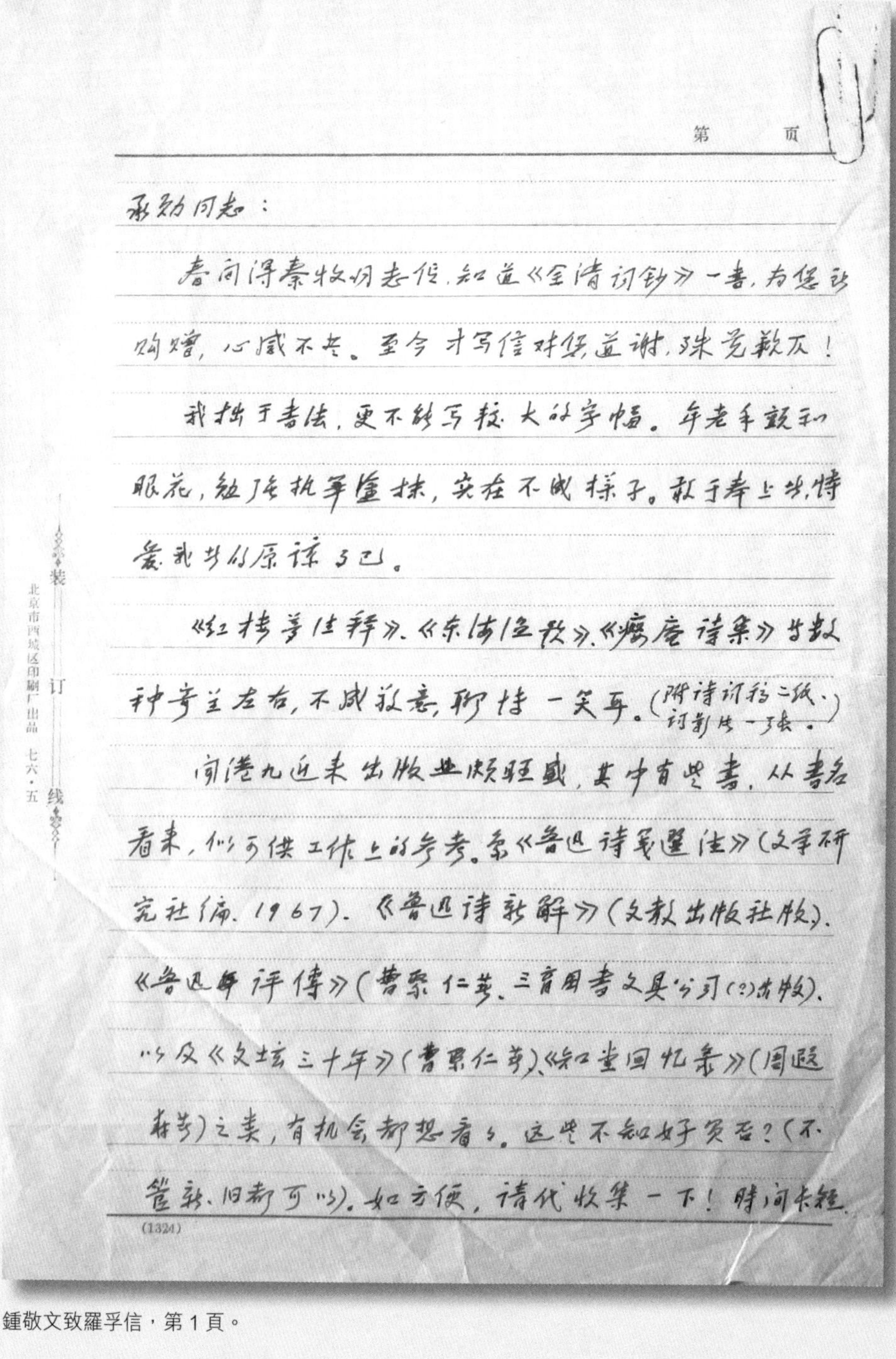
第　页

承勋同志：

春间得秦牧同志信，知道《全清词钞》一书，为您所购赠，心感不已。至今才写信对您道谢，殊觉歉疚！

我拙于书法，更不能写较大的字幅。年老手颤和眼花，勉强执笔涂抹，实在不成样子。敢于奉上者，恃爱我者的原谅了已。

《红楼梦注释》、《东海渔歌》、《瘦唐诗集》等数种寄呈左右，不成敬意，聊博一笑耳。（附诗词稿二纸、词影片一张。）

闻港九近来出版业颇旺盛，其中有些书，从书名看来，似可供工作上的参考。象《鲁迅诗笺注》（文学研究社编，1967）、《鲁迅诗新解》（文教出版社版）、《鲁迅评传》（曹聚仁著、三育图书文具公司（?）出版）、以及《文坛三十年》（曹聚仁著）、《知堂回忆录》（周遐寿著）之类，有机会都想看看。这些不知好买否？（不管新、旧都可以）。如方便，请代收集一下！时间未经

(1324)

北京市西城区印刷厂出品　七六·五

装　订　线

鍾敬文致羅孚信，第1頁。

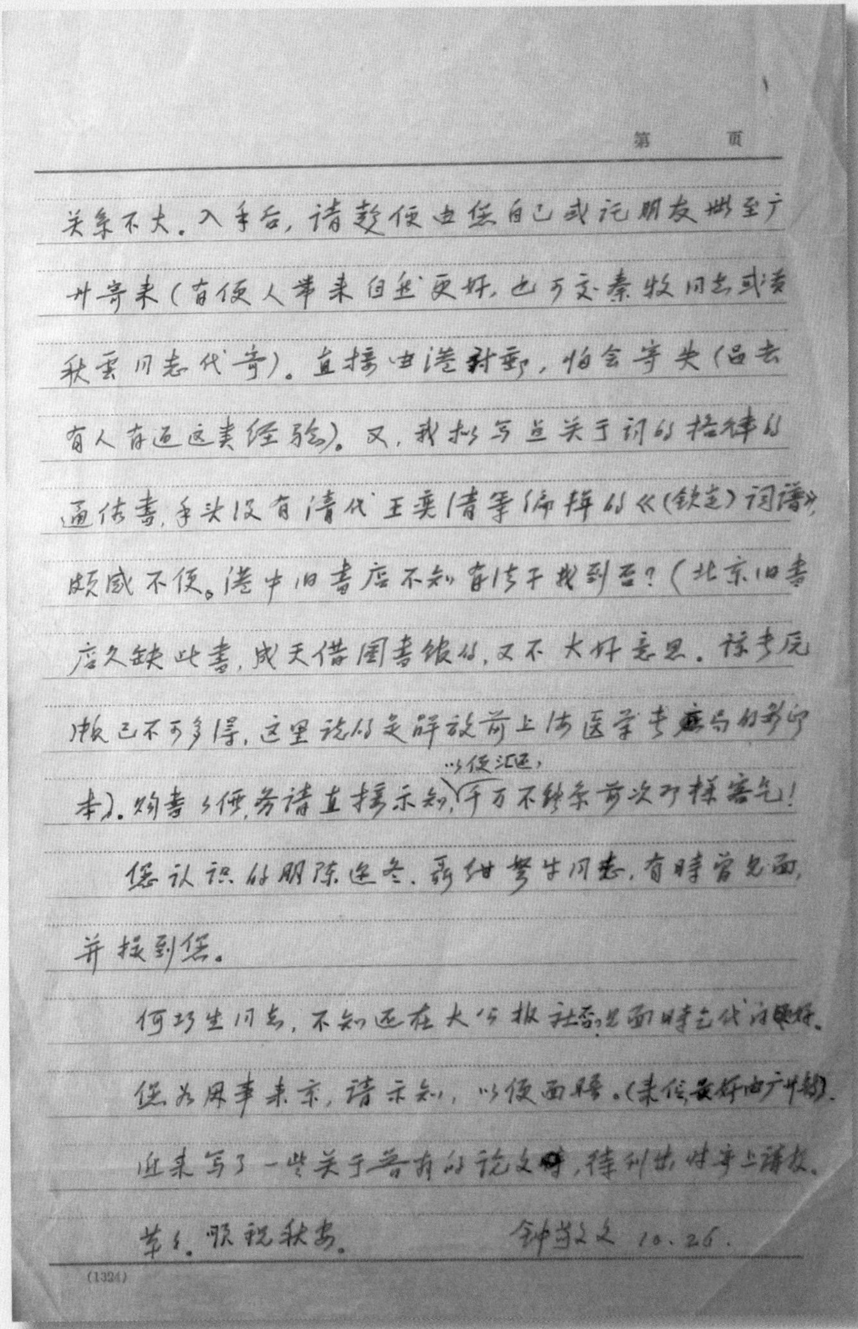

第　頁
关系不大。入手后，请趁便由您自己或托朋友带至广州寄来（有便人带来自然更好，也可交秦牧同志或黄秋云同志代寄）。直接由港付邮，怕会寄失（过去有人有过这类经验）。又，我打算写点关于词的格律的通俗书，手头没有清代王奕清等编辑的《（钦定）词谱》，颇感不便。港中旧书店不知有法子找到否？（北京旧书店久缺此书，成天借图书馆的，又不大好意思。该书原版已不可多得，这里说的是解放前上海医学书局的影印本）。购书之便，务请直接示知，以便汇还，千万不能象前次那样客气！
您认识的朋友陈迩冬、聂绀弩同志，有时曾见面，并提到您。
何巧生同志，不知还在大公报社否？见面时望代问候。
您如因事来京，请示知，以便面晤。（来信最好由广州转）。
近来写了一些关于鲁迅的论文，待刊出时寄上请教。
草草。顺祝秋安。　钟敬文　10.26.
(1324)

鍾敬文致羅孚信，第 2 頁。

1991 年 12 月，鍾敬文（左）和羅孚（中）在北京鍾敬文寓所。

袁水拍致羅孚信（一通）

承勳兄：

接到一本新的刊物，謝謝。忽來即堯如兄近函中所談由您籌備的供星馬讀者看的文藝新刊。希望能繼續寄給我。不知道行嗎？奉上去四川舊作一首，但尚未發表過。不是準備您登文藝刊物的。如可用，請登報紙。《西窗小品》一冊也收到，不知道作者是誰，猜想是筆名。

即祝近安

袁水拍

一月二十日（一九六五）

梁宗岱致羅孚信（一通）

承勳先生：

信和《文藝》早收到。只是我所想再要一份的是《哈瓦那宣言》那期，而不是《海浴》。你能撥冗給我寄一份嗎？

莎翁十四行詩已全部譯完。茲將一一二—一五四首寄上。當然這只是初稿，將來印單行本還要大大修改一番。已發表得那些，我已陸續改了不少了。

聽敏之説，你最近可能返國一行。很高興不久就有機會和你見面。此致

敬禮

梁宗岱

六三年十一月六日

葉君健致羅孚信（一通）

承勳兄：

十二日來信並附剪報，都收到，謝謝！關於啓熙，她確是叫這個名字，是她自己告訴我的。我還問了聶華苓，她也知道啓熙是她的名字。張豈熙也許是她寫作時用的筆名吧。《信報》的責備，是大驚小怪，一個作家可以有好幾個名字。香港報刊過於「自由」，可以隨意發揮，不足為怪。至於蕭乾，他對自己實在是孤陋寡聞，不知道他在英國的秘密已全為人所知。他在英國時避免與中國人來往，住址素來是對中國人保密，但對他的英國保護者和恩人卻不能保密，而他的這些保護者和恩人卻又都是我的朋友，看不慣他的神秘作風，有時也告訴我許多他的秘密。……

關於為你報寫稿子，近年來因為經常出外參加國際作家會議，寫國外印象記之類的東西多，一般都在五千字以上，是否太長？

君健

二月廿二日（一九八〇年）

姚雪垠致羅孚信（二通）

第一通

成（承）勳先生：

承惠寄大仲馬小説三冊，已收到，謝謝。今奉上舊作律詩五首，如不可用，即留尊處。弟才於武漢歸來，即要去全國政協大會報到，十分匆匆。即頌

壽祺！

弟 姚雪垠

七八年二月廿三日

第二通

成（承）勳先生：

我將於五月十日隨中國作家代表團訪日，為期三週。你那裏存我的一點稿費，以及《海洋文藝》的稿費，請費神轉匯日本備用。如何由日本轉交我手，請與范用先生商酌。

遙頌

編安！

姚雪垠

七九年四月十日

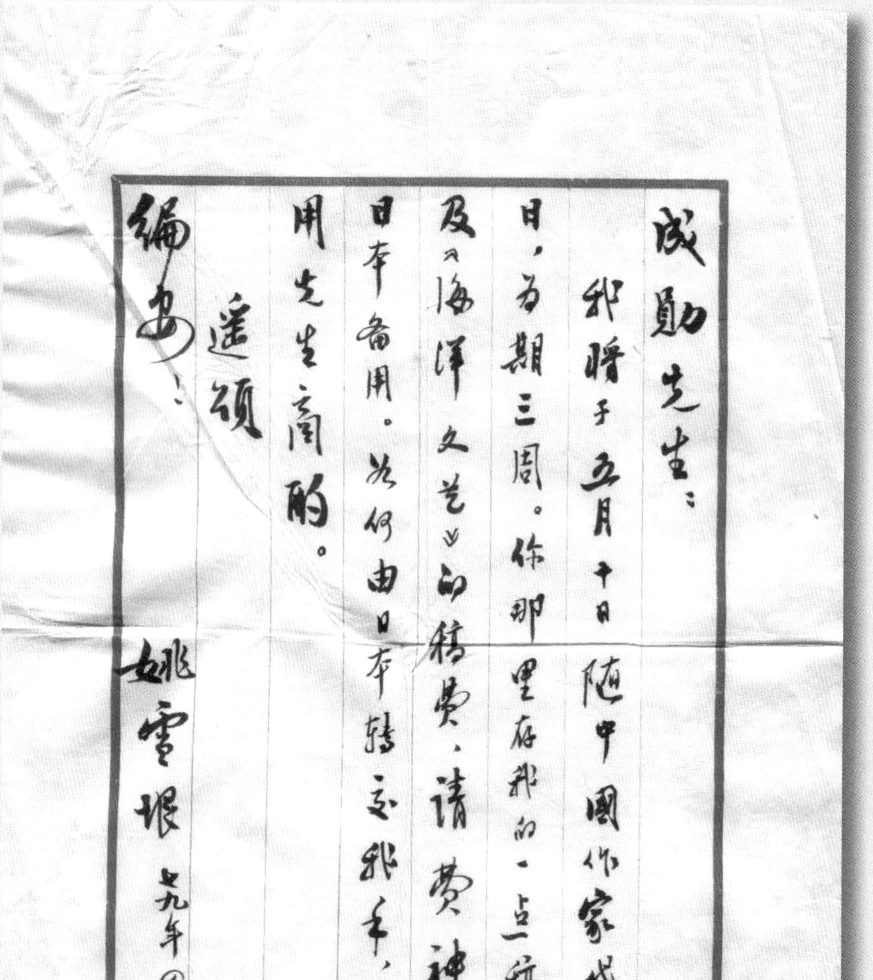
成勋先生：

我将于五月十日随中国作家代表团访日，为期三周。你那里存我的一点稿费，以及《海洋文艺》的稿费，请费神转汇日本备用。如何由日本转交我手，请与范用先生商酌。

遥颂

编安！

姚雪垠
七九年四月十日

姚雪垠致羅孚信第二通

黃濟人致羅孚信（一通）

羅老如晤：

蒙　貴報連載拙作《將軍決戰豈止在沙場》，「戰」改作「沙」甚好，請羅老轉謝「一字之師」，不勝榮幸！沈老轉來得貴報三月份剪卷已收悉，謝謝！貴報惠寄的稿酬已收到，請釋遙念。

吾妻在渝工作，故我將工作調至重慶，本月底即離京。我的工作單位（即通訊地址）是重慶市文聯《紅岩》編輯部，盼羅老爾後將貴報直寄該處，不勝感激！匆此，即頌

編安！

黃濟人上

一九八二、四、二十三

沈醉附筆問好

王益知致羅孚信（四通）

第一通

承勳尊兄撰席

久未奉教，殊深渴想。昨接象奎兄函據言與兄晤於天笑先生追悼會上，承詢及鄙狀，至以為感。夏時赴

港在百忙中與此老匆匆一面，不料竟成永別。又讀大作以會上無輓聯為憾，不揣浮淺，妄擬二副謹錄於後，請指正。四十年前（即九一八後），弟與此老共事於上海報社（上海報社多在望平街）五六年，抗日戰起，弟始離開轉入內地。老前輩又弱一個，似又不可無一言用伸哀悼之忱。聯中有夜航談奇，釵（釧）樓憶舊，《夜航船》及《釵（釧）影樓回憶錄》均為此老名著，故一提及。與此老交誼素篤者上海尚有鄭逸梅，亦弟老友，已另函通告，彼或先弟而知，亦在意中。敬頌著安。

弟 王益知 謹上

十二月六日（一九七三年）

追隨淞滬，俯仰前塵，望平街頭，萬言傳誦，無忝高名稱絕代；
憑弔先生，緬懷行老，蓬萊島上，一朝永訣，長留巨著足千秌。

香江橐筆，歇浦起家，上壽滿百年，胡靳二載；
夜航談奇，釵（釧）樓憶舊，名山多巨著，自足千秋。

如蒙賜弟發表，請寄一份黃君坦

譚詠憶釵（釧）樓，外史不殊吳敬梓；（小說家吳敬梓儒林外史）
音動香島，耆年已邁沈歸愚。

致
戲擬一聯輓包老
益翁　坦奉

此聯遠勝弟作，名家畢竟不同。沈歸愚，名德潛，嘉興人，卒年九十七故云。

絲韋先生雅鑒

弟 益知 匆叩
十二月八日

第二通

承勳同志：

前寄杏林春暖一稿，上週又託袁大夫帶上演連珠詩稿，諒均分別察鑒。春節以來，俞平伯夫人於二月二日病故，接着文史館員百歲老人沈裕君於九日又逝，同日張伯駒又已感冒入北大醫院，十餘日來，雖一度好轉，但仍反覆，病態嚴重，高燒三十九點五，發暈兩次。弟每日往視，此函作後，又須往赴醫院看其有無轉機。因而弟之心情異常煩悶，打不起精神來寫稿，直到昨晚才將「前言」寫好，茲寄請正。附見奉貽，惟王芸生原函可製版否。自明天起將每天寫一稿不再拖延，並請時加督促。

趙之臨江仙詞另寫一稿，甚短，略述經過供參考。

今年是鄭成功逝世三百二十週年，民革將舉行書畫展，此題目很難作，又台澎尚在國民黨盤踞，近又有和談的號召，如何着筆，始與政策無違。弟已作七律一首，準備應徵，並請不客氣的指教。詩另錄。

敬頌撰安

弟 益知
拜於二月廿二日晨（一九八二年）

附：趙樸初先生的臨江仙詞

前紀念詞壇流傳趙樸初的一闋臨江仙詞。我抄了一頁寄給先生鑒核有無錯字。先生覆信説並未抄錯。又説此詞作於乙酉年（一八六九），癸丑始乞潘素夫人作書。此事似乎和我有所關聯。但經過如何，一時苦憶不得。旋於先生手翰中見有「承載伯駒先生題夢緣園與其夫人所作之畫，珠聯璧合，且佩且感。容當另函覆謝，唔時乞先代致鄙忱」。我才恍然大悟，此事原來是我經辦；怎會健忘一至於此，慚愧難於自容。

此詞係當時諷刺四人幫而作，假託夢中所見，潘夫人所繪依稀彷彿因而題名夢緣園，此詞當時只是傳抄，並未發表。在十年動亂之後特為此披露。並影印先生手跡於此。

第三通

成（承）勳尊兄同志：

連上兩函，寄稿二篇，諒經察鑒。在前言稿中誤將王芸生與此稿無關之函附後，茲已補寄原函，請*後更換。第二篇應寫「大革命家孫逸仙」一個階段，惟前此已登過，只好從略。而將其來龍去脈略寫一些，並成一文，作為補充，不知可否，請考慮。倘認為可以重登，請即動筆代為調理，諒不甚費神。如蒙在百年誕辰之三月廿日前開始登出，則弟在三月十日前後將陸續寄上十篇左右備用，以後隨寫隨登，不敢延誤。惟此種寫法是否合適，當祈便中詳為指示，以便改進。倘近期能復見尊函，更能鼓起興趣，寫的較快一些。

由於百歲老人沈裕君在本月初八逝世，同時張伯駒又入醫院，廿日來由於肺炎糖尿病，腎功能衰竭不能飲食，病情危險，隨時有惡化可能。弟幾於每天往視，寫完此函仍擬一往。他是否已停止呼吸尚難確定，因此弟之心緒不佳，鼓舞不起精神，雖寫得很慢，但必努力進行。袁大夫帶去之演連珠詩不知遞到否，君坦之*係其自動寫的，駢*儷*過於深奧，可否一一登出，尚請卓裁。

弟擬作「百歲老人遺墨」一稿，可能有讀者，惜手邊無其*書，又不便自其家中借攝，而輓聯已作就：

高齋歡奕，史館談玄，體質康強，百齡在望，驚聞易簀世長辭，天胡靳此一歲。

文字因緣，金石刻畫，精神健旺，三絕堪誇，淚下沾裳讀遺墨，腕底難忘六書。

詳見病中子弟之長函，亦可披露。

又為伯駒生輓一聯：

能書盛譽滿雞林，吸取河南登善法。懷友遺詩吟病榻，難忘台北大千張。（張大千）

補寄良子登善，雞林即吉林（他在此很久）又是河南人。張字壓腳用論語「堂、平張」句法。

拉雜寫來博咲。

並頌撰安

弟 益之 匆匆

二月二十七日（一九八二年）

附：章士釗一百週年誕辰紀念

前言

當一九七三年七月章行老（士釗）在港逝世時，我匆忙地寫了一篇回憶先生的短文刊於本報，友好們見了要求我詳細的、系統的再寫一些。趙樸初先生說，「惟有公能肩此重任」；王芸生先生說，「讀尊文，得悉行老許多掌故，至感興趣和敬佩。行老一生經歷豐富，多與我國近代史相經緯，足下如着手搜集資料作一系統的回憶，必成巨著。足下豈有意乎」；梁漱溟先生也類似的寫來一封長信。這許多鼓勵和督促，使我在感謝之下，煞費躊躇，唯一原因是我學識淺陋，筆墨俗俚，使勉為其難，深恐不能勝任。光陰荏苒，一瞬間十年過去了。芸生先生尚未及知道我如何寫作，便與世長辭。而行老的一百週年誕辰已經到來。形勢逼人，時不我待。因此就將我親自聞見的行老言行和歷年搜羅到外間罕見的珍貴資料，匯集成篇，用以紀念行老的一百週年誕辰。如云「巨著」則吾豈敢，諸多紕漏尚希指教和供史家的參考。

第四通

絲韋同志尊兄左右：

兄今年兩次蒞京，親與盛會，均未得一晤。尤以最近一次弟臥病醫院，無法外出。貴報創刊卅週年紀念，弟在醫院寫一獻詞，臨時回家，一蒙腕力軟弱不成字，勉強用三段湊成一幅，社中諸公，如百庸、如道堂閱後作何批評？閱者有何反映？如有所聞，請無吝賜教。

又聞已交特刊「良夜周刊」，弟尚未一見，拙蒙無足觀，而其他名著亟待拜讀，如蒙惠寄兩份，足為至感。專此奉懇

敬請　撰安

弟　益知

拜啓於北大醫院病室

廿五日（一九八〇年）

李鐵錚致羅孚信（一通）

承勳我兄：

同時參加會議，相距頗遠，不待相見。擬於十一日晚（下星期四）請兄枉駕過舍餐敍（如屆時有其他約請指定十日晚抑或十三日晚）旨在承教。打算邀友協及外交學院幾位同事作陪，千祈勿卻。聞葉女士在京，不卜兄能邀其偕來否？我不敢言＊請，如何盼以電話示知（舍間電話：略，晚間九至十在家）。我住在（略），料兄有車來。如想嘗嘗北京巴士味道，則可在西苑門前二里溝搭一一四路無軌在木樨地站下車，前行幾步，便是寒舍所在，一個六門十四層的樓房，由釣魚台直駛到盡頭左轉就是木樨地站，車資不過一角。便飯奉邀，千祈勿卻。匆匆

此致

敬禮

李鐵錚　手上

一九八〇年九月五日早

郁雲致羅孚信（一通）

承勳先生：

這次能在上海和你見面，我很高興。所過意不去的是沒有能約到母親和孫百剛先生，不過沒來我都去看了他們，轉達了你的盛意，大家都很感謝你。

當你走後，我借到了《我所知道的王映霞》和《郁達夫早年的詩》兩篇簡報，看了覺得母親的做法實在太不應該。因此就根據事實情況寫了一篇《王映霞與程雪言》，主要是想那些看了《我所知道的王映霞》的讀者說明真相，不致對父親有一種錯誤的看法，同時給他們一個暗示，說明那篇文章所以沒有繼續發表的原因；再就是讓母親看後，會幫助她認識自己種種做法的不對。本來我也考慮到，恐怕你們報上不便發表這篇與你們已經發表過的作品有矛盾的文章，但是後來再想一想，覺得正因為前面兩篇文章都在你們報上發表，素以這篇東西還是在你們報發表較為妥當，否則若在別的地方刊登，會引起讀者的誤解，不知你的看法如何？

關於那篇《我的父親郁達夫》不知已經看完了沒有，是否能用？其中一定還有許多不妥當的地方，希望匆匆給予幫助。如果交給上海書店，請你代為轉告趙克先生，要他不必通知母親，否則她又會從中做出一些不道德的事來，有問題可以直接與我聯繫（請將我的通訊處也告訴趙克先生）。

另外我很感謝你願意為我寄一些有關父親的材料來，因為在國內，對於父親的一些著作和評論，我這裏差不多為全有，不少研究父親著作的朋友，也都到我這裏來借閱。但是對於海外發表的一部份材料，則一直無法收集，這次承你答應熱心幫助，使我非常感激。

見到了葉靈鳳先生，請代問好，希望他有空能給我來信。拿去的那份「我所知道的王映霞」如已看完請他馬上寄給我。其他《郁達夫早年的詩》、孫百剛的「續集」和書等，就只能麻煩你替我寄來了，真對不起，需要的費用，今後當設法歸還。

敬祝

撰安

郁雲 上

十月二十日（一九八〇年）

附：《王映霞與程雪言》稿一篇。

接信後請給我一回信。

黃秋耘致羅孚信（一通）

承勳兄：

根據領導指示，此信務須盡快寄給姚克先生（《清宮秘史》的作者）或他的家屬。我們在這裏無法打聽到姚克先生的地址，只好拜託您設法代轉。結果如何，便希覆示北京人民文學出版社為盼，有勞，謝謝！

此請

編安

黃秋耘 上

一九八〇．一．十八

羅孚致姚克信（一通）

莘農先生：

久違雅教，可能您已不記得我了。我是在《大公報》、《新晚報》工作的，您在港時，曾有數面之緣。今年春節前後，北京友人寄來一信，囑為轉致，至今始悉尊址，亟為付郵，稽遲請諒！月前在穗晤作家黃秋耘兄，也殷殷以尊兄如何相詢，並云北京友人不僅歡迎先生惠寄鴻文，且歡迎命駕一遊！近聞京報又將有文，為您辯誣，但總不如您的文章之更為有力也。覆音可遙寄北京，或由孚轉均可。匆匆，祝

大安！

羅孚 上

一九八〇年四月二十日

附：人民文學出版社致姚克信（一通）

姚克先生：

您好！

一九五八年，我們在出版《魯迅全集》時，由於關山阻隔，有關您的那條注（見全集第十卷三三八頁），僅憑傳聞，未作認真的調查研究，內容失實，使先生蒙不白之冤，感到很抱歉。這次我們重新編注全集時，已發現這一錯誤，當予改正，今後改稿將寄奉聽取您的意見。

先生與魯迅有較深的交往，並在傳播魯迅的作品方面作過相當有益的工作，我國人民是不會忘記的，並且希望看到您的有關這方面的回憶文字。這樣的文字在國內由我們發表，也可起到為先生挽回影響、替我們

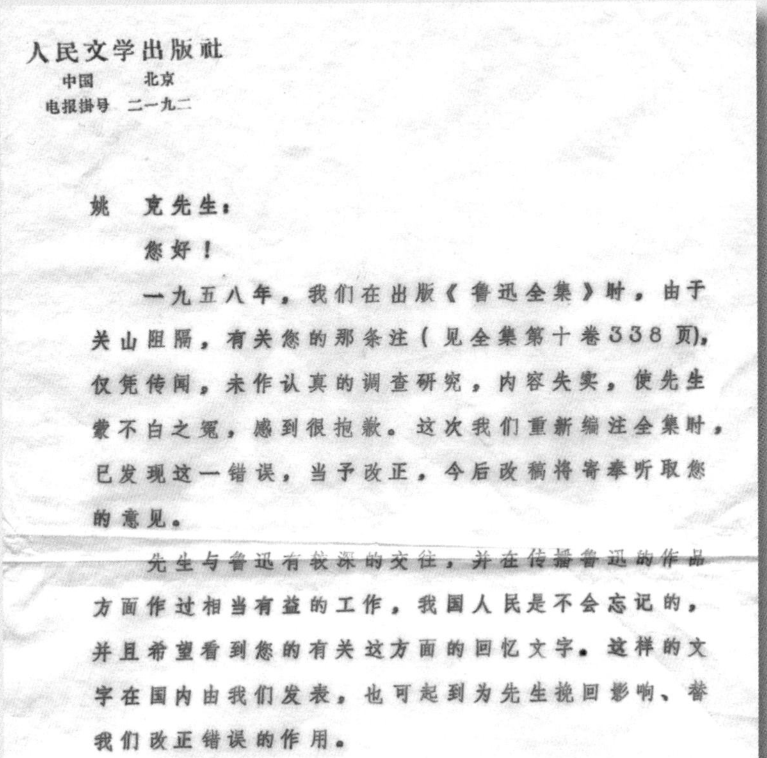

人民文学出版社

中国　北京

电报掛号　二一九二

姚　克先生：

您好！

一九五八年，我们在出版《鲁迅全集》时，由于关山阻隔，有关您的那条注（见全集第十卷338页），仅凭传闻，未作认真的调查研究，内容失实，使先生蒙不白之冤，感到很抱歉。这次我们重新编注全集时，已发现这一错误，当予改正，今后改稿将寄奉听取您的意见。

先生与鲁迅有较深的交往，并在传播鲁迅的作品方面作过相当有益的工作，我国人民是不会忘记的，并且希望看到您的有关这方面的回忆文字。这样的文字在国内由我们发表，也可起到为先生挽回影响、替我们改正错误的作用。

鲁迅给先生的书信，我们见到的共三十三封，已悉数编入一九七六年出版的《鲁迅书信集》，不知先生手头还保存有鲁迅的书信和遗墨否，可否提供给我们？

今后盼多多联系，对我们的工作提出宝贵意见。

此上，即请

文安！

人民文学出版社

1980年1月18日

人民文學出版社致姚克信

改正錯誤的作用。

魯迅給先生的書信，我們見到的共三十三封，已悉數編入一九七六年出版的《魯迅書信集》，不知先生手頭還保存有魯迅的書信和遺墨否，可否提供給我們？

今後盼多多聯繫，對我們的工作提出寶貴意見。

此上，即請

文安！

人民文學出版社

一九八〇年一月十八日

朱仲麗致羅孚信（一通）

羅總編：

你好！

前半年託秦同志帶來的西洋參一包、維他命三瓶已如數收到。（共付港幣壹仟零二十五元）。所帶去的貳萬港幣收條，請退還給我，以清手續。

此外，請秦同志此次帶回各物，已開單如後。麻煩你方面和秦同志接洽。

「續江青野史」何日能在貴報發表？何時可出再版？寄去修正表，想已於九月初收到了？請告。

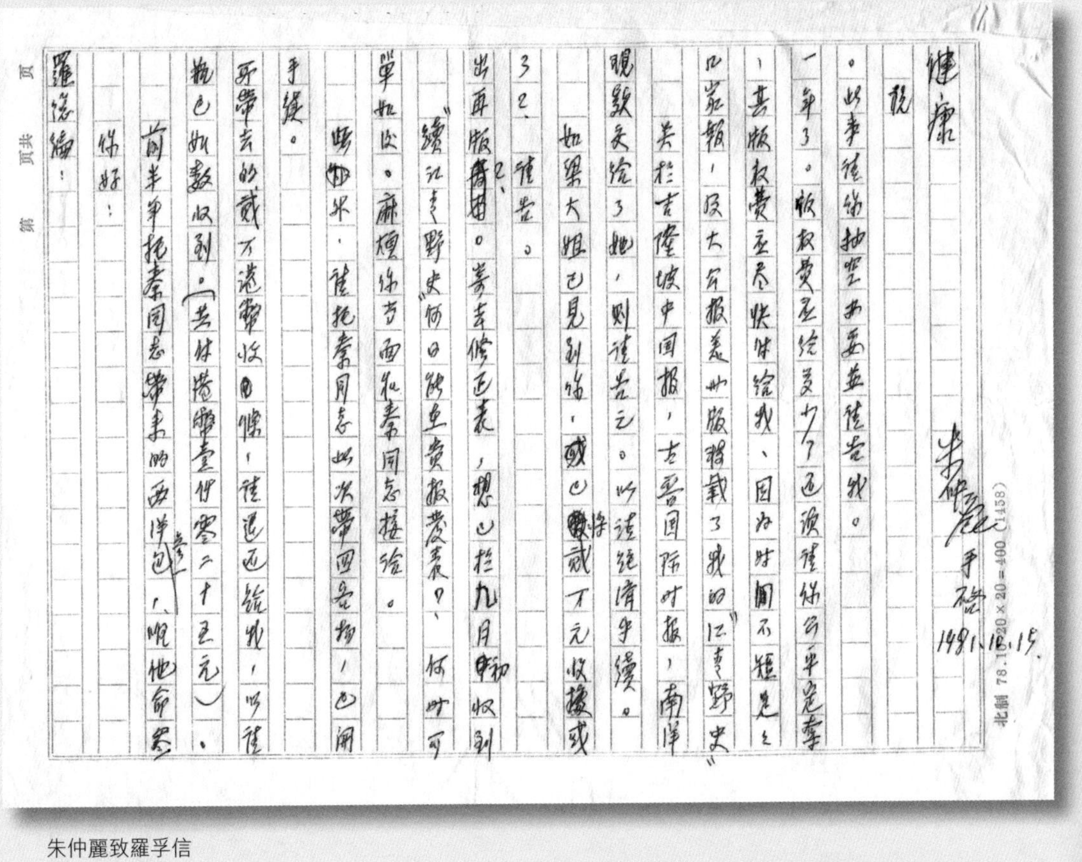

羅總編：

你好：

前半年托秦同志帶來的西洋參、維他命，均已如數收到（共計港幣壹仟零二十五元）、另帶去的或不還帶收回條，請退還給我，以清手續。

此外，請托秦同志此次帶回去的[illegible]，已開單如後。麻煩你去面托秦同志接洽。

2、"續江青野史"何日能在貴報發表？、何時可出再版書。寄來修正表，想已於九月初收到

3、請告。

如果大姐已見到你，或已[illegible]或下元收據或現款交給了她，則請告之。以清繳手續。

是於吉隆坡中國報，古晉國際時報，南洋商報，說大公報義也版轉載了我的"江青野史"、其版權費至今未寄給我、因為時間不短，足足一年了。版權費至少了適須請你公平定奪。此事請你抽空如要並請告我。

祝

健康

朱仲麗 手啟

1981.12.19

朱仲麗致羅孚信

如梁大姐[8]已見到你，已將貳萬元收據或現款交給了她，則請告之，以請結清手續。

關於吉隆坡《中國報》，古晉《國際時報》，南洋幾家報，及《大公報》美洲版轉載了我的「江青野史」，其版權費應該盡快付給我，因為時間不短足足一年了。版權費應給多少？還須請你公平定奪。此事請你抽空辦妥並請告我。

祝

健康

朱仲麗 手啓

一九八一．十．十五

張友鸞致潘際坰信（一通）

請轉羅承勳兄，弟坰託。

際坰兄：多日未見，我勞何如。張慧劍兄日前有函來，詢所寄小說，已否處理。年前弟曾函承勳先生，但未及覆。不悉尊處有無消息？

8 《新晚報》副刊編輯梁良伊。

便中當希見示，毋任翹企！

專此奉懇。

敬頌

儷祉！

弟 友鸞 奉

二月十一日 上

王力致黃克夫信（一通）

克夫同志：

今天林青同志到我家，帶來您和承勳同志代我愛人在香港買的助聽器，真是感謝不盡！這個助聽器的性能很好，非常合用，我愛人感到很滿意。

大函亦已拜讀。

現在由郵局匯上人民幣九十元零四角三分，請您代我還給費彝民同志，作為代納的進口税。至於助聽器價款，當如來示。將來在我和緝和[9]稿費中扣還。

《大公報》需要哪一類的稿子，請您和香港編輯部商定後示知。最好出一些題目，由我選擇。上次陳凡同志出了兩個題目，我不知已交卷否，記不清楚了。此外，記得你説過，一稿兩投也可以。不知轉載的

9 緝和，即秦似。秦似，原名王緝和，王力長子。作家、語言學家。

算不算？上次《大公報》藝林轉載我的《古典文論中談到的形式美》，反應還好。後來我在《光明日報》（一九六二年十月八——十日）發表的《略論語言形式美》一稿反應良好，約兩萬字（或萬餘字），不知可以轉載否？

助聽器六百二十八元港幣，不知要寫多少字才能扣清，便希示悉，以便計劃一下。

再次向您道謝，並請您代為謝謝費彝民先生和羅承勳同志。如果還麻煩費新彥太太，請示知，以便去函向她道謝。

此致

敬禮

王力

一九六四．二．七

李何林致羅孚張向天何達信（一通）

羅孚、向天、何達先生：問好！

一九八一年九月二十五日是魯迅先生誕辰一百週年紀念日，我室的《魯迅研究資料》擬印一本紀念特刊。除約請國內魯迅老友和魯迅研究者撰文外，也請您們惠賜尊著；並煩約請港澳、南洋、美國華僑中的學人，以及留港的台灣同胞，寫些文章。估計香港文教界了解魯迅的人不會少。

文稿請在九十月或至遲本年底交來（掛號寄），文體和內容不拘。一切謝謝！現掛號寄上《魯迅研究資料》四輯兩本，向天先生的一本，聞已寄去，不知收到否？匆上。祝健好！

北京西四魯迅研究室

李何林

五月十日（一九八一年）

周海嬰致羅孚信（一通）

羅孚先生：

你好！你一直很關心我維護父親版權案一事，現有二份材料，奉上請你參閱。

草草此請。

冬安！

周海嬰

十二月十七日（一九八一年）

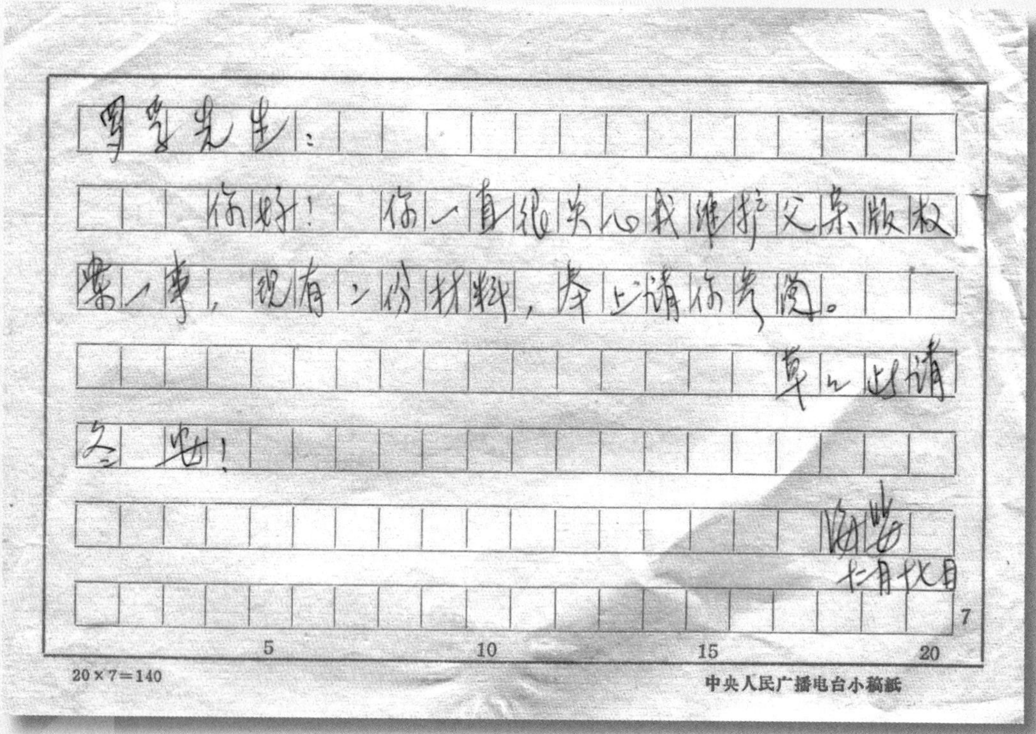
罗孚先生：
你好！你一直很关心我维护父亲版权案一事，现有二份材料，奉上请你参阅。
草草此请
大安！
海婴
十二月十七日

周海婴致羅孚信

乙輯

曹聚仁致羅孚信（七通）
鄧珂雲致羅孚信（二通）
聶紺弩致羅孚信（八通）
洪遒致羅孚信（三通）
黃慶雲致羅孚信（二通）
杜運燮致羅孚信（二通）
吳祖光致羅孚信（五通）
黃苗子致羅孚信（三通）
郁風致羅孚信（一通）
羅孚致黃苗子郁風信（一通）
陳邇冬致羅孚信（五通）
楊憲益致羅孚信（一通）
范用致羅孚信（十八通）
羅孚致范用信（一通）
冒舒諲致羅孚信（三通）
冒舒諲致荒蕪信（一通）
沈峻致羅孚信（二通）
羅孚致丁聰沈峻信（一通）
公劉致羅孚信（四通）
舒蕪致羅孚信（四通）
端木蕻良致羅孚信（一通）
秦似致羅孚信（二通）
林鍇致羅孚信（二通）
徐淦致羅孚信（二通）
邵燕祥致羅孚信（四通）
樓適夷致羅孚信（二通）
李駱公致羅孚信（一通）
柯靈致羅孚信（十二通）
沈昌文致羅孚信（二通）
羅孚致沈昌文信（十通）
許覺民致羅孚信（一通）
李慎之致羅孚信（二通）
許良英致羅孚信（二通）
華君武致羅孚信（一通）
姜德明致羅孚信（四通）
陳丹晨致羅孚信（二通）
蕭萐父致羅孚信（三通）
李子雲致羅孚信（二通）
司徒華致羅孚信（八通）
朱襲文致羅孚信（五通）
姚錫佩致羅孚信（四通）
黃裳致羅孚信（二通）
錢伯誠致羅孚信（一通）
杜宣致羅孚信（一通）
邵濟群致羅孚信（一通）
羅孚致周健強信（十二通）

曹聚仁致羅孚信（七通）

第一通

成（承）勳兄：

昨天，弟出了主意，那麼一個「敗落」茶館，花了那麼多錢，十分抱歉。弟把一個改了的稿，奉上，那一份，請兄抽出為託。弟總是寫十篇，談個人感想的文章，不合用的，兄擱下好了。天熱，不一。

即頌

萬祺

弟 曹聚仁 頓

七月八日（一九五八年）

第二通

成（承）勳我兄：

弟做了兩缸鹹菜。「老王賣菜，自賣自誇」，自以為還不錯，奉上一包，請兄嫂試試看。動手前已洗乾淨，可以切了就吃，加點麻油就行。鹽的份量夠了，炒肉時，不必加鹽了，燒豆腐最好。倒要加點糖。如以為不錯，還可奉上一回。——不值一笑的。

兄春節定很忙，弟是身體一直不好，老了，不行了。

即頌

人日快樂

*弟 曹聚仁 頓首

二月八日（一九六五年）

小女下鄉參加農村工作*年，她幸得了一等獎，獎金二十五元。知道特聞。又及

第三通

承勳我兄：

奉上一節譯稿，兄且看一看，如可用，不必還我，如不用，乞還我。

又奉黃季寬先生的《五十回憶錄》，似*比黃旭初寫的面廣大，體會得深得多，兄且看看。這本書我送給您，不必還我的。李兄翻版了許多書，我可以看些舊書，聊齋稿本，定是其中之一。

兄的紀念會本「魯迅全集」，姚克要買，您何以不賣了呢？我不會說兄的藏書的。不過，人民出版社本，也不容易找到了，市價一千五百元，沒價可還的。

昨天，弟從洗手間回來，兄等都不見了呢？祝

雙祺

弟 曹聚仁 手書

廿日早（一九七三年）

第四通

承勳我兄：

奉上新錶鏈一條，比較簡單一點，小弟弟自己裝一裝吧。

《七十年代》羅素專號頗好，為甚麼要七彩呢？我看沒裸體，即七彩也不行，兄以為何如？

即頌

著安

弟 曹聚仁 頓

三月一日（一九七〇年）

第五通

承勳我兄：

奉上，錢穆的《國史大綱》，乞收下。弟手邊有一部當年上海版本的原書，友人借去翻印，因此有了幾部新書。兄或許沒有看過。（香港是翻版的天堂，一笑）

談新史觀容易，寫新史觀卻很難。因為重新把史料找起來，便非易事。周谷城兄的便不行，范文瀾的也沒有新意，翦伯贊的，毛主席也不滿意。說來，還是呂思勉的、陳登原的**，這部錢氏史不錯，至少史料是重新找過，整理過的。兄以為何如？

白荻來信說起，吃四川樓的事，兄嫂何日得暇，弟作東，請定一日子。

即頌
雙祺

弟　曹聚仁　頓
七、廿五

第六通

承勳我兄：

陳彬龢兄在東京病得很重，此間友人替他在募捐。弟意，弟前曾提及的陳兄替《文匯報》剪報寄報二年，文匯分文未付二作*，（陳兄原把劃到弟的書賬下，弟曾向余兄提及，亦無下文。）高伯雨兄也曾向李子誦兄提及。可否勞兄致意一下，想點辦法？勞神了！即頌

暑祺

弟　曹聚仁　頓
五、十七（一九七〇年）

第七通

承勳我兄：

奉上《讀鴉*》第二期，兄檢收。當時，徐訏兄主編的《筆端》停刊了，我想，試用剪稿編一小刊物，試試看，即是不花一文稿費編一高級刊物，倒真是曲高和寡，吃力而不銷行，出了兩期，也就歇手了。所刊各稿，兄或可作參考之用的。

有關知堂的稿子，兄已看完未，乞還給我，印刷公司在催稿了。

即頌

日祺

弟　曹聚仁　頓

八、十一（一九七〇年）

鄧珂雲致羅孚信（二通）

第一通

羅孚先生：

雷女自京回來，談及和你、范用同志相聚的快慰情況，我聽了十分高興。我十多年未去北京了，不能去看你們，去年你們好像都來過上海，我又出去了，沒有接待你們，深感遺憾。

聽雷女說，香港三聯要出一本曹聚仁的集子，不知需要哪些內容，怎樣的格式？本來由你來編，很合適。可惜京滬兩地相隔太遠，傳遞太不方便。我們來編，我能力有限，雷女則工作太忙，小兒景行又在香港。我想能否讓景行就近和香港三聯負責人接觸一下，了解一些情況，看看我們是否有能力選編。景行於七、八月間，也許要回來，那時再商定辦法。這樣就要請你寫封信向香港三聯介紹一下，或告訴我接洽人的姓名。讓小兒去拜訪他。你看如何？

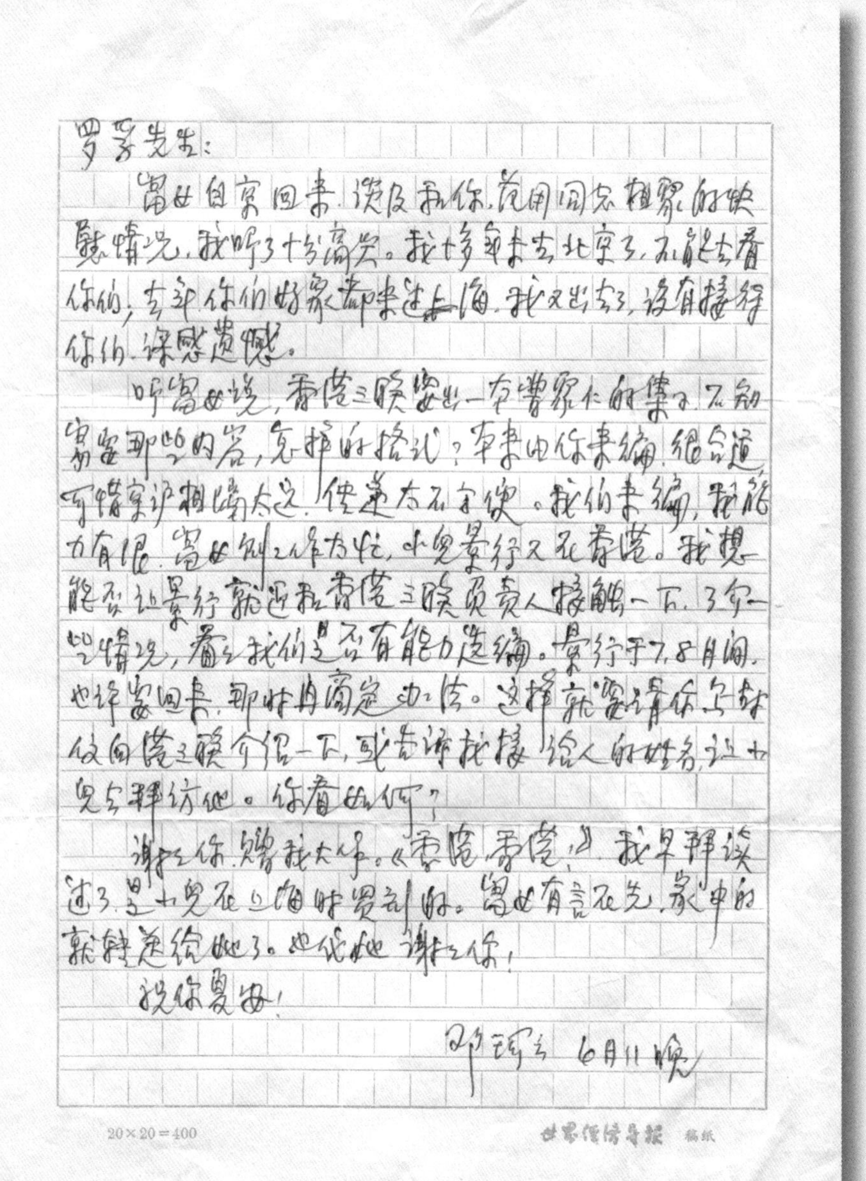
罗孚先生：

　　甯女自京回来，谈及和你、范用同志相聚的快慰情况，我听了十分高兴。我十多年未去北京了，不能去看你们，去年你们好象都来过上海，我又出去了，没有接待你们，深感遗憾。

　　听甯女说，香港三联要出一本曹聚仁的集子，不知要选那些内容，怎样的格式？本来由你来编，很合适，可惜京沪相隔太远，使连太不方便。我们来编，我能力有限。甯女则工作太忙，小儿景行又在香港。我想能否让景行就近和香港三联负责人接触一下，了解一些情况，看看我们是否有能力选编。景行于7、8月间也许要回来，那时再商定如何。这样就要请你写封信向香港三联介绍一下，或告诉我接洽人的姓名，让小儿去拜访他。你看如何？

　　谢谢你赠我大作《香港·香港》，我早拜读过了，是小儿在上海时买到的。甯女有言在先，家中的就转送给她了。也代她谢谢你！

　　祝你夏安！

邓珂云　6月11晚

20×20＝400　　世界經濟導報 稿紙

鄧珂雲致羅孚信第一通

謝謝你贈我大作《香港，香港》，我早拜讀過了，是小兒在上海時買到的。雷女有言在先，家中的就轉送給她了。也代她謝謝你！

祝你夏安！

鄧珂雲

六月十一日晚（一九八七年）

第二通

羅孚先生：

你好！敬祝一九八九年新正快樂，事事如意！

自八月間收到來信後，一直未給你回信，信中十分歉疚！今夏以來，我身體一直欠好，加上家中雜事繁多，親友間的通信多多耽誤，千請原諒！

我曾於十月中旬，寫信給香港三聯潘耀明先生，接洽選編《曹聚仁卷》事。十一月下旬，得文學室張志和先生來信，詳述《香港文叢》得要求。我現已着手閱讀曹的著作，擬盡量按他的要求來選。不過曹是個「雜家」，在千萬言中，要選得恰當，不易做到。尤以我的能力有限，怕不能達到完善。

此事確由先生來做最好，如非京滬兩地，我一定手捧他的著作，登門請求。

我兒景行，正好在接你信時在滬，故未能和三聯直接聯繫。明春，他也許會再去。

專此敬祝健康長壽！如見到范用同志的話，請代我轉達我對他新年得祝賀，我不再寄賀年卡了！

（節約了，一笑！）

珂雲

十二月二十三日（一九八八年）

聶紺弩致羅孚信（八通）

第一通

斯福兄：

自兄去後曾奉上字條給兄與唐公，不知收到否，昨於潘公處領得新晚十二首詩稿費四十八元，但不知是哪十二首，又未審何以未於預支費中扣除？悶悶。

前奉退之畫兩幅，務請設法賣掉，此畫主窮極望款如望餐，曾幾次催問也。又拙稿有無辦法較多發表，念念。

近月來很少作詩，亦未寫甚麼，但練字而已，練了幾月毫無進步，慚極。徒花去紙筆字帖費不資，此皆兄要我寫字所引起，如將來字有寸進，當專函感謝，但此時則惟怪兄多事而已。

此頌雙安。文統、高朗、陳凡諸兄均請問候

懇來信

弟 紺弩

二月六日（一九六二年）

第二通

斯福我公：

已於潘公處取得藥片兩瓶，此款最好能於稿費中扣除，然欠預支費已多此話，殊難出口奈何！至今思

1963年11月，羅孚（右二）和聶紺弩（右一）、黃苗子（右四）、王少舫（左二）、吳祖光（左三）、曹孟浪（左四）、周敏先（左五，潘際坰夫人）攝於北京恩成居飯莊。照片為潘際坰所攝。

之，所謂預支稿費者實質亦敲索性質，真慚愧煞人也。今又有新事煩瀆，有某君為舊日同事，因我故失業，生活問題不待言，我囑其學撰小文或可投尊處發表一二，倘能月得稿費二三十元，生活便可解決。渠亦欣然願*寫，惟苦未見尊處刊物，不明所尚，又不長於寫一二千字一篇短文。近東塗西抹的若干段交我，我見之無一是處，方今天下似無處可用此等物事，今照樣奉閱，自無興用理，但若此而得我公指示，**心竅忽開，未嘗不可。因此而找出生路，如何之處，尚希揮墨如土是幸，前拙句改，惜墨如君定虎儒，如何，一笑。專此

敬即　尊安

耳耶　拜上

十月十日

第三通

斯福兄：

前曾去函，未見何書惠答。忙耶？懶耶？其他故耶？前託售郭君之畫，據邰公傳言，兄云畫雖未售，款可先墊，果爾請通知黃克夫同志，令其交我。我將於二三日內赴穗，最遲月底前當到貴報辦事處一謝黃公也。匆匆不盡斯言

敬頌　編安

弟　弩　白

四月十五日　京

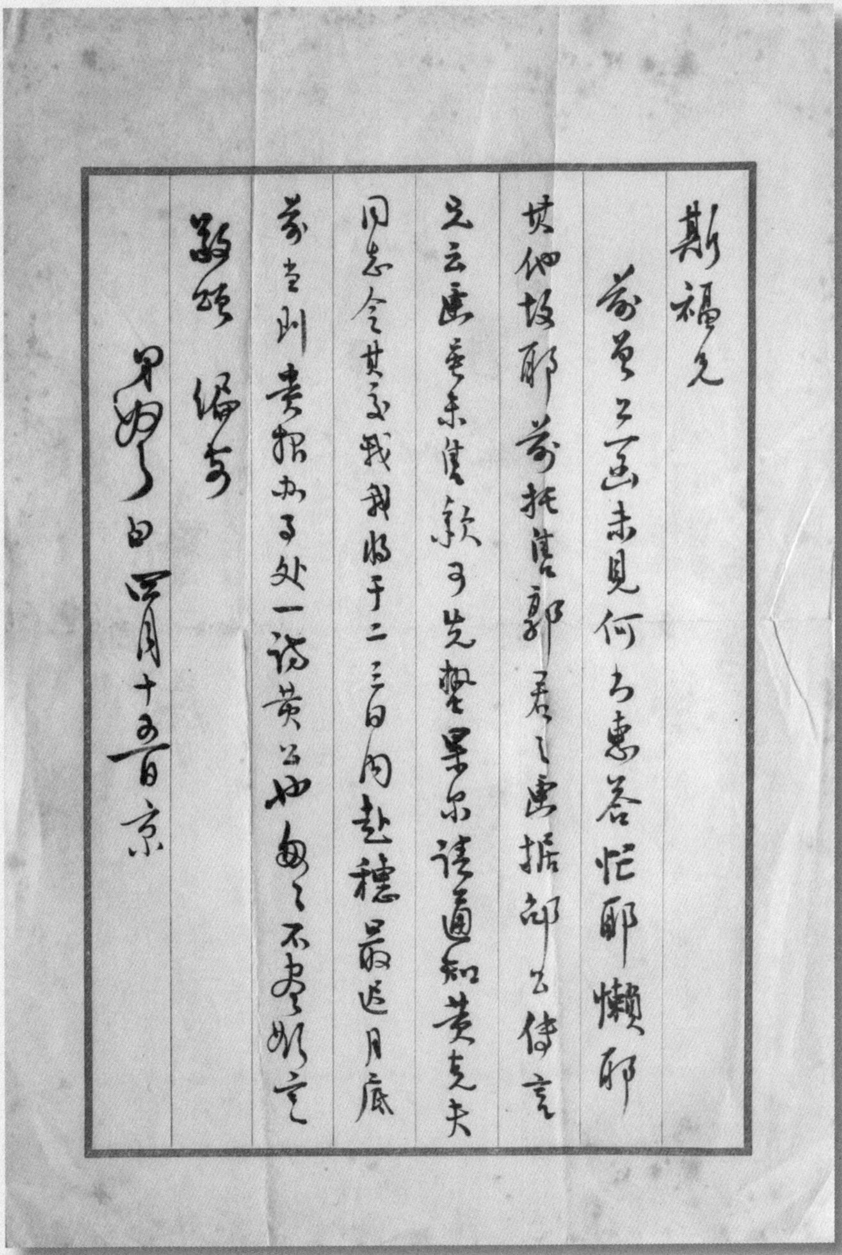

聶紺弩致羅孚信第三通

第四通

羅斯福：

聽說你來了，別提怎麼高興。上一個多月，陳凡、黃茅諸兄說你要來，從那時就盼起，誰知你來了許久，還是未見着。上次嚴慶澍兄來了我也未見着，真是遺憾。你很忙麼？是否可約個時間見見？我住的郵電部宿舍，電話「六二、〇一四一」，是公用電話，在門房裏，而我的住處則在最後一程，打時，須等很久才能接到。如果先期約，寫信便省事，先日發次日定可收到。當然我還可以到賓館去碰碰機會，十多年未見總應爭取見見才好。現在只作見不着的打算。有兩件事問問：給港報寫點文章，寫甚麼，怎樣寫，是否寄給你便成。我現在很閒，可以寫。由此而派生的問題，你能否在京預支一點稿費，哪怕五十元也可以。匯給我或留到潘際坰兄處均可。有許多話，許多感情，許多精神上的東西*的，寫出來卻仍是這種鄙事、物質的！存在決定！匆此祝好！

紺弩 上

十一月十六夜

第五通

斯福兄：

抄詩百餘首（包括北大荒吟五十六首），大部份當是可發表的，由你仔細審定。有幾張是給別人的，你如覺得可以發表也不妨發表。發表時，不要在一個地方（特別不要都在文匯），不要用一個名字，隨便用甚麼名字都可以。發表東西太多，別人眼紅說不定也會出問題的。另紅樓文半篇，約五萬餘字。不必全發表，能發多少就發多少，能怎麼發就怎麼發，拆成一小段一小段，另加題目也可以，也是隨用甚麼名字，怎麼改，都可以，如有辦法我就接下半篇。另外我還想寫聊齋金瓶梅等書的。也想各種舊小說的。也想寫舊詩話，不過那只好等一等了。一切由你決定，花點時間好好看一遍，動動手，感之。

祝安

紺弩

十一、二十二日

第六通

承勳兄：

惠寄雜文選收到，此書當是就文學社紙型重印，則書店當係我方所辦。就封底介紹，似二鴉雜文一書，亦有買處，兄前云尚有他書可找到，務請一找，此雜文選亦請再寄幾本為佳。託三*兄轉致蕭君稿事請務辦好。三件收到否？

餘暫略，祝好。

弟 聶上

（一九七六年）

第七通

斯福兄：

這次約見，喜出望外。只談片時，恨何為之。

你說有人寫我，其文願得一見。

有一事未談，如我或別人寫點回憶小文、無關宏旨，隨用筆名，能夠發表麼？

曾在文匯發表過一個連載，是談水滸的，是高旅發的，忘記是那年了（六二—六三？），能找到抄一份麼？「天亮了」有初版（內有獨夫之最後，季氏將伐顓頊等篇）能找到一本最佳。「元旦」、「二鴉」、「雜文」、「巨象」等能找到麼？你說雜文選有人翻印，我正想在各地印印，搞點小外塊（快），不想被捷足者先登，真倒楣！

高旅原居鳳鳴大廈十樓B座，近想仍舊。

贈答一集次序極亂，我將重整一個目錄給你。咄堂改為水紅樓中有大風吹倒水紅樓句。如能用簡便方法印出，給我四五十本即可。但你應先告我以你的意見，主要的是你認為不必要的，應力刪除，有的或需修改。

港中有無治喘哮的好藥？

有一老太太，年九十八了，還很健康，叫我替他買點「救心丹」，（中藥，成藥，國內無買處）或別種醫老年心臟病藥，我無法買，只好做微生高，乞諸其鄰，請你務必買一些寄、託人帶或自帶來。此事很重要，我們有必要使其至少活百歲。

聽說你又要來。那就太美了，祝好！

耳耶

第八通

承勳兄好！

久未奉候，甚歉。半月前有一信寄文統兄，囑其收所著寄或帶幾本來讀讀，由大公編輯部轉不知能轉到否。這且不說；我已於三月十號由京高等法院徹底平反，四月七日由文學出版社完全改正，恢復黨籍，級別及名譽。這樣一來，補發了工資，也恢復了原薪。口袋麥克麥克，非復舊時窮措大矣。但有一恨事，錢不少了，卻買不到東西。比如說，我現亟需一錄音機，對我暮年寫作極有幫助。卻不知怎樣才能買到。有人說只要有人從港帶來連原價帶稅款，均可以用人民幣付。

我不知何人可帶，我想你、費公或者別人均可作此事。故此只要專託你由你在必要時轉託費公，均定可帶到。只要帶到京寫一信給我，我便可派人去取。問題是中國風習，愛講客氣，或以為我沒錢，或講面子，不肯談錢，這就反而誤了大事。你想，當我窮時你屢次送我錢，我不推辭。我現手裏有幾萬塊人民幣，一個錄音機聽說所需甚至不到你送我的一次那麼多，用得着甚麼客氣？即使兩三個那麼多也不嫌貴。

專於九月下半月以前盼你來信。九月下旬盼你帶東西來。

敬祝安好！

弟 紺弩 百拜

七月二十日（一九七九年）

洪遒致羅孚信（三通）

第一通

承勳兄：

奉一函，報告關於台灣《聯合報》登出《白先勇強烈不滿中共轉載他的作品》一事，想已收悉。今天收到上海李子雲來信，她也看到《大參考》裏有這條消息，來問我：「不知道這則消息是台灣方面弄鬼，還是白先勇真有意見」，也要我寫信問問你看。本來，《當代》創刊號預告一出，上海的《收穫》和《上海文學》都準備轉載白的小說，看到《大參考》的材料，是不是馬上還要轉載，這就得放一陣再說了。我的看法，這事是台灣報紙弄的鬼，不知對不對？你是不是和白先勇有過聯繫？了解他否？

國內雜誌發台灣小說，集中在於梨華、聶華苓、白先勇三個人身上，也不是辦法。在這三個人之外，你還能推薦其他較有影響、作品有成就的台灣作家否？盼覆。

白先勇的小說《孽子》，請寄兩本來，一本轉給李子雲。

洪遒

七九・七・二十四

第二通

承勳兄：

五月七日我曾寄去（掛號）一篇李子雲同志寫的關於於梨華小說的評論文章，收到沒有？此文頗長，不知《星海》適用否？收到後，如何處理，都請來函告知，以免懸念。

現在再寄去李子雲同志寫的《闖江湖與新鳳霞》，（上次用的，不是用這篇筆名），和方敬同志的詩。收到後，請即告知。——記得否，上次方敬那篇東西，久無消息，害得我好苦！

最近我去了上海一次，見到你寫的關於白先勇的調查材料，其中有「思想反動」四個字，害得他們做不了主。他們想知道的，究竟能不能刊用白的文章？對此，你能否明確表個態。望能示知。

託你們問於梨華的稿費事，匆匆忙中忘了。千萬、千萬。

前不久，我給你寄去（掛號）《收穫》、《上海文學》各數本，收到沒有？這裏李子雲把她收存的幾本給了你。因此上海也不容易找到了。

一定要給我寫回信。

上次給你一份書單，託你買的書，有辦法買到否？

洪遒

七九．五．十六

第三通

史復兄：

又是好久沒有給你寫信，也沒有讀到你的來信了。你每次來信都是給我很大的享受。

四月七日《明報》的「中國消息版」全文登出你在《文藝報》的「捧罵香港」，編者在文前加了按語，不見得有甚麼內容，只介紹《文藝報》是甚麼報紙，可是標題上卻用了「奇文欣賞」的字眼，不知何故？

你說對《香港，香港……》的補遺可寫幾萬字，寫了沒有是說可在該書再版時補入？你給我的那本，被盧敦帶到香港，交給一位電影界的老朋友，誰知他在途中給遺失掉了，真是十分痛心。雖然我那位老朋友安慰我，將來該書的港版出來後，他即買即讀即寄還我，叫我不要悲傷。

「逃港者」要修改，不是我捏造的，而是導演張良親口給我說的，因為我一早看了劇本，就給他說搞得不真實，給逃港者塗紅臉，但沒有說服他，他並不以為然。等看了你的意見，不能不打動他，他說他把意見複印交給作者，要作者考慮修改方案。說得如此誠懇，不能叫我不信。究竟如何，看張良拍成個甚麼樣子。反正這一關他是逃不了的。我現在很想收集一些香港的材料，白韻琴女才子主持「盡訴心中情」節目，原來不是她在盡訴，而是聽被她邀請的人（大都是從大陸去港的新移民），他們的「盡訴」。而且她把別人的「盡訴」化為文字，輯成小書，在港台出版，撈第二筆稿費，也是生財之道，我想買這些書，但始終未能買到。

施叔青的小說也是這一類。準備託人買《文學家》。又，最近出了一本書叫《望族》，是英國作家寫的，聽說此書是新華社香港社看了原作，立即送到國內找人翻譯並出版，有人說是許家屯看中的（不知他英文水平如何？），此書中譯本已經出來，第一批書到了香港，很快售完了。此書寫的是六十年代香港的社會面貌，據說很⁑，在外國也是暢銷書，此書亦拍成六十集電視台電視連續劇，準備到香港拍實地外景，台灣紅星孫嘉玲任女角，不知你那裏可有此書？

在珠影當過副廠長的那位女曲藝團長，前天來了，出現在我面前，我問她見到賢伉儷沒有，她說：吳大哥不讓夫，我也不好去。本來人在困難的時候，去看看也是應該的。誰知不讓去也。我說，我們一直是通信的，幾十年的交情也。這位女領導這次是來度假的（不知她哪裏來的假期？），給我的印象，好像是年青了許多。沒有和她深談，不知她真實情況，她的丈夫去年又當了甚麼部長。

三聯說，要重版潘光旦早年譯的靄理士的《性心理》，不知會不會重版。鑒於近來文學上不斷出現性生活、性心理的描寫，不如直截了當地出些科學地研究這類問題的書好些！

盼覆，祝好。

洪遒

八七．五．二

過了中旬，我可能要進醫院去住些時候。又及

黃慶雲致羅孚信（二通）

第一通

史復仁兄：

別來想身體康健。讀《香港，香港》，甚為欣賞。比目前各大家寫此類作品為勝多矣。其中有一點使我驚訝的，就是你竟那麼懂廣東話，過去我以為你不過是老表而已。可惜的只是你一別四、五年，有些事物又有新的變化。當然，印刷機也追不上時代老人的健步的。

我一天到晚忙來忙去，有一天作協囑我一定參加詩詞組，老友們責我久不寫詩詞，回家後寫了一首，記錄了在家遙望紅棉的心情，送給你指正，也作為贈你的吧。

蜜蜜到英國讀書，臨行給我看你贈她的詩，你對年青人如此愛護，真使人感動。

我將於五月初赴瑞士，到時我打電話給海星或你。

舒諲曾到我處敍談，此次他來得匆匆，去得匆匆，沒多少時間交談，如他返京，請代致候。

一函請交海星。即祝

愉快！

慶雲

四、二八

浪淘沙
春日遙望木棉有感

放眼木棉紅，朵朵重重，應知無復再寒冬。抽盡柔絲千萬縷，終付東風。
何必怨東風，挺立長空，明年此樹更英雄。紅落枝頭春不老，新綠葱葱。

第二通

羅孚：

承問有沒有把舊詩收集起來。我的舊詩大都是隨興而寫，沒留底，許多都忘了，苦思之下集得幾十首，從孩子時到現在，不成器，給你看看就是，其實我寫給你的也不只兩首的。有兩個時期寫得多一些，一是六十年代和鋼鳴[10]到北京及西湖旅遊時，二是打倒四人幫之後，有點意氣風發。如此而已。

託蜜蜜帶上，足博一笑，不必寄回。

祝　儷安！

慶雲

二〇一〇年十二月

10 鋼鳴，指周鋼鳴，作家、文學評論家，黃慶雲丈夫。

杜運燮致羅孚信（二通）

第一通

承勳、秀聖兄嫂：

我去美國探親訪友，在西、南、東海岸七個州十幾個大小城市轉了三個月，前幾天剛回來，才看到寄來的賀年片。特別高興的是，看到芳雨畫的爺爺頭像，知道承勳更發福一些，大概你們二位身體一直都好吧。我在華盛頓時，曾去Virginia州的Reston去看巫寧坤，他長期住在一座老人公寓裏，生活不錯，我們談了差不多一整天。他們身體都好，只是怡楷[11]的視力越來越差，現在只有一個眼睛能看一點。在洛杉磯時，曾打電話給陳威儀，說了一會，她說**時身體不太好，最近好些。此次赴美，除看了旅遊而必看的一些景點外，最高興的是見到文藝界的舊朋新知，特別是詩友們，初次見面，都熱情款待。

訪問中有些感觸，也寫了幾首詩，也算是「有詩為證」吧，以後有些將會在香港發表，請指正。

我和麗君[12]身體都好，通過了三個月的考驗，我一次感冒都未得過，而且還坐了比較驚險的遊樂項目中的太空船等。

一大堆信債、文債急待處理，恕我只先寫這些，以後再談。

祝兄*安

11 怡楷，指李怡楷，巫寧坤夫人。
12 麗君，指李麗君，杜運燮夫人。

1945 年 4 月，杜運燮攝於重慶大公報館。

麗君附筆問好

運燮

四．十八

也應邀到 San Diego 葉維廉家住了幾天，那裏春意已濃，風景極美。海邊尤其令人陶醉，是我詩詞的一個高潮。

（一九九六年）

第二通

承勳、秀聖兄嫂：

承賜寄精美的賀年卡，二月一日收到，謝謝！

永玉的畫很傳神，如見故人，看來承勳兄福態了一些，想秀聖也一直都好，你們近年生活過得很充實。聽說你們今年周遊歐美，承勳寫得很多，經常發表專欄文章，只是我看到的很少，回憶北京生活的文章一篇也無緣奉讀。聽陳嗚說，你曾告他。待出版後將購贈一冊，我一直在企盼着。

我和麗君身體粗安，一切如*，跟過去一樣，都有一些老年病，但幸好都無發展，也就值得滿足了。我們就過着自稱的「兩點式生活」（讀一點、寫一點），寫的不多，發表的更少，與你相比，差太多了，但究竟還算是繼續在寫，略可告慰老友，有些詩在香港《大公》及《香港文學》發表，想必看到。

由於聽說你們經常在歐美孩子家，久未通信，今年未給你們寄賀卡，請諒。

補充一點，即去年底我的自行車被盜，決心不再騎車，免得家人擔心。「見好就收」的效果很好，腳力大為增強，總的體質也似有所提高。現在我感謝小偷，也更相信「焉知非福」的哲理了。

不覺又已立春。順祝

全家春安

麗君附筆問好

運燮

二．五（一九九八年）

吳祖光致羅孚信（五通）

第一通

承勳兄：

多年不見，但我一直很想念你，不知你何時能回來，談談這些年闊別之情。

我家遭遇到很大的不幸是鳳霞於前年冬天突患腦溢血左肢偏癱，現在住在療養院，有所恢復，但距離痊癒還遠。最近有人介紹一種藥叫做「美達」維他命 H-3，有注射劑及口服藥片，香港可以買到。今天老潘[13]來我家，我想到擬轉請你為我買一些，希望能多買到些更好，只是我沒有外幣，如何結算再研究罷。據說郵寄很不方便且有限制，那就只好託人便中帶來，也只能都求你幫忙了。

13 老潘，指潘際坰。

有空盼覆我一信，祝
全家安好

吳祖光
八・十七（一九七五年）

第二通

承勳兄：

際坰轉來，大示及新晚一頁另 Mulginvila 一瓶，均收悉。

你為鳳霞買的藥這麼快就收到，使我全家感激不盡，但我還有點無厭之求，希望你能再代買幾瓶注射的針劑，前些時由黃苗子兄轉請黃茅兄郵寄，均被海關退回了，看來只有仍請兄託便人帶來為快速穩妥，由於病人的需要，萬請恕我的煩瑣也。至藥款一項，因弟沒有外幣，只得以後再說，當祈覆示。

前天姚雪垠兄來小坐，看到這七號新晚副頁，囑我轉求兄寄給他一份，假如可能希望把過去大公、新晚發表過的有關李自成的文章或其他材料都能檢寄一份，至於連載的「李闖王」小說能給一份當然最好，如有困難就不必了，亦不知郵寄有無困難？首卷現已出書，兄諒已見到，雪垠準備贈兄一部，日內當可寄出。

寄信以掛號為妥，覆信及寄件均請寄弟處可也。地址（略）。祝
全家安好

楊範如[14]嫂近況如何，請代致候。

弟 祖光 拜上 鳳霞 問候
（一九七五年）

14 楊範如，劉芃如夫人。

1986 年，羅孚（後排中）和范用（後排左）、王蒙（前排左）、汪曾祺（前排中）、吳祖光（前排右）攝於北京范用寓所。

第三通

承勳兄：

很久以前曾上一函，久未得覆，不知何故，深為念之。想起居安善為禱無極。日前從張伯駒先生處得見其舊稿「紅毹紀夢詩注」約四萬字，共七言絕句一百七十餘首，下為事注，談自民國初年至解放後之京劇掌故，極生動可觀，若在「新晚」逐日刊載，估計會受觀眾喜愛，如兄有意接受，請速示覆。再研究如何寄奉恐此信遺失，故請際坰兄轉寄。

即祝　安好

吳祖光
十二月廿一日
一九八〇

第四通

承勳兄：

寄的書及藥都收到，真是感激不盡。張伯駒老先生來對我說，希望他的《紅毹記夢》和《續洪憲紀事詩》兩稿能夠早發表早出書，不知情況如何，盼有以見示，上週晤及范用及金堯如兄，說藍真兄不久要來北京，不知何日成行，亦盼示知。

還要麻煩兄一事，帶來的注射藥 CEREBROLYSIN 收到後，由於封條已拆開，裏面本應附有的一張仿

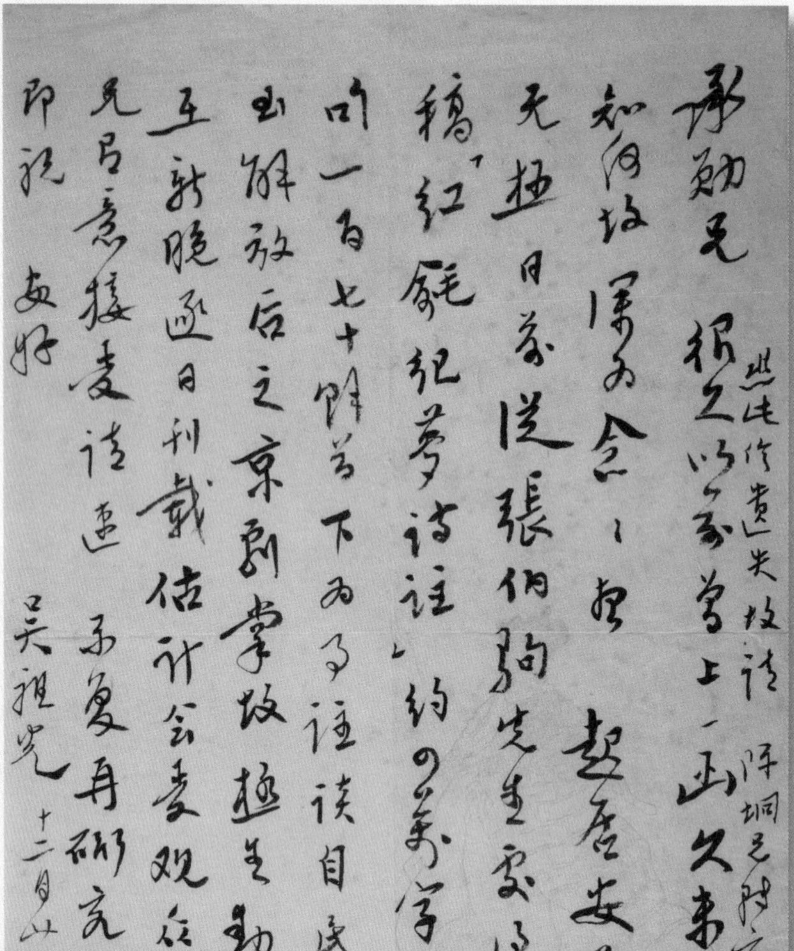

承勛兄：

得大以後曾上一函，久未得復，不知何故，屢屢念念。想起居安善為禱。（此件貴處失收，請阿垌兄再寄）

兄拯日前從張伯駒先生處見其舊稿《紅毹紀夢詩注》，約四萬字，共七言絕句一百七十餘首，下面有注，談自民國初年至解放后之京劇掌故，極生動可觀。茲在新晚報逐日刊載，估計會受觀眾喜愛。如兄同意，擬交請承復，再研究如何寄奉。

即祝
安好

吳祖光 十二月廿一日

吳祖光致羅孚信第三通

單不見了，因此不知其詳細用法，醫生為慎重起見都不敢用，無奈只得仍請兄到藥店設法搞一張仿單來，在此之前不敢擅用也。屢瀆清神，死罪死罪，藥價若干並盼示及。

盼速覆。祝

全家安好

弟 祖光

鳳霞 附候

四月九日（一九八一年）

第五通

承勳兄：

接到我的表弟陳棣一信，說他在「戰地」發表的一篇文章說玫瑰花的，在新晚轉載，他十分高興。陳是一個鋼鐵工程師，在天津鋼廠工作，其母莊恩鈿為留美的老專家，專門研究月季花，為北京、天津園林局顧問，於前年去世，他業餘繼承了母親的事業。

轉載他的文章是對他的鼓勵，使他十分興奮，託我向兄致意，希望能寄幾份報紙給他，假如需要他再寫點甚麼亦可與他聯繫，他的地址是：（略）

杜是他的助手，也是同事。

費公代為致候。即祝　安好

吳祖光

十一月十一日

黃苗子致羅孚信（三通）

第一通

承勳我兄：

際坰兄來，奉到大札並荷珍貺，一一奉收，至謝。弟前日甫自黃山歸來，致未能一見靈鳳兄之令嫒敏中（中敏）小姐，殊以為憾。然已與永玉、際坰談述中，浥其手度，故人有女，可勝快慰。數日前往南京，得見傅抱石兄之女畫筆超縱，直逼乃父故志，此一時代，後繼有人，信非虛語。

闊別十餘載，差幸頑健如昔，唯此聯足告慰。前屢於家茅兄[15]處聆及足下為事業操勞，建樹斐然，至堪企羨。未知最近有無命駕北遊之意，屆時當能暢敍別忱耳。

匆覆，即頌文祉。

弟　苗子
九月二日

大作使愚夫婦當之有愧。今後當益加奮力，以付故人獎勉之殷心。

十年前曾為兄道及蘇仁山所作桂林象鼻峰冊頁，今幸無恙，當於最近以影本呈賞。

苗又上

（一九八一年）

15 茅兄，即黃茅，黃蒙田。

左起：許禮平、傅益瑤（傅抱石女兒）、郁風、黃苗子、羅孚、許敦樂。

右起：沈峻（丁聰夫人）、丁聰、羅孚、黃苗子、邵燕祥、羅海雷。攝於 2007 年。

羅孚與黃苗子（右）攝於 2010 年。

第二通

臨公足下：

董姑娘[16]帶來尊札，敬謹奉收。至來示所云：託仙翁所帶之信，確已付殷洪喬。永玉有言：不能在上午十時以後託酒仙辦事，此又一明證也。（十時以後，糧液入喉，天大事情，盡付東流。）抵此之後，幸託董兄之眷，每日一草，食飯乃有着落，唯吾本族有諺曰：「藏人是吃土的，漢人是吃草的」。現在方知吃草亦可溫飽，且不太累，堪以告慰。來教驢、馬、草以稍去稜角為囑，自當留意。但事有偶然，並非存心，如「驢、馬」是，公曾主「政」，當知其中曲折也。

此吹殘履，公舊遊之地，已存戒心。果然某兄欲弟尊相銀屏露面（即九〇主編，現主持電視台評論節目……），諸如此嘆，已力謝之。但走後有無其他漏子出現，則不可知。此次純為探家兄（八十四）之病，（已住院二月餘，幸弟來前已見康復，現在休養中）。否則絕不敢惹事招非也。

疊得北訊，力保安詳，（千老在美亦然）。但既已鳥飛，暫得寄息，殊未作買臣婦想。古人有言：「陌上花開，可緩緩歸矣」。斯言是也，棋予望之。（秦公來札已悉，當另覆之）

教授（客座）係暫職，每週擬去一二次，不一定搖唇鼓舌，但所加諸肩者亦不少。最大好處是可利用圖書館（台灣出的類書、地方誌、工具書、史籍均不少），徐徐抄之，「吃的是牛奶，擠出來是草」，亦一樂也。

除每日吃草外，尚有《八大山人年表》及《傳》待改後出版。台灣之《畫壇師友錄》簽約甚久而未能畢事，尚有董姑娘處《回憶與隨想》亦在催促中。而吃草之外，吃「墨」更屬要圖，是故「遠托異國」，未嘗「昔人所悲」。伏爾泰云：「忙的蜜蜂，沒有悲哀的時間」也。

16　董姑娘，指董秀玉，出版家，時任香港三聯書店總經理。

永玉去冬之展，大有斬獲，名利兼收，但亦惴惴於「九七」，然遠引之圖，尚未定耳。俊東兄只匆匆在橋兄席上一面，未作詳談，然亦知明月之事。林鏘改「讀書」，亦此之由耳。據來信，亦擬隨其子移澳，不理明月矣。

贈飯公大作，讀之噴飯，尤其是「他人床上，老子櫥中」一聯為絕唱。

陳若曦有信給我，為《文化廣場》索稿，十五元US千字，君有稿何不投之，地址見楊公信。

蜜曾晤敍，無言相對，奈何？

匆覆，即頌文安。

宗弟 湘山 奉上
郁某 同叩
二月九日（一九九一年）

第三通

羅公：

手出奉悉，知康勝為慰。弟一年來因腎臟衰竭，常住醫院。所幸透析療法，四小時臥床，隔日排出體內毒素，精神體力與日常無異。再過數日賤齡已九十七，是多賺回來的。但今年下半年，憲益、世襄、丁聰諸公一一駕鶴，思之惛然！

近日亟想回家休養，但冬寒太勵，不敢離院以防萬一。春節前後，或可告別醫院，仍須隔日赴院作透析而已。近日院中消遣除書、報外，畫不離手。亦足自慰。以不慣寫信，好友如董橋兄，亦疏懶少寫信，見面已先為告罪。惟許禮平兄，每次來京，均承枉顧敍談，港友近況得略知一二耳。

海星仙逝，深為嘆悼！時代糟蹋人才，往往殘酷不情，誰也會碰到這種際遇，可勝哀嘆。兄代向其夫人

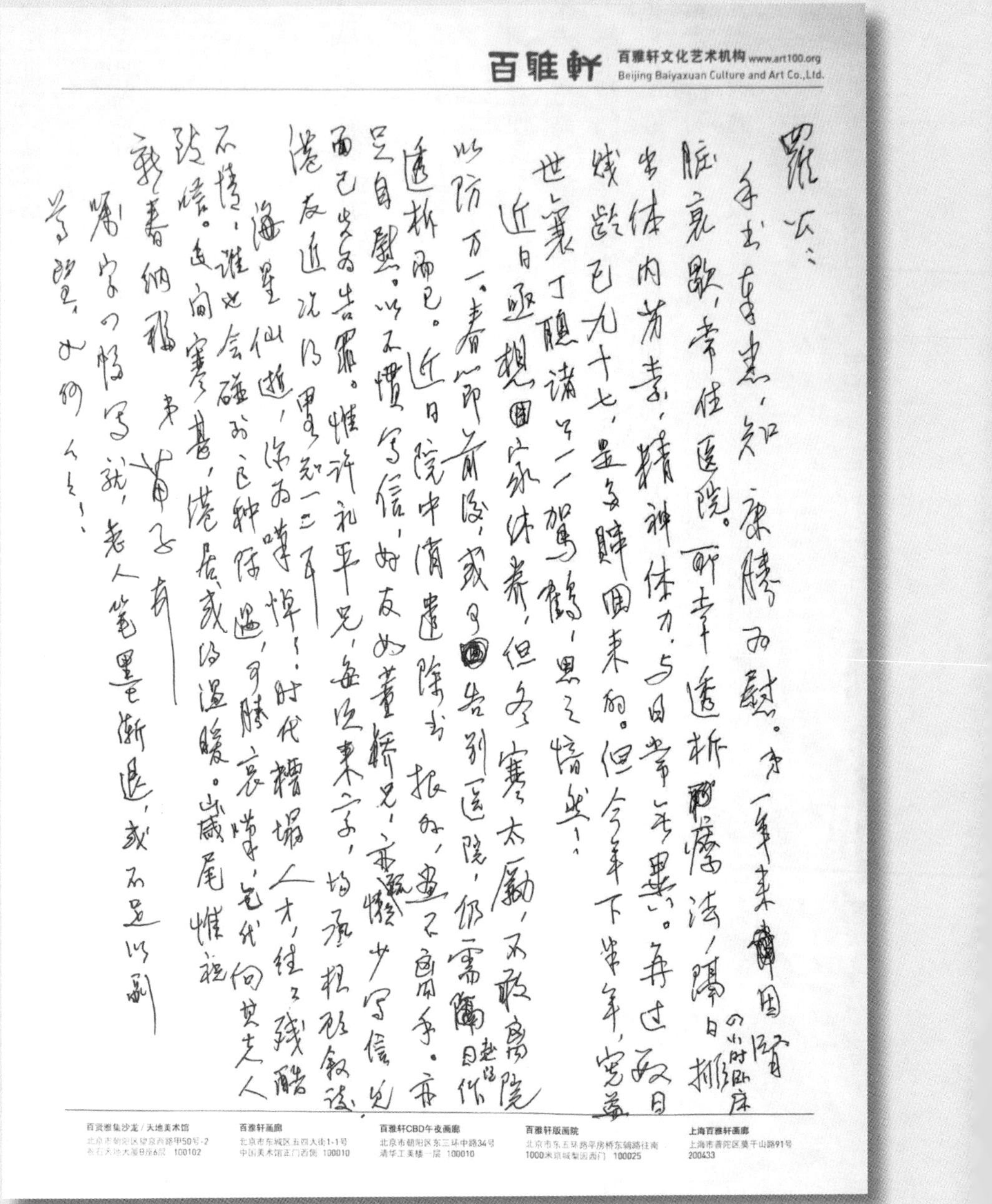
百雅軒 百雅軒文化艺术机构 www.art100.org
Beijing Baiyaxuan Culture and Art Co.,Ltd.

羅公：
手書奉悉，知康勝為慰。十一年來曾因腎臟衰歇，常住醫院，所幸透析療法，隔日（四小時臥床）排出体內毒素，精神体力，与日常无異。再過數日賤齡已九十七，是多賺回來的。但今年下半年，宛若世襄、丁聰諸兄一一駕鶴，思之愴然！
近日亟想回家休養，但冬寒太厲，不敢離院以防万一，春節即前後，或可回告別醫院，仍需隔日作透析而已。近日院中清潔除去報紙，並不應用手。亦足自慰，以不慣寫信，好友如董橋兄，亦深懷少寫信也，而已出寫告罪。惟許禮平兄，每從來京，均承枉駕敘談，港友近況，得男知一二耳。
海星仙逝，你為嘆悼！時代糟塌人才，往往殘酷不情，誰也會碰到这种際遇，可勝哀嘆，竟代向其夫人致意。近聞寒暑，港居或得溫暖。歲尾惟祝
新春納福 弟 黃苗子 拜
寫字已慢，寫完就，老人筆墨漸退，或不足以副尊望，如何如何！

百雅軒集沙龙／天地美术馆 北京市朝阳区望京西路甲50号-2 卷石天地大厦B座6层 100102
百雅轩画廊 北京市东城区五四大街1-1号 中国美术馆正门西侧 100010
百雅轩CBD午夜画廊 北京市朝阳区东三环中路34号 清华工美楼一层 100010
百雅轩版画院 北京市东五环路平房桥东辅路往南 1000米京城梨园西门 100025
上海百雅轩画廊 上海市普陀区莫干山路91号 200433

黃苗子致羅孚信第三通

致啱。此問寒甚，港居或得溫暖。

歲尾惟祝　新春納福

囑字四幅[17]寫就，老人筆墨漸退或不足以副尊望，如何如何！

弟　苗子　手書

（二〇一一年）

郁風致羅孚信（一通）

羅公：

回到老窩便身不由己，從冬到春到夏！來人，電話，約會，約稿，要字，要畫，沒完沒了。天越來越熱，地球變態，上海、香港、海南島只有廿幾度，而北京卻卅多度！已訂六月下旬票奔回冬天的布里斯班，經港當然住幾日。如你仍在，當會見面。

蜜蜜來時匆匆，只見一面。很惦念翠芬姑娘，不知近況如何？

二人均寫過一些報屁股稿，這篇是被唐瑜逼出來的。聊供佐餐一笑。（請勿發表）

17　囑字四幅，指黃苗子為羅孚文集（中央編譯出版社出版）中《北京十年》、《香港，香港……》、《南斗文星高》和《香港人和事》四本書題寫的書名。

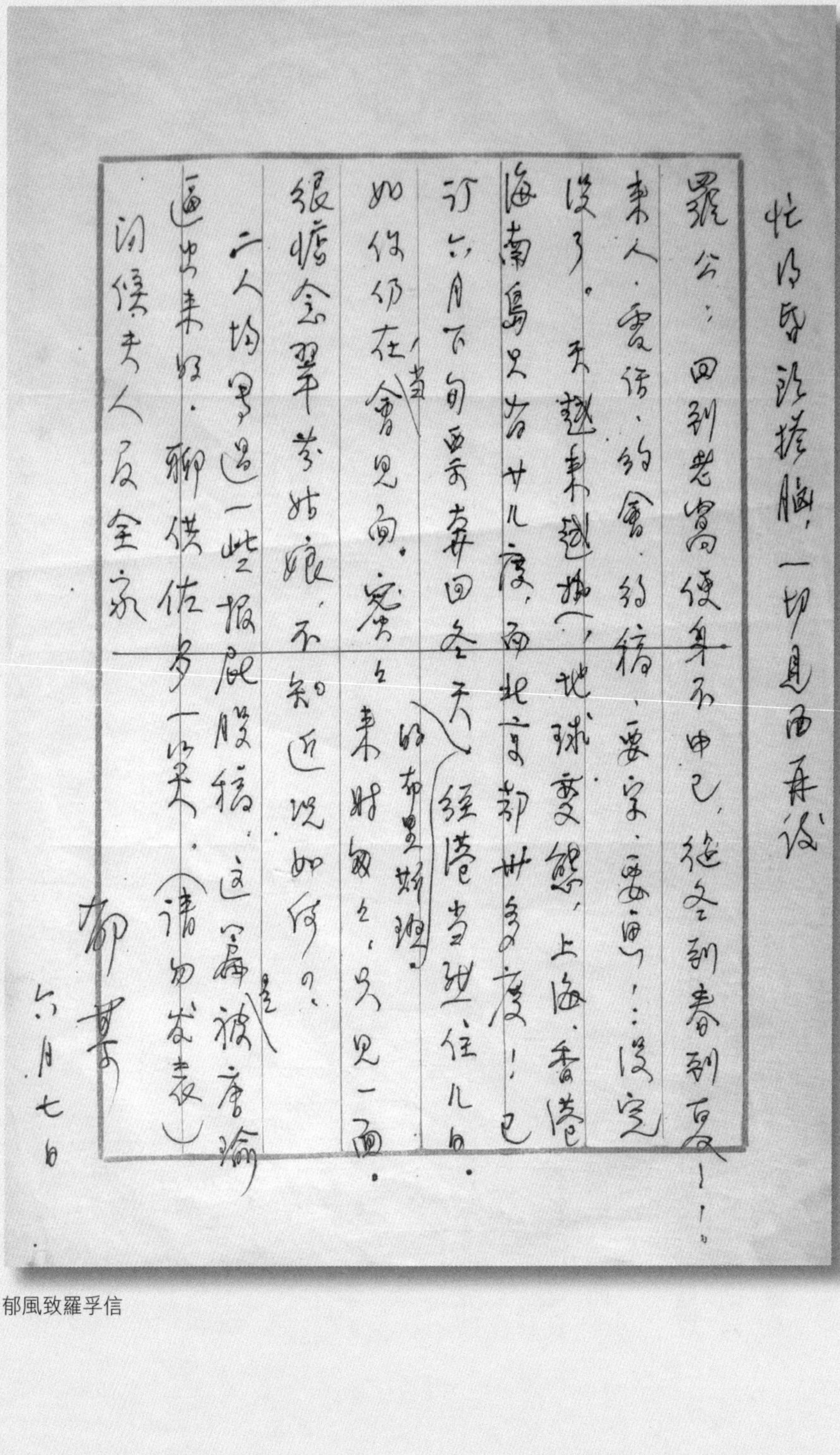
忙得昏頭搭腦，一切見面再談

羅公：回到老窩便身不由己，從冬到春到夏～！！。來人、電話、約會、約稿、要字、要畫……沒完沒了。天天趕來趕去（地球變態，上海、香港、海南島只有廿几度，而北京却卅多度！）已訂六月下旬要去澳洲過冬天（的布里斯班），經港當然住几日。如你仍在港會見面。寥寥來時匆匆，只見一面。很懷念翠華茶姑娘，不知近況如何？

二人均寫過一些報屁股稿，這篇是被唐瑜逼出來的。聊供佐餐一笑。（請勿發表）

問候夫人及全家

郁風

六月七日

郁風致羅孚信

問候夫人及全家
忙得昏頭搭腦，一切見面再談

郁某
六月七日

羅孚致黃苗子郁風信（一通）

苗兄、鳳妹：

正要傳信，寄傳先到。

我與老伴三日赴美，可能付加，將於月底、下月初返，九月十日以前定已歸來，可為兄妹接風。聞兄將書聯以贈，更當趕回拜領矣。

瑞生兄曾轉告，苗兄已成一聯：「十年客園堂堂去，三載文章慢慢來。」竊以為「堂堂」不符實際，「衰衰」則真，但入聯不佳，不如改「垂垂老」，普通話，「垂」音近，「衰」。而「慢慢」改「緩緩」如何？意思一樣，因有緩緩歸，似較詩意。

楊「仙人」[18]已喬遷友誼，成詩四律，附傳欣賞。其詩集「銀翹集」已在港付排，爭取十月出書，最遲不過十一月。另有舒諲回憶錄，也將同時付梓。兩人相約同做八十大壽，兄妹如返京，當可逢其盛，我則只有遙望京華而祝矣。能出兩書為壽翁賀，亦大快事。兩書均自費出，由在下籌措。楊集中編者定有「楊憲益

18 楊「仙人」，指楊憲益。

2007 年，羅孚和夫人吳秀聖參觀在北京中國美術館舉辦的黃苗子、郁風畫展。

其人其詩」一文，原屬意於我，迄無暇執筆，亦無能執筆，謹以之卸責於苗兄，字數不拘，以説透為好，文成，請徑付顏純鈎兄，印刷事已請顏兄代勞，不必等我返港，以免稽延。此事如此決定，近於獨裁，乞諒為幸！

仙翁新址：北京白石橋路三號友誼賓館頤園公寓六三〇二一。電話：八四九八八八八—六三〇二一。

永玉已赴意，半年後始返。

老潘[19]現居舊金山，此行當可歡敘。我等先到三藩市女兒處，然後去洛杉磯金堯如家小住，再定行止。赴加簽證尚未辦妥，因在京坐監事為領館知悉，要出示良民證始能考慮，此「民」本來「不良」，此證如何可得？如在美簽證仍不成，則只好不去了。

司徒華近寫梁任公集句半聯義賣：「更能消幾番風雨，最可惜一片江山」。我則改三字，成「公子來時，更能消幾番風雨；大人無語，最可惜一片江山」。雖嫌太露，也是眼前風景也。

祝　儷安！

孚上

九四、八、一

19 老潘，指潘際坰。

陳邇冬致羅孚信（五通）

第一通

承勳兄：

前函計達，未獲覆示，候駕亦不見來，念念！

前日找得舊作五首，剪奉，或亦有用耶？

鵲踏枝詞兩首，因未留底，刻須要，請先賜還是幸。舒諲處見到《宋詞縱橫》否？事在念中也。

再頌

雙茀

邇冬

九、三

第二通

承勳兄：

昨晤甚暢。拙著《宋詞縱橫》亦為弟得意之作。請兄至舒諲家查問可見。如無此書，弟當補奉一冊。又《韓愈詩選》再版，《蘇軾詩選》三版增訂本，已得樣書，亦隨奉上。《傾蓋集》曾有程千帆評議一文，刊在去年《讀書》七期，於弟詩詞頗有獨到見解。又奉《愛國老人詩詞選》於拙作選有《傾蓋集》所遺者，均可供參考也。候駕至當理出奉覽。餘不一一，即頌撰安！

夫人曼福！

除下週五上午再赴協和作腦血流圖外，餘時皆在家，故告。

正待兄來長談，以破岑寂。港地報刊，希望帶弟所未見數種來，一開眼界。

弟又及

弟 彌冬 手書

八、廿二午

第三通

一九六二年十一月某日　記事二律

一

辛亥之年君通國，我生壬子不同天。

神州率土爭民主，摩道春心托杜鵑。

簿坐同觀三代至，買餐各進四毛錢。

秋郊夜氣涼如水，臥看星辰落欄前。

二

冕旒卸卻着囚裳，昨歲新更幹部裝。
畢竟人民輕萬乘，偶將謔語戲前王。
厭聞兩字呼皇上，願受一廛為國賦。
佳話千秋曾目擊，勒銘還待蜀東方。

承勳兄：

右二首已湊全，供你寫詩話之用。此二律詠末代皇帝。那首五律寫開國二君。亦湊巧也。寫就務必給我先看如何。即候

撰安

石濤的身世，今已見報，可惜編者刪去了幾個要害處！

邇冬

十一、廿八

第四通

承勳兄：

示悉。亟盼駕臨。弟處沒有甚麼「不便」。亦望早來，勿待「遲日」，弟懇懇於兄久矣！手抖，草覆數行，餘容面傾。即頌

秋祺！

闔第吉祥！

邇冬

十、十五日（一九八六年）

第五通

史兄：

前函計達。兄所剪報確是《文匯》，我因只看它的文藝版，以為不是「文匯」，説錯了。你那裏或有別的港地報刊，乞借讀一二，以廣見聞。

拙作「三分」，《光明日報》、《雲南日報》、《讀書》今年一、二、三期均有文章評介「捧場」，看來浙江人民出版社只印四千多冊，會脱銷了。昆明即要三千冊。兄介紹天地出版公司，何遲遲無消息？敢乞催促玉成是盼！

耑候

近安

夫人均此

邇冬

三、廿五（一九八七年）

楊憲益致羅孚信（一通）

無題二首

黃葉聲繁酒不辭
花開花落兩由之
何當更覓千杯醉
便是春回大地時

陣前免冑悲先軫
日暮揮戈望魯陽
我自揚杯向天笑
中原龍戰血玄黃

林安兄一笑

你送我的茅台尚未開瓶，何時來吃喝一杯。

憲益

星期日

1990 年代攝於香港。左起：戴乃迭、楊憲益、羅孚。

范用致羅孚信（十八通）

第一通

羅兄如晤：

梁先生帶來各件收到。今天中午小韓說梁先生[20]偕夫人吃飯，我和祖光、際坰、文葆作陪，還有一位給梁先生寫傳記的陳丹晨也在座，還有報社的記者。只是王蒙還沒有回來，不然我會請他們見面聊聊。

我最感興趣的，帶來的報紙和刊物，專欄文章我一一都拜讀了，《島居新文》我也每天都看了。料想寫這些文章時，兄的心情一定很愉快，雖然每天要很緊張，但值，我希望有時間寬餘時，再寫些重頭文章。

淺予先生十二日去桐廬，上個月他就約我同去。我一直定不下來，一是台灣的一位少年時的知友要來看我，二是老伴一定要搬家（冬天她實在受不了），可能房子會下來，在方莊。這些日子我寢食不安，實在捨不得住了幾十年的地方。而方莊又是高幹群居的地方，實在不願意加入到他們之中去。

如果你仍有江南之行的打算，須在四月十五日以前，這樣四月底打道回府，我可回到北京接待台灣來客。否則，明年秋天去，那時丁聰夫婦也要去。如何？我等待你來電話。

《詩》刊馮至專號非常精彩，這樣好的刊物，內地見不到，真是憾事。

天地圖書公司把我的一批寫給小朋友的信印成一本小書，送上一大批，讓我送人（主要是送小朋友）。我真沒有想到，我的不像樣的文字，居然印得這麼講究，會叫人笑掉牙，你看了就知道。現在書託請香港三聯幫我弄到北京來，等收到後再簽名送您和蜜蜜，請她指正。

20 梁先生，指梁羽生。

王蒙夫婦想已見到，並同文藝界、出版界的朋友見了面。

老金在當代發表的回憶錄還在登嗎？我只看到一篇（說你倆辦報的兩件事：費公、查先生）前面的後面的，我都想看。

北京十年，從開頭，我也想全看。

你看過的《信報》，有甚麼精彩的文章，請剪下有便時帶我，包括乘游錄。

這幾天北京春寒，今天最高氣溫十度，棉衣又上了身。

祝

安吉

范用

四、六（一九九三年）

第二通

羅兄：

報告一個喜訊：馮二哥（亦代）即將和宗英小妹組織家庭，梅開二度。

一批批雜誌，帶來的、寄來的，都收到了，太高興，看了即傳閱。就是從廣州寄特快件，太費錢，心裏不安。

不知您已經納入正軌地生活？我怕您太累，畢竟也是七十開外的人，不能老是拚命地過日子，我還是希望您寫出幾本書，如詩話，包括編注憲益的打油詩集。寫本結結實實的回憶錄（不是方塊文章）。《北京十年》一寫完該即交付出版吧，至今我們只看到幾篇，不到十篇。有趣的是，涉及我的幾節，是女婿出差德國，正好看到《世界日報》，帶回來的。還有一位在美國的朋友也剪了寄來。

蒙天地圖書公司劉文良、陳松齡兩兄之好意，把我給小朋友的信印了本小書，給我送人，是韓金英編的。寄出一包，想已收到。其中有兩本請您託人轉給在美國的戈大姐[21]和劉兄[22]。曾在某刊看到一文，說戈大姐和司馬兄[23]同居了，不知確否。我把他們的名字寫在一本書上了，如果弄錯了，只能怪傳媒有誤。我與戈大姐是老友，她不會責備我。司馬兄四幾年在重慶結識，後來不讓我見他了，去香港，他兩次到三聯找我，也不讓我見，身不由己，有甚麼辦法。為此，我要向司馬兄道歉。您有機會，也替我告訴他一下。哦！那本小書還應當送黃姐姐[24]一本，怎麼忘了，以後再帶上。

永玉的畫展，十分成功，可喜可賀。幾本書實在漂亮（從內容到形式），老潘[25]已收到一套。幾本書有八、九斤重，我（的）至親好友，不便託人。如果您有甚麼可託之人，請永玉交您。我真想早一點到手。千萬別寄，會被打劫。

我那本小書[26]，曾卓推薦給湖北少年兒童出版社重印，重新編，刪去記者文字，增加兩篇童年習作，幾篇新寫的，都是童年紀事（《小街》、《老酒店》、《盲音如家》以及已發表的《沙老師》、《買書結緣》、《江上四日》、《這二年（一九三七、七—一九三八、八）》等）。真給您說中了，只好一路寫下去。童年的事還有許多可寫的，寫我浙江老家，書名擬作《故鄉·明月·墳頭草》，只是年代久遠了，得邊想邊寫。

許老闆[27]的回憶錄，有無辦法帶一本來？都想一讀，雖然沒有太多可談的。千老[28]的回憶錄已請秀玉從台北帶一本來。

盛夏酷暑，請兄嫂多多保重！

范用

七、廿四（一九九三年）

---

21 戈大姐，指戈揚。
22 劉兄，指劉賓雁。
23 司馬兄，指司馬璐
24 黃姐姐，指黃慶雲。
25 老潘，指潘際坰。
26 指《我愛穆源》，一九九三年首次由香港天地圖書公司出版。
27 許老闆，指許家屯。
28 千老，指千家駒。

第三通

羅兄：

日前寄上一信，想已達。

要請您破鈔：一、付劉以鬯先生港幣三十六元；二、買一本《香港文學》七月號航寄美國我的一位小學同學。

事情是這樣的：我寄了一封信給以鬯先生，請免付七月號所刊《沙老師》一文稿費，但請寄兩本刊物給我。信剛發出，稿費匯來了。退回又要花一筆匯費，只好收下。以後再寄他稿子。劉先生從創刊即寄我雜誌，無以為報，不能再拿他稿費。他收到信，很快又將兩本七月號寄來了，我得付值。

我的小學同學，即《我愛穆源》第七〇頁上提到的那位漂亮的小妹妹，她在美國，我找到她了，沙老師也是她的老師，所以我要把這一刊寄給她。

如託，至感！

暑安！

范用

七、廿六

又想起，還要請您寄一本《香港文學》給李黎，近接她的來信，鄭樹森把《聯合報》副刊登載我的一篇《買書結緣》寄了給她，這一篇《沙老師》，也想請她看看。她的地址在張鳳珠的地址背面。

您的《絲韋卷》是否也寄她一本。（似乎上次她來京時已給了她？）

（一九九三年）

第四通

羅兄：

日前寄上一信，忘了告訴您，託人（不知是誰，董老闆[29]轉來的）帶來莫一點先生的贈畫，已經收到。幾年前（七八年前）我説想得到一幅一點先生的小品，您就記住了，使我如願已償，真太感謝！請於見到一點先生時，代致謝意！

由歐洲寄出的郵片：大衛，亦於昨天收到。冒公來電話，他也收到了，還收到了「北京十年」若干篇，是否要印成書？我們期待閲讀全書。

入秋以來，因季節交替，總要引起老毛病——氣管炎，這兩天只好在家抱着一個痰缶。小丁夫婦約我十月底和他倆一同去上海（為畫展），為以吃到大閘蟹頗為動心，可是面臨搬遷，隨時會找我談判，能否走得開，還難説。近來，我明顯感到精神大不如前，想是年過七十必然如此。由此想到您在香港應酬，包括文約太多，也得注意勞逸結合才好，能把節奏放鬆一些就盡可能放鬆，悠着一點過日子。

永玉夫婦去德國了，行前把五本新書託付沈培兄設法帶給我，即不必麻煩您了。我已在老潘處見到這五本書，真漂亮。我一生都沒有能印出這樣漂亮的書，為憾。

即頌

范用

曼福

九、十一（一九九三年）

29 董老闆，指董秀玉。

第五通

羅兄：

看到《明報》的報道、照片，沈培兄又剪寄來《信報》的文章，及某一刊物的訪問記。昨見廣告，《明報月刊》還搞了個專輯（不知能收到否）。一個月下來，你胖了（高興）還是瘦了（應酬之累）？有時還忘了，又去撥二五六六〇三一。

你一走，我們真的感到寂寞了，尤其是憲益的小客廳，先是少了二黃（苗子、永玉）和郁風，現在又少了一位，侃大山也侃不起勁了。

王蒙夫婦本月廿日後應嶺南學院之邀來港訪問，要去了你的地址和電話，他要見一些朋友（戴天等），我給了他一個名單（就我認識的幾位），到時，煩蜜蜜給他張羅一下。他要求到達香港之前，務勿見報，免得辦簽證添麻煩。我希望他見一見藍真、蕭滋、陳松齡（天地）、劉文良、林道群（牛津大學出版社），以及三聯現領導陳新（昕）、趙斌，請你同他商量。

四月份兄嫂江南之行是否有變？我可能要搬家（老伴一定要搬，說冬天受不了，再加上早晚要拆遷要大傷腦筋。

如果方便，請到田園書屋（九龍旺角洗衣街七十九號三樓）買一本《詩》雙月刊（二卷六期、三卷一期合刊）馮至專號。

請別忘了複印老金回憶錄第一篇及第三篇以下。其他有甚麼可看的，順手剪下的也請寄我。

即頌

安吉

范用

三月三日

我想到的，可與王蒙見面的有：劉以鬯、黃繼持、潘耀明、黃俊東、古兆申、陳輝揚、小思、張志和、蜜蜜夫婦、馮偉才、璧華（？），請王蒙定。

他要去看永玉。

照片曹孟浪給您的。

晚報消息，北海公園附近開了一家桂林風味的餐廳壯鄉美食廳，有馬肉米粉，可惜你不在了。等你來我們去吃一吃。

（一九九四年）

第六通

承勳兄、秀聖嫂：

欣悉令嫒海呂擇吉成婚，由海雷侄送來請帖並喜宴餐券，我們想不出甚麼法子表達賀忱，只能在家開一瓶好酒舉杯，實在羨慕你這一家子子孫滿堂、多福多壽！我們可以想見老羅瞇着眼陶醉的模樣。等見面時（希望有這一天），再同老羅碰杯。

王蒙回來，還未見到又出國了，要一個月後回來，所以還未能從他那裏得到朋友們的消息。

……

身體如舊，請勿念。

即頌

健安

范用
丁仙寶[30] 拜

五月廿七日（一九九四年）

30 丁仙寶，范用夫人。

羅孚與范用、台灣作家季季及蔣勳（前排右起）於北京合影。

左起：羅海雷、羅孚、范用、黃宗江、邵燕祥、黃苗子。攝於 2007 年。

第七通

羅兄：

想已暢遊歸來（不是倦，您是不會倦的），喝紅葡萄酒，吃乾酪，想必又胖了一點。

我想進一忠告，回來以後不要再像前一段日子過得那麼緊張，把節奏放鬆一點。畢竟七十多了，不能也不必像年輕時，壯年時那麼賣命地幹，也得注意休息等保養，每年出去旅行一趟倒很好，明年去一次台灣吧！蘇杭富春之行，當然還得了此宿願，慢慢安排。葉翁被拉到桐廬去拍電視片了，還要十月下旬才回來，明年還回不回桐廬，還不知道。你明年有何打算。

蕭銅已見到，約丁聰一起到西四小吃街喝二鍋頭，花生、毛豆、爆肚，外加一碗刀削麵，這次三個人喝了八兩酒，在我算是破格。五百整港幣，我還不知道如何花費，已經先以黑市價賣給了老伴，也許去憲益府上開銷它。

先先後後，帶來寄來的刊物都已收到，真是太感謝你。一期之中有幾篇可看的，也就過癮了。

託你轉戈大姐、劉大哥小書，不知找到可以帶的人沒有，傳說馬義[31]已戈大姐[32]同居了，究竟有無其事？陸大聲一定知道。

我還在寫童年紀事，此間一出版社要把那本小書重編換個以名出版，我得趕寫六七篇加進去。最近寫了兩篇，不屬於這本小書，一篇《細說姓名》，帶有調侃性的。一篇記田蔚（略去姓名），題目叫《邂逅》。此外，還要寫一篇《我的婚外戀》，廖冰兄贈我一幅肖像漫畫，題詞：「熱戀漫畫數十年，天翻地覆情不變。范用亦漫畫之大情人也。」故寫此文記婚外之戀。

31 馬義，司馬璐。
32 戈大姐，指戈陽。

我盼望看到永玉新出的五本書，但要找能帶這麼沉重的書的人很不容易，不知兄有無辦法，或化整為零亦可。

即祝

曼福

范用

九、三（一九九四年）

第八通

羅兄：

苗子夫婦到京，即急於來醫院探視，為我勸阻，因醫院遠在郊區，他們於上月底去上海、杭州（畫展），近日返京，好在還要勾留幾個月，已約我待我出院後再歡聚。他們已在憲益家聚飲一次，我未能參加為憾，王世襄燒的菜。苗子告，為憲益《銀翹集》作序，已寫好。

今年生活完全給打亂了。先是忙搬家，從商談，到看房子、打包、裝修、搬遷、拆包，弄的精疲力竭，六月底才粗粗安頓好。今年奇熱，為北京四十幾年所未有，除了喘息，甚麼也幹不了。八月廿九日去協和醫院看病，在東單被一飛馳而來的自行車猛然撞倒，右股粉碎性骨折。萬幸，如果頭先落地，勢必嗚呼哀哉。經送醫院，動了兩次手術，骨算是對準接上了，但要完全長好，長結實，尚需時日。今後幾個月，只好老老實實待在家裏，好在有此三者——書、酒、友，日子尚不難打發，現在是「假釋」出院，再過三星期，還得住院拆除固定架，拔除用電鑽打入體內的三根鋼針，再觀察一星期方可出院。現在可以拄着雙拐在室內練習走路，四條腿比兩條腿還慢，只少一條尾巴了。

在此期間，承各地好友來函來電慰問，衷心感激。李黎從你那裏得到消息，即發一電傳給許以祺，請他送來一本《聯合文學》，使我在病床上閱讀，我十分驚驚，消息傳得如此之快。接着又得沈培來信方知，大詩人[33]已將此事記入「乘游錄」[34]。朝虹回港，兄當已知道弟之近況，請兄轉告諸友釋念，並代致謝意。

由樂山兄帶來及由廣州特快專遞寄來刊物，都已收到，弟看後即轉小丁諸兄，大家都很感謝你。談啊談的，又懷念起你這位跑片子的了。我感到寂寞的是不能同老羅小丁到飯館買醉。

想到九七，兄又將遠行，心情黯然。

聞海雷長駐北京，我還未見到，他不知我的地址和電話也。

怕寄信超重，只能先打住。即祝

曼福

范用

十一．九四

第九通

謝謝蜜蜜贈我《末世夜宴》，書印得很漂亮，書內照片更漂亮，簡直是個明星。看書後所附之書目，知道已出版了幾十本，你確實是落後於她了，有此秀媳，翁婆面上亦有光矣。

羅兄：

苗子夫婦想已見到，他們在此，我們熱鬧了一陣，可是又走了。

憲益、乃迭不能出門參加聚會，他們甚感寂寞。正約丁聰夫婦、張潔、許以祺今晚去看他倆。憲益、苗子、燕祥有一打油詩合集，還在排印中。

33 大詩人，指戴天。

34 「乘游錄」為香港《信報》專欄。

《大成》主人沈葦窗去世，又少了一份可看的刊物。承他厚意，每期都寄我一份。去年五月，他曾經來信，問我缺少何期。我沒有回信，以為可慢慢來，沒有料到他不在了。我見《大成》上經常刊登合訂本廣告，這個刊物，只他一個人，他不在，會不會把合訂本處理掉。我託了苗子，請他打聽，最好弄一套到北京來。現在我將沈葦窗的信寄你，如果你能打聽到，請設法要一套（買不起，請不要買）。書可託請三聯書店經理趙斌轉我，請他幫助辦一下，好幾大本，你不好託人。沈葦窗的信如果給他沈君家人，請複印一張，原信寄還我。

另外，請託懂得的人為我打聽一下：FC330個人影印機價若干，聽說現在人民幣在香港可兑用了，大概合多少人民幣。請注意問清一事：所用的碳粉，與普通複印機是不是一樣的，免得北京買不到這種碳粉，無法使用。

書兩本，託健強帶上。

曾請董秀玉帶您一本《陳寅恪的最後二十年》，收到否？

即頌　暑綏

范用
七月四日

樓適夷先生九十歲了，前天又從醫院「活着回來」（他的話），他一到家即來電話，除了告訴我，他説不出（地）開心，居然未去太平間。忽然問起聶紺弩的遺稿（其實是材料）。我告訴他保存得很好。你已經帶到香港了吧？（你告訴我跟大宗書籍一起運到廣州轉香港。）

（一九九五年）

第十通

承勳兄：

苗子夫婦到京，知道兄的近況，我就常擔心你又忙開了。這次的病對你是個警報，切不可不當回事。你還要寫一二十年，當然不能像過去，像現在那樣地寫。希望你多多保重！

苗子一到，我們即在夏公家聚會了一次，有丁聰、唐瑜、亦代、高集夫婦、龔之方、曹孟浪、祖光、還有張光宇夫人，應雲衛女兒。夏公去世後，我是頭一回去，室內陳設仍是原來的樣子，只是院子裏略嫌荒蕪，竹子枯萎了。乃迭時好時壞，憲益一天二十四時寸步不離，她上廁所會去到戶外去，不能不看着她。我遷來方莊後，很難得去看他們（一年內中只去過三次）。憲益、苗子、燕祥要合印一本打油詩集。

……

非常想讀到兄這兩三年的文章，我已看不到港刊港報，只有楊奇囑人寄我的《大公報》，劉以鬯先生寄我的《香港文學》，還有蜜蜜寄我的《香港作家》。冒公告訴我，海雷曾帶過您的集子，但都遺失了。能否託下月來開會的政協代表帶來，帶到後打電話讓我去取（電話，略）。託許以祺帶來千老、吳江的集子已收到，吳江那本，他已送了我，你給我的這一本，許以祺要了。

我很少出門，要出去只能打的，公共汽車，電車是無論如何也上不去了，現已成了瘸大爺，但吃喝照常，不過吃不了多少，畢竟老矣！

即祝　雙安

范用

二、二十九

很想讀「萬言書」，聞《亞洲週刊》載有全文，能否複印一份，或將此文裁下寄我。此信封好後，又拆開過。

（一九九六年）

第十一通

羅兄：

令媳帶來的雜誌收到，看後已傳給丁聰。

兄是否要在七一之前遠行？看來七一以後未必有何動作，雜誌暫時也還能夠出版，逐步收緊。兄如遷居，但還可以隨時來往。這是我往好的方面估計，不知兄如何看。

永玉、苗子均在此。苗子將遷到方莊與我鄰居，已經聚會數次。永玉最風光，他的學生為他舉辦過兩次酒會。三聯要出他的書。

我自從傷足後，很少出門，但老朋友相約，我還是去。以後想寫點應該一記的事和人。

兄嫂身體如何？至念至念！

范用

三、二十五（一九九六年）

第十二通

羅兄：

謝雲（人民同事）從美國回來，說香港（或台灣）出版了一部《毛澤東全傳》作者宋科，是此間國防大學的，為此書，將受到懲處。這部書有六冊之多，兄是否看過？我想不會有甚麼內容，即使有可看的，不過是其中的一部份或幾節而已。我不想看，只是想知道是怎麼一部書。你不必買，也無法帶進來。

范用
八、卅一

又收到四本雜誌，《明報月刊》，出版社訂了一份，我可看到以後可不買。港台有關《中國可以說不》的評論，望剪存，託便帶下。不要寄，收不到。我至今未讀此書，起先只認為是一本情緒化的讀物，不是嚴肅著作。現在我聯想到希特勒的《我的奮鬥》，歷史常有驚人的相似。

吳江送我一本新出的關於社會主義的新思路，請不要再買。

（一九九六年）

第十三通

羅兄：

收到賀年卡，那紅影樹很漂亮，樹後的高樓，就是天后廟道新東（方）台十二號嗎？有朋友收到香港寄來的《明報》專訪，我也看到了，請不必複印再寄了。

永玉已見到，他的學生借一德國啤酒坊歡迎他，到了二百人，十分風光。他要在此住個把月。我們已聚會兩次，等苗子夫婦到，還要聚會。苗子來過電話，說月底、月初回來。

三聯書店在美術館東側（隆福寺那條胡同出口入右拐沒有幾步）蓋了一幢四層大樓，門市部在地下和一樓二樓，很像樣，給人的觀感甚好。我一星期或十天去一次，看看新書，順便找找我想買的書。二樓有一咖

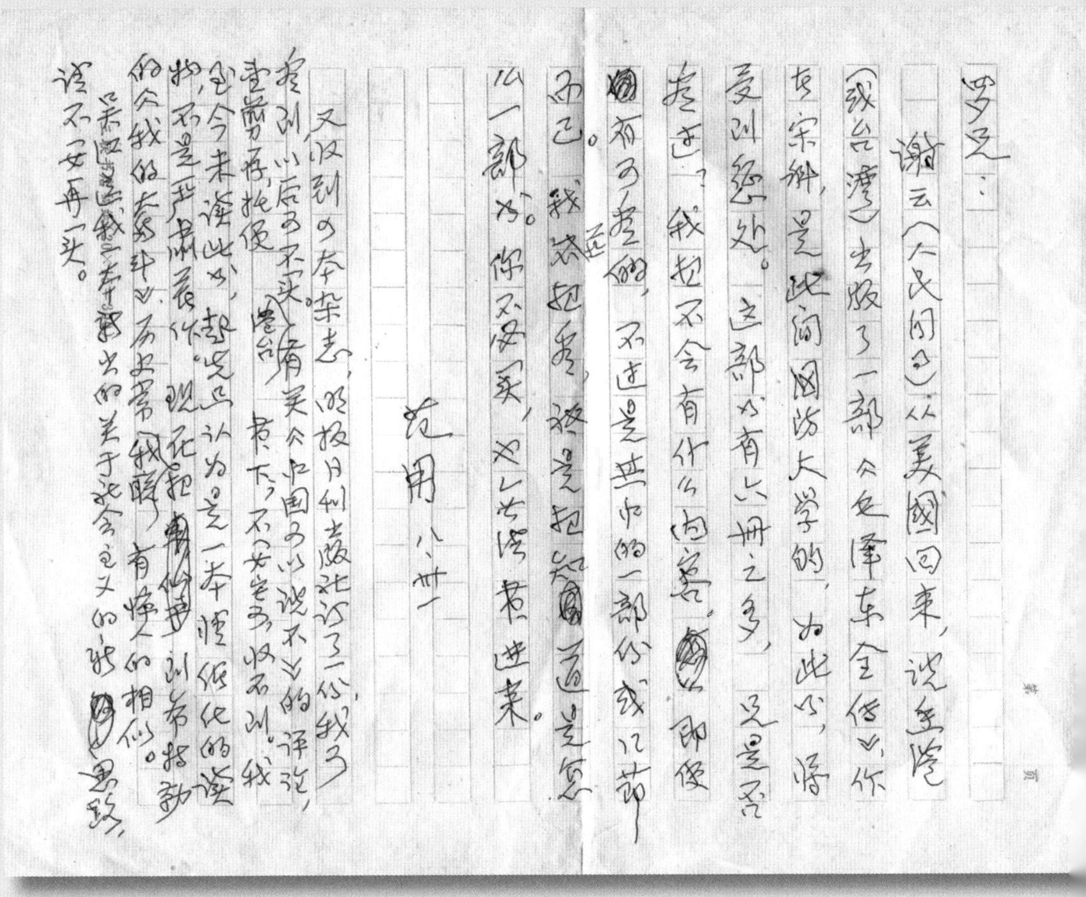

罗兄：

谢云（人民日报）从美国回来，说在港《战台湾》出版了一部《毛泽东全传》，作者宋彬，是此间国防大学的，为此书，曾受到处分。这部书有六册之多，是否已看过？我想不会有什么内容，即使有可看的，不过是其中的一部份，或几节而已。我想知道，就是想知道这是怎么一部书。你不必买，以后有机会带进来。

范用 八、廿一

又收到四本杂志，将按月刊出，设计了一份，我了看到以后再不买。《港台》有关毛泽东的评论，香港书店托便，书下了不少，买不到。我至今未读此书，都只认为是一本传记化的读物，不是严肃著作。现在把[illegible]到的书目的人，我的《大公报》，而出常（我所）有惊人的相似。另外还有[illegible]出的关于此书会议的[illegible]思路，读不一定再一头。

范用致羅孚信第十二通

啡座，我嫌燈光太暗（適合小年青談情話），一杯咖啡十五元，沒有幾口。茶要十元一杯，用故宮用的那種蓋碗，上面有「萬壽無疆」幾個字，看了不舒服。我約四五人來喝茶，一次要掏五六十元，付不起。我在樓內另一個地方開闢一個茶座，買了一把茶壺八個杯子，約朋友來喝烏龍茶，不必花錢，且可暢談國事。第一次是亦代、宗英夫婦等；第二次是永玉、丁聰夫婦加方成；第三次是張中行、祖光、小說家梅娘——北方張愛玲。書店對面有一杭州館、隔壁為湖南館，吃喝方便。

最近未託人帶雜誌吧？託人轉往往收不到，請您叮囑一下，一定要轉到。上一次帶來的雜誌，周健強說家人看，不見了。她轉東西，我要催幾次才收到。

即頌　雙安

范用

五、二十五（一九九七年）

第十四通

羅兄：

我想您早已回到美國，何時還回香港？那裏對您更合適一些。

現在我只能看到一份《大公報》，當天看到，辦事處派份送。潘耀明寄我《明報月刊》，一年只能收到三、四本，其餘全扣沒了。北京沒有一份可看的報紙，真是可悲。書是出得不少，真正有價值的，很少。而且書的價越來（越）貴，無法問津。有時我跑到三聯書店門市部站在那裏瀏覽瀏覽。最近，花了相當於一個月工資的錢買了一部北京圖書館印的周作人、俞平伯書札，字漂亮，印的也漂亮。一千四百元，還是託人打了七折，定價要二千元。

老友聚會越來越困難，走不動。亦代完全不能出門。祖光自鳳霞走後，不大說話了。每次見到他們，心裏很難過。

鄭老文集能銷得掉，甚欣慰。天地公司陳松齡、劉文良、顏純鈞都是熱心人士，多虧他們（顏還來北京上我家談此事）。

當年我給鄭老信，説書出版後看情況能否支付一點稿酬。既然已經寄去一大批書，我看稿費難於再給。將來如果再版，再請天地考慮，您看如何。天地再印，煩請他們與鄭曉芳訂一合同。如果天地算筆賬，扣除書款，還能多少再付一點，也很好。總之不要勉人之難。

我今年七十七，望八了。大毛病沒有，只是精神不如以前，除了午睡不可少，吃過早飯也有點昏昏欲睡，要坐着打一回盹。

丁聰動手術後，還是依然如故。憲益情況尚好，想得開。只是難得去看他，從我家到他住處，打的一來一往需百元。自從搬來方莊，朋友也來的少了。好在我並無寂寞之感，只要有書可看，有酒可喝就可以（喝的極少，請放心）。

大嫂完全康復否？至念？

范用

三月十一日（一九九九年）

第十五通

承勳兄：

日前丁仙寶接到您的電話，正好我不在家，未問清楚是從美國還是香港打來的。一直很惦念您，曾聽説您又住院了，不知情況如何。我認為您還是遷回香港的好，來往的朋友多，不致於寂寞。我現在還是跟從前一樣過日子，老朋友有機會就聚會。只是乃迭、鳳霞、舒諲這幾位不在了。苗子、郁風又從澳洲回來了，搬到很漂亮的公寓，十分高興。上星期請丁聰、宗江夫婦和我吃了一頓，很開心。

武漢出版社要出版聶紺弩文集，共六卷：一、散文、小説、戲劇；二、雜文；三、詩語；四、文論；五、書信；六、回憶錄、年表。經大半年奔走，已具規模，書信集得六百多封。全其事者周翼南君要我寫信告訴您，並向您徵集書信。盼兄回他一信（地址：四三〇〇一〇武漢市文學院）。《文匯讀書周報》曾刊一徵集啓事，兄可能已看到。

大嫂身體可好？聽説她也病了一場。至念。

天下鄭老文集未悉銷得如何？有無再版之可能？鄭曉方在籌劃編印一本紀念文集。即祝

雙安

范用

七月廿五日

不知道您的地址，只好寄請蜜蜜轉上。

（一九九九年）

第十六通

今年未給朋友們寄賀年卡，小貓迷人，見貓如見人，特寄請承勳兄嫂一賞。

范用

庚辰年（二〇〇〇年）

第十七通

承勳兄：

老伴於去年九月突然腦溢血，昏迷未再醒來，就此分別。遭此變故，難以接受，心緒很壞。人也變懶了，甚麼都提不起精神。老伴長我三歲，我十九歲見到她，次年即結婚。七十年恩愛到底，我一生幸福。

鄭老的書，我與曉芳談好，這一版送書，不再付稿費。如天地以後再印，請天地與她訂合同，並付稿費。天地如用原來的菲林，需不需付您費用，請你們商量。此事與曉方無關。天地最好與您一筆租版費。

我現在很少出門，老哥兒們走的走，老的老，難得見面。

我每十天去三聯的店門市部看看新出版的書，平日在家看書看報刊消磨時間。晚上女兒女婿下班回來（他們已搬來住），白天無人說話，頗感孤寂。

我身體還可以。

李黎前天到京，她說您可能回香港，這樣最好，那裏朋友多。即祝

雙安

范用

七、三（二〇〇一年）

第十八通

羅兄：

舒諲兄來電話告訴我，才知道兄中風住院。我一直為此擔憂，總覺得兄過於勞累，果然不出所料，舒兄說你一出院，又應酬起來，讓家人扶着去，又叫我不知如何勸你才好！酒是無論如何不可再喝，實在不行，

用嘴唇沾一沾就是。文章你不能不寫，但拚命萬萬不可。朋友的事，也不可像過去那樣過份熱心了。總之，我們在北京的對你一萬個不放心，我只好求你看在朋友的份上，保重又保重！

我的腿已好得多，但還是不靈，走路十分吃力，因此，我只好收心養性，坐在家中。苗子夫婦回來時，朋友們到來我家聚過幾回，苗子說，他們如回北京定居，一定要搬到方莊和我為鄰。這裏環境甚佳，我的房子也還算寬敞，陽光暖氣充足，可以不再受凍。就是僻居一隅，朋友們來一趟打的要花不少錢（丁聰一來一往要五十幾塊錢）。

我過着刻板的生活，晨起收拾房間，然後聽新聞，等中午來報。幸好收到朋友的贈書不少，還可以消磨時日。憲益的詩集印的很漂亮，是兄出了大力，還花了不少錢。他把我正式歸入「二流堂」了，唐瑜來，說要把堂主交椅移交給我，我怎麼擔當的起。

這些年七七八八，寫了若干篇懷舊文字和遊戲文章，居然也能換得稿費，真是意外。最近幾個月忽然懶了，不想寫。於是想到兄一天不寫就不行，真是羡慕。

等一會小古[35]來，我趕着寫幾封信讓他帶走。他來，我可以知道許多港事，特別是朋友們的情況。

再誠懇請求：不要過累！至要、至要！

問候大嫂，還有蜜蜜與海星夫婦

小弟 范用 手書

十、二十四（二〇〇二年）

35 小古，指古兆申。

羅孚致范用信（一通）

范兄：

久未通信，你好！

年初收到黃宗江兄寄贈他的著作，《我的坦白書》。書中附有你的一篇短文，《范用説書》，説你見人就想到書，就想此人是甚麼書。你説宗江是「珍本書、善本書、絕版書、讀不完的書」，因此我就寫了《黃宗江是善本奇書》，發表在三月份的《明報月刊》上。同時還寫了一篇較長的《三棲動物的萬言情書》，直到最近才在五月號的《香港文學》上刊出，以致到此刻才能一併寄給你，以博一粲。

估計你近來未必收得到《明報月刊》，為恐失落，所以只是複印兩文給你看看。

朋友們都好吧？你近況如何？苗子、郁風據説都很健康，只是小丁不怎麼好，但家長照料得好，也還不錯。憲老需要輪椅代步，已不是新聞。現在有甚麼晚輩和你在一起住？你我都是八十以上人，我已經八十有五，雖然精神還好，卻不得不準備隨時要歸道山了。

即祝

珍重！

羅孚

二〇〇六、五、廿三

冒舒諲致羅孚信（三通）

第一通

孚兄閣下：

自君別後，這裏許多朋友均感寂寞多了。許久不通音信了，至念賢伉儷近況。頃自高集兄了解到他曾在港與兄晤面，獲悉，筆耕蘭台，每天趕場四五處，兄真異人也。尊作《北京十年》僅由友人複印十餘則寄我，未窺全豹，我應范用兄之命，即以之轉膘。高兄說，閣下是香港最受讀者歡迎的作家之一。信然。我們不但敬佩兄的文采，更羨慕兄之文思敏捷，如這許多可寫的源源不絕的資料。如可能的話，請將後面寫到京中友好的段落（三十六段以後）也複印寄下傳閱。寄收到廣州以快件專遞付郵的刊物三冊（十月份的），如以後方便的話，盼望仍陸續付郵（不用快遞），以便傳觀。良英兄嫂，迄未奉手書為念。弟告以兄寫作太忙，很少時間寫信，其近作二篇隨附尊*。

賤辰荷厚貺，實在令人不安。我上次餞別兄嫂時，不過隨口說了一句，「東坡有魚斬客，一樣的菜，價格相差倍餘。」兄竟認真起來，將小酌所費如數退我，令我尷尬。本想以之宴請文友，總是約不齊。我既無車接送來客，自己病後體弱也視進城為畏途。月前，成都車輻兄來京，張達為其八十生辰祝壽。車兄約弟作陪，同座有范用、小丁及胡絜青老太太一家，菜品平平。倒是兄等南行後，對面供電局內部食堂迎海淀鴻賓樓廚師掌勺，對外營業，四五人吃烤鴨等饌，才百元；又鄰樓張一川菜館，服務周到，價廉物亦美，擬不輸東坡。

拙作回憶錄，有部份手稿在台北柏楊處，此事，既不看也不退。我已託人煩柏楊將稿件寄至尊處。兄如方便，可否煩代聯繫出版。如無可能，即請交海雷自穗轉寄我。

目下文壇比較沉寂，其「號外新聞」則亦代與宗英結成鴛侶，冷灶中爆出熱栗子。兄南歸後，《素葉》詩刊[36]及《港台文學選刊》仍照舊寄來，請囑其遷郵尊寓，如何？又古籍社寄來本梁羽生編的《楹聯話趣》，當為寄穗轉兄。

匆匆，即頌

儷祉

弟 舒 上

九三．十二．十二

第二通

承勳吾兄：

週前寄海雷轉陳一函，弟遊學尊。兄每日趕寫多篇文章，想忙得不亦樂乎。七十老人有此精力，且記憶力之強，非一般人所及，不勝欽佩。日昨又由友人借閱兄在美國漢文報紙上轉載的《北京十年》數則，想是《聯合報》的姊妹報刊。現在只有等待成書後一口氣奉讀了。

許回憶錄收到，謝謝！聞范、張諸君均有諸書，何不僅付郵一份備眾傳閱可矣。如此分寄（當信函寄），耗郵資太多。

如署名林杼者，寫了兩本書，記反右和文革的，能寄一份否？

36 《素葉》為文學刊物，不是詩刊。

弟之回憶錄中部份手稿，曾寄柏楊，因渠處無出版可能。（此人甚陋，說不害怕有如皋冒家，他白白搞了《資治通鑒》譯本，歷史常識竟如此淺薄）。已囑轉寄尊處，試試香港有無出書可能。（附目錄及內容簡介）

頃自回憶錄中選出一節，寫少年的wild oats，老去思量往夢，不怕麻肉，當有趣可哂。兄看港、台（《新聞天地》和《爭鳴》及《香港文學》除外）文學刊物或報紙中有無刊用可能？如其不用，請即退我，切勿石沉大海，連骨頭都沒有了。這是最後改訂本，作小說可也。兄事忙，而屢以煩瀆，甚不安，但閣下交遊甚廣，請便中捎帶辦理，太費力，即作罷*。

梁君寄兄《楹聯談趣》二冊，另郵寄上。其餘《港台文學選刊》等雜誌即不寄了。

賤恙已痊可，已能在附近散步，惟仍體弱力乏，是故多時不參與友朋聚會了，只所通通電話神聊。

餘不一一，專頌

文祺！

弟 舒 拜

九四．一．十

吳大姊均此問安

賀年卡已收到，甚新穎別致可喜

第三通

史公：

承賜之書，已收到，謝謝！弟搜索《告別〇〇》[37]一書，準備草一文診辯，如為其他可看到書，弟並交妥人帶下是盼！如捷克總統哈維爾之《現代世紀的終結》中譯本。

前寄陳拙作《匹夫的獨白》及《陰影下女人》，有地方發表否？兄事冗，當以請煩瀆精神，至為不安，然亦無可奈何，乞宥諒之。

諸玉已和弟時以閣公另禮為念。閱仍嗜肥鮮，非所宜也。弟此年衰慵日甚，近來血糖又高達一四六，已戒甜食及減主食，而肺的病未見好轉，稍一勞動即喘咳不止，來日無多矣。此自然規律，應盡便須盡，不足介意。八十有餘，早置生死度外了。

回憶錄一書，如無意外，或可望於歲末問世。《掃葉集》及《愚昧……》[38]，均將重版，順以奉閱。餘不一一，匆頌

儷祉！

弟 舒諲

五．十六

大嫂何日命駕北來？念念！

附：《中國日報》複印件一份

（二〇〇一年）

37 此處為故意隱去。《告別〇〇》指李澤厚、劉再復合著之《告別革命》。

38 《愚昧……》，指冒舒諲的隨筆集《愚昧比貧窮更可怕》（人民日報出版社一九八八年版）。

冒舒諲致荒蕪信（一通）

荒蕪兄：

承賜大著，拜領，謝謝。另冊已交家兄效魯。效魯前者交兄一文（張菊生丈與先君通信三件）之附注，頃由渠交我，特附陳。寫顧太清一文如無處投稿，請轉寄羅孚兄（雙榆樹南里三—五—四〇二史林安收）。弟明晨去北戴河，旬日返京。

即頌

近安

弟 舒諲

八七・七・二

沈峻致羅孚信（二通）

第一通

老羅、羅太：

來信及錢都已收到。胡公[39]目前正犯痔瘡，臥床休息，沒有作畫。家中存畫無紅蘿蔔，只有兩根胡蘿蔔狀的紅蘿蔔，不知你們要不要？或者其他題材也可考慮？甚麼樣的題材？

題上款無問題。

關於上款問題我們有這樣一番對話：

「畫上請你題題上款」

「題上款要加錢喲」

「你真是財迷心竅，寫幾個字還要錢！」

「齊白石就是這樣的」

「你是齊白石嗎？」

「我勝過齊白石」

「請你不要倒（搗）亂，否則我不買了」

「好吧，這次看在你面上，不要錢了」

這就是胡公。

39 胡公，指胡考。

關於插頭事，那個轉換的正合適，可用。電話插頭，可能我外行，你們買的都是連在電話上的，那一頭可能不是插頭，而是一個插座（在牆上或在哪裏）。後來我讓妹夫給焊上，一樣用。謝謝你們。

這次人家又從外邊帶給我一個烤麵包爐，插頭又插不進去，我只好再託人去買。看來要和國際接軌也不是這麼容易的！

老楊和乃迭出去避暑還未回來。回來後大概又要聚餐了。「四人幫」缺了一個重要人物，就再也恢復不起來了。

「週刊」畫畫事，小丁說可否寄兩本雜誌給他看看再定。現在國內的約稿已把他逼得走投無路，老了，才思已盡，他常為畫不出畫而煩惱。小丁說：很感謝你們想着他，錢雖可愛，但沒本事，也無可奈何。

范老闆還是是經常聯繫，有時一天還好幾個電話，他現在在寫回憶（小）錄，很是得意。港台各處都刊登，我說他是新聞明星，他聽了也很高興。

明年秋天你們回來，我們一起去南方旅遊，如何？（反面）[40]

羅太不是蘇、杭等地還未去過嗎？

我現在常去雙榆樹商店買廣東燒烤，還是你們介紹的，當然免不了又會想起你們。

最近華君武，心肌梗死住醫院，不太嚴重，已恢復。潘靜安也心臟病突發，差點完蛋，現也緩過來了。看來，上帝已開始向我們這批人招手了。

望你們二位多加保重，後會有期。

祝好

沈峻

九三．八．七

40 （反面），指原信信紙背面續寫。

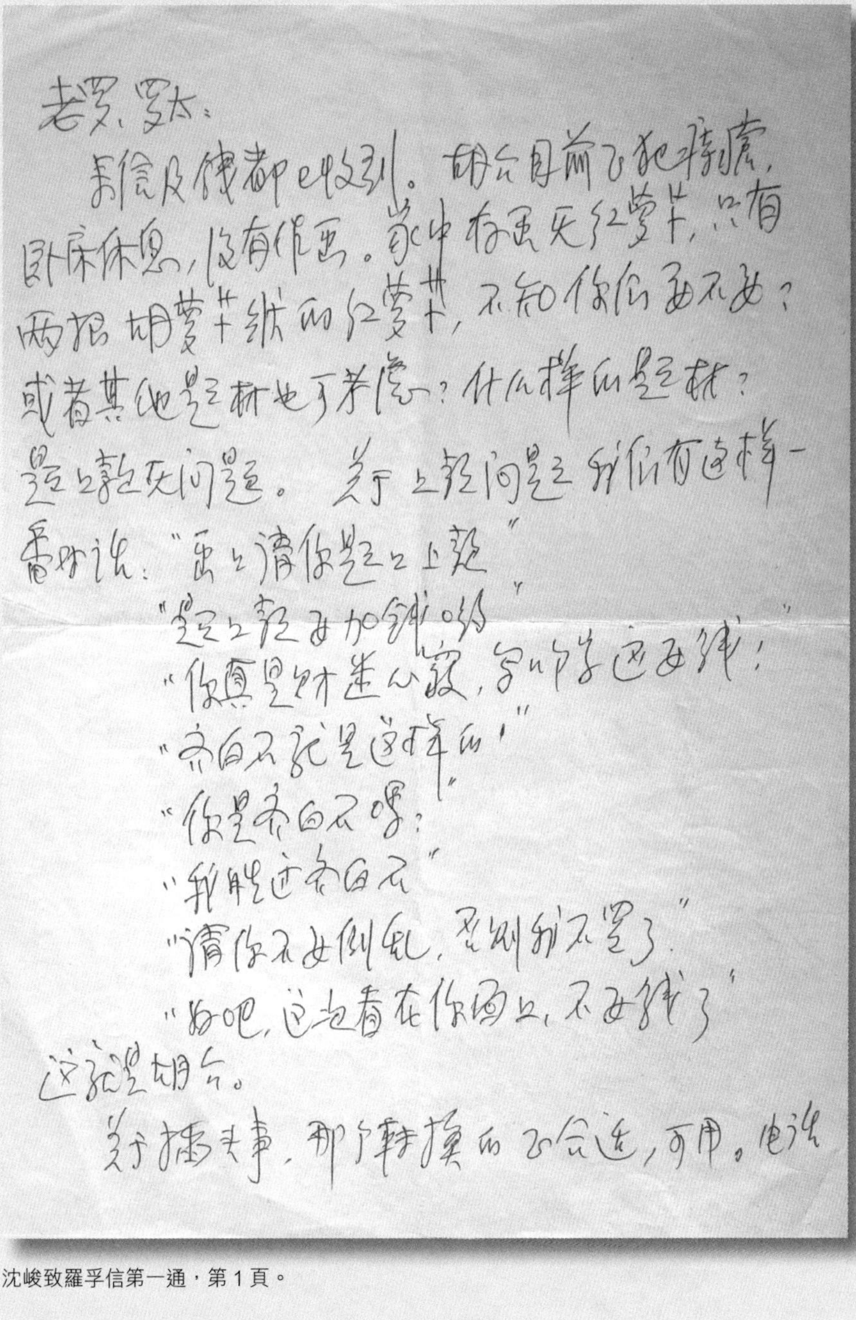
老罗、罗太：

来信及钱都已收到。胡公目前已能移床，卧床休息，没有作画。家中存画无红萝卜，只有两张胡萝卜状的红萝卜，不知你们要不要？或者其他题材也可考虑？什么样的题材？题上款的问题。关于上款问题我们有这样一番对话：“画上请你题上上款”

“题上款要加钱哟”

“你真是财迷心窍，写个字还要钱！”

“齐白石就是这样的”

“你是齐白石吗？”

“我胜过齐白石”

“请你不要倒乱，否则我不写了”

“好吧，这次看在你面上，不要钱了”

这就是胡公。

关于插画事，那个封换的已合适，可用。电话

沈峻致羅孚信第一通，第1頁。

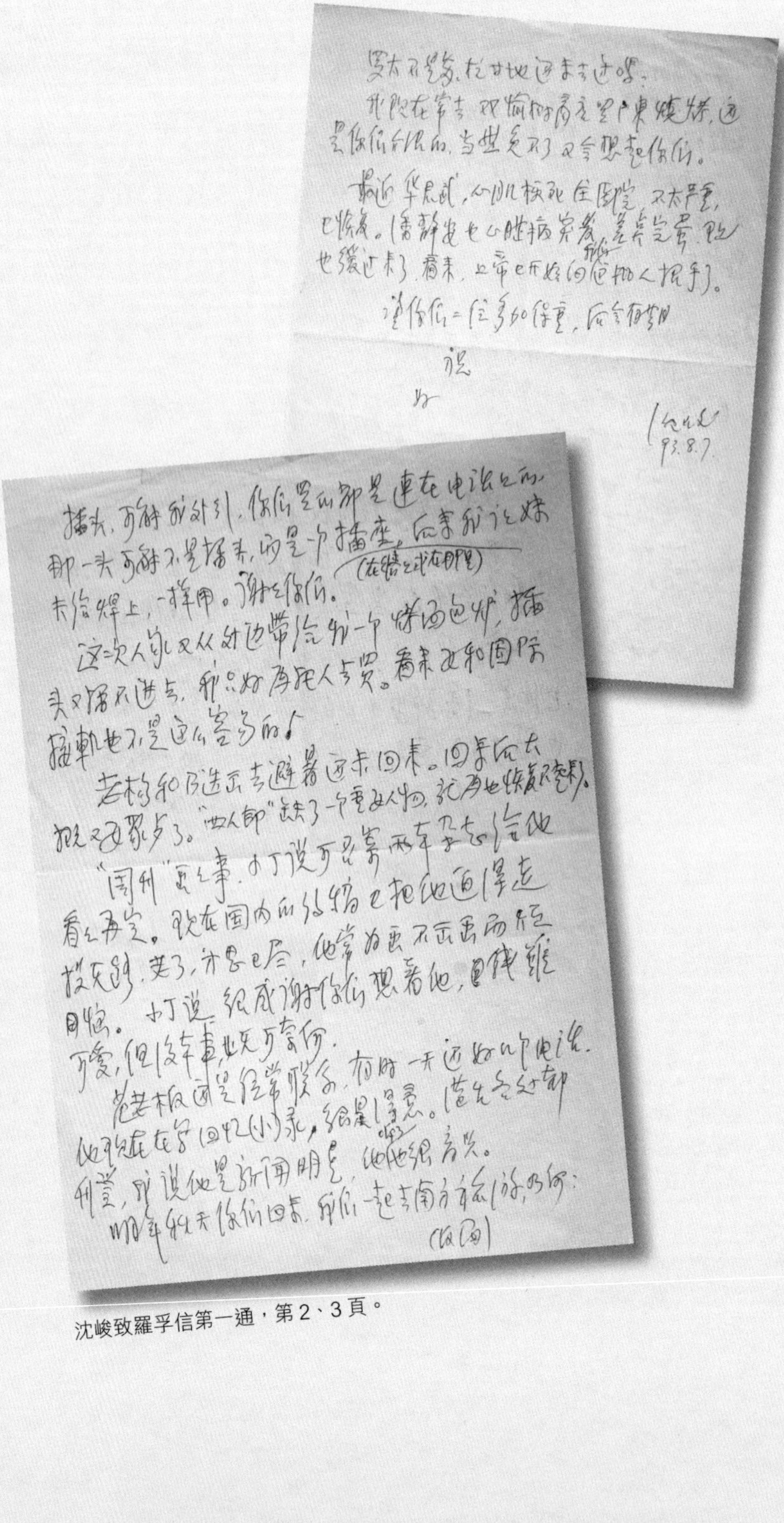

沈峻致羅孚信第一通，第2、3頁。

第二通

老羅：

FAX（第二個）又收到，為何我請馬國亮轉你的未收到？每次我給他的都收到。我已退休多年，現在是給小丁打工，給他跑腿，給他編書。他最後又出了和陳四益合作的書，可惜郵寄太貴，以後有便人，我再帶給你吧。

小丁仍然忙得不行，無償勞動太多，即債務太多，加上社會活動。我們每年都出去跑跑。去年夏衍一百週年去了杭州（故居開幕），之後又去上海給苗子夫婦展覽捧場，大閘蟹吃足了，小丁一頓吃四個半斤重的。

范用還可以，就是有點寂寞。老楊煙酒照舊。他已從友誼賓館搬出，在五棵松，不久又要搬到什剎海（公家給老專家買的房子）。

小丁很惦記你的「跑片」，現在已不需要了，滿街都是VCD，盜版的只有十元一張，也沒有時間看。

沈峻

〇一．二．二十六

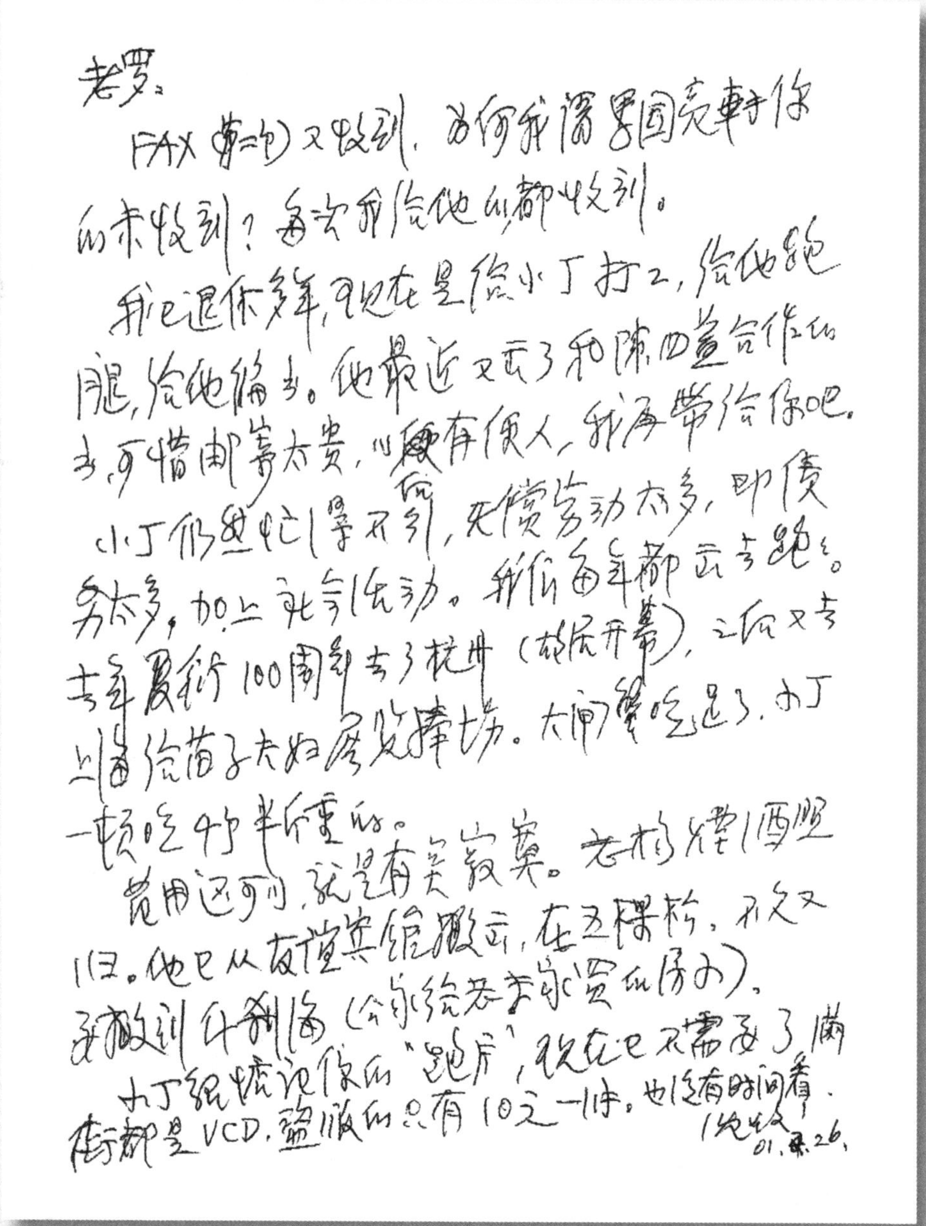

老罗：

FAX第二包又收到，为何我寄罗国亮转给你的未收到？每次我给他的都收到。

我已退休多年，现在是给小丁打工，给他跑腿，给他编书。他最近又出了和陈四益合作的书，可惜邮寄太贵，以后有便人，我再带给你吧。

小丁仍然忙得不得了，无偿劳动太多，即债务太多，加上社会活动。我们每年都去走走。去年夏衍100周年去了杭州（越剧开幕），之后又去上海给苗子夫妇展览捧场。大闸蟹吃过了，小丁一顿吃4个半斤重的。

黄用还可以，就是有点寂寞。老杨嗜酒照旧。他已从友谊宾馆搬去，在五棵松，不久又要搬到什刹海（公家给老专家安排的房子）。

小丁很想看你的"碟片"，现在已不需要了，满街都是VCD，盗版的只有10元一张。也没有时间看。

峻
01.[illegible].26

沈峻致羅孚信第二通

羅孚致丁聰沈峻信（一通）

家長、小丁：

剛剛看罷北京各界人民對各方支持首都抗擊非典的感謝大會的實況轉播。北京日來的疫情得到遏制，使人高興！香港的發病率、死亡率也是在下降，更顯出疫情的高峰已經過去了。但願如此！

兩首詞是在網上抄來的吧？「京城上下，一切失調」，真有這麼嚴重？你們也是「整天關禁閉」麼？這就是被強迫「隔離」。我們還好，不是重點疫區，不會「強迫」禁閉。我是自動禁閉自己，每天除了下樓走二三千步路去買報紙，就不上街。基本上，不上茶樓酒館，交際應酬都免了。但最近又提倡加強在本地消費，振興經濟，鼓勵人們上館子過節。今天是母親節，更鼓勵人們上館子過節。

前兩天在甚麼報刊上看到一段順口溜，是歌頌吳儀的，記不得是那一家的了，只記得反覆的一句是，「吳儀無疫」，不知道你們看到了沒有？希望她在這方面表現她的能幹。

北京到底是「人心慌了」，還是人心安定？「隔離」了還能走動，探親訪友麼？

祖光走了，李慎之走了。《明報月刊》刊出了苗子、郁風的文章，邵燕祥的詩，楊憲益的對聯。邵詩：「滿懷憂患滿頭霜，大丈夫誰吳祖光。堪佩立言兼立德，忝居同案勝同窗。心無旁騖爭民主，生正逢時憶國殤。風雨淒其從此去，令人長憶二流堂。」「大丈夫誰」一句甚好！楊聯：「生正逢時，曾闖江湖倦遊客；死當瞑目，獨念風雪夜歸人。」把他的劇本都寫了進去，也很好！蘇紹智和李鋭都在《明報》上發表了悼李慎之的文章，李鋭還有兩首詩，一首律詩是：「君有奇才未過時，晚來方得展雄姿。學兼中外多新解，思貫古今少舊辭。敢逆潮流培氣骨，豈因權貴弄胭脂。天公不假斯人壽，春雨磅礴哭慎之。」

非典型一來，老朋友見面的機會更少了吧。小丁還和范用「共飯」否？他最近有一篇文章在《大公報》上發表，近來記憶力隨年事而倒退，想來想去，居然想不起他是寫甚麼人的了。

左起：羅孚、邵燕祥、丁聰。

1987 年 8 月，羅孚和吳祖光（右三）、郁風（左一）、許以祺夫婦（左二、左三）、羅海星（右一）攝於北京西單豆花飯莊。

鳳凰衛視前不久有祖光紀錄片，中間有些小丁的鏡頭，丰采如昔，但說話的聲音似不如以前響亮了。

祝儷安！

史林安　吳秀聖

四月十二日（二〇〇三年）

公劉致羅孚信（四通）

第一通

羅孚兄：

九．十四大示收讀，大慰。亦發人深慨也。

你和嫂夫人又添了幾煢白髮，但有如此結果，也算值得。

麻煩你一件事。便中去三聯書店時，問問現任負責人，我想買一本台灣蔡志忠繪圖古典系列，另，還有一本靄理斯著作《生命之舞》，內容如何？值得看的話，也一樣作購。可否按內部優惠價售給？如今書價太貴，有錢人不讀書，讀書人沒有錢，奈何奈何！若辦不到，也就罷了。＊＊回示安康即可。當然，首肯的話，初希告以所需款確數，必得匯上，仍由你轉付或直接交由誰收？等等。細節亦盼明敍，以資遵循。

儷安！

公劉

十．二十二

第二通

羅孚兄：

此信到時，元旦當已過去，但那目的性不變，祝你在新的歲月中，日子順心一些。

湖南歸來，又是開會、開會，都快成華威先生了，這熱那熱，如何沒人研究「華威熱」！我盡可能逃，比如今日上午就又有一個傳達全國文聯總結表彰大會「精神」的小會，因為別人事前告訴過我，我別去，所以生氣，便公然缺席了，大概不至於引起追究吧。

知道了海星大公子的點滴情形，我卻「慰」不起來，我擔心他受皮肉之苦。如今又到了甚麼事都幹得出來的年頭了，可嘆！不過想到你作為父親，強作*言談，我又的確是欽佩不已。換了我，不知怎麼愁苦。

說一樁舊事，但也是新事（對外而言）：日昨，同事、畫家高萬佳君以香港《文匯報》四十週年紀念冊示余，才知道出了書，而且拙文與我兄的大撰比鄰，據高君說，他以為我早已有了，而且同時寄給他的還有領帶一條，石英鐘一座，云云。我連發表文章的報紙都是你送給我的，這家混賬報紙實在太無道理。稿酬是去年託港埠一位朋友上門追索才打發了幾許。可李子誦先生的「前言」中，還舉了我的名字哩。真是一筆糊塗賬，俗云：冤有頭、債有主。究竟此事誰是「頭」，誰是「主」？約稿人何在？

對小麥的祝福，令人感奮。她此刻正在準備考試，——不是武大，而是華中師大，文學評論研究生班。按原計劃，明年還同赴北京魯迅文學院再學半年，乃宣告結業。不過，在未成事實之前，無法肯定。多變，乃吾國吾黨「國粹」、「黨粹」也。

如再遇見邵兄，乞代致意。

此間已入冬季，大冷。想必京城正是，***自是不日者，去歲我的茶屋「南方」，沒有暖氣，生不起爐子。

祝　儷安。

公劉上　十二・三十（一九九一年）

第三通

史復兄：

你好！

終於收到你的回信，說明你並未與弟絕交——須知，在此之前，我曾有一張賀年卡和兩封信寄呈。

《明報月刊》複印件已閱，謝謝。

《沈從文傳》（金介甫著），不必麻煩你了，我已購得一冊。

《聶》書是你交由小女劉粹帶回送我者，讀後深受感動，乃撰短文寄我哀思。至於有關該書的種種不幸，亦可視之為傳主遭到冷落的繼續罷，不足為奇。

來信可能引起甚麼人的興趣，信封前後通達，「洞若觀火」，誠其最**之寫照也，可笑！

我是主持《新晚報》時，曾發表拙作《三祭岳墳》，不知尚能憶起否？該文命運多舛，歷次收入集中，均遭「個案」處理，最近又編入一個小冊子，興許有指望得見天日——大陸之天，大陸之日。

你問到的那位某君，我是基本上不與之交往的，詳情容日後面敘。《隨筆》上的文章，倒也準確地表現了他的各方面的實際。

順候　大安

公劉

九．十四（一九九二年）

承兄垂詢生活變化——毫無變化，依然故我，窮**一個，只是更愁吃穿了。近日房改，又得了一個廳住。又及

第四通

史復兄：

近好。

九二．一．二十三及九三．一．二十先後兩次致函問候，均未答覆。聽了范用兄談你的起居，方知開了六個專欄，筆耕甚忙，至為欽佩！

茲有一事求助，簡述如下：

北京群眾出版社，原定出版我的隨筆集《流浪漢話故國》（叢書，主持人係《文藝報》前主編謝永明）封面都開機印妥了，突遭社方干預，就是有一篇涉及到蔣經國先生的重頭文章，似有違礙，決定撤版，要求作者另行調換一篇。我當然不能同意，於是立告**，迄未**。

該社前不久曾因某書，受到內部通報批評，領導人唯恐再出問題，不求有功，但求無過。而我則堅持必須尊重歷史。何況，這篇涉蔣長文，已在一家大型文藝刊物上全文發表，並未造成任何不良影響。大陸的事，你了解，小小作家，有誰支持？尤其糟糕的是，公安系統不出，哪家出版社能出？這本書顯然被徹底「封殺」了。

絕望之際，想起了我兄曾多次表示，可以幫我聯繫香港的出版商，故尚寫此信傾訴一番。希望這一次，能得到回音、佳音。不勝企盼之至。

（原信未落款）

舒蕪致羅孚信（四通）

第一通

羅孚兄：

拜讀大作，獎解逾量，愧謝愧謝。

檢出當時唐蘭、王利器和《四皓》，鍾敬文和《四皓》（只成一首），王仲犖因《四皓》而作的詩，游國恩見《四皓》後鈔示我的詩（其實是囑他過去的學生、現任社科院文研所古典室主任沈玉成代鈔的），一併奉閱，也許可以又成一篇詩話乎？這裏面唐、游二公已作古，尤可紀念。

耑此布達，順頌

撰綏！

弟 舒蕪

一九八七・十二・四

四皓新詠

貞元三策獻當年，又見西宮侍講筵。

雌雉山梁尊彩鳳，棲棲南子是心傳。

詩人盲目爾盲心，白首終慚魯迅箴。

一卷離騷進天後，翻成一曲雨霖鈴。

射影含沙罵孔丘，謗書筦鑰護奸謀。
先生熟讀隋唐史，本紀何曾記武周。
潤色奇峰伺黛螺，北京重唱老情歌。
義山未脫捋扯苦，拉入申韓更奈何！

雪野先生博笑

四皓新詠

貞元三策記當年，又見西宮侍講筵。
雌雉山梁尊彩鳳，棲棲南子是心傳。
詩人盲目爾盲心，白首終慚魯迅箴。
一卷離騷進天後，翻成一曲雨霖鈴。
射影含沙罵孔丘，謗書筦鑰護奸謀。
先生熟讀隋唐史，本紀何曾記武周。
潤色奇峰伺黛螺，北京重唱老情歌。
義山已被捋扯厄，拉入申韓更奈何！

舒蕪

右舊作四皓新詠。時四害初除，群情激憤，某大學四教授當四海橫行之時，不誤曲阿之跡，為清議不容，目為四皓。爰遮拾傳聞，共抒憤懣，一時南北傳寫，敵愾同仇，倏忽遂已十年，所詠四君，其一已歸道山，存者皆有建樹，為世所許，且事情大白，當前傳聞出入輕重之誤，或又未免。然放翁詩云：「萬事不如公論久，諸賢莫與寸心違。」窮本斯義，過而存之，他日詩亡而後春秋作，是所願也。錄奉

雪野先生博哂

一九八七年十一月七日，舒蕪

第二通

羅孚兄：

昨晚接電話垂詢，當時答不出，後來想起，似乎有「嚅嚌道真」的成語，今晨查《佩文韻府》，果然檢到了。

《唐書．藝文傳》：「大曆、貞元間，美才輩出，嚅嚌道真，涵泳聖涯」。

又查字典，「嚌」有「嘗」、「飲」之義。「嚅」字雖只有「口不能言」之義，但既與「嚌」字連文，大約也可以作「以口嘗之」解。那麼，「嚅嚌道真」，就是「嘗味領略真理」的意思了。

耑此布達，順頌

文祉

弟 方管 拜

一九九〇．五．三十一

第三通

羅孚兄：

久不相見，志興居佳勝。另紙抄奉程千帆先生哭王瑤浣溪沙二首，又韓羽新畫複印一件，備覽。

高上，順致

暑綏

弟 方管 奉

一九九〇．七．五

第四通

羅孚兄：

接奉精美的賀年片，你走後這是第二次寄賀年片了，老年光景，真似奔輪也。尊作《京華十年》，大致都拜讀過，其中有涉及弟的，讀之尤有興味，惟所引詩有幾個誤字，似是原稿就不太清楚，複印更不清楚之故，但也無關大體。

我仍少出門，一以對冷空氣過敏，一以尿頻。與冒公亦只常由電話聯繫而已。記兄曾云亦有尿頻之病，而在京時出門活動無礙，甚羨甚羨。現在寫專欄忙，還常出去麼？

北京一冬不太冷，這兩天尤暖，竟至十度以上，很不正常，大家都怕今夏又大熱。

耑此布覆，順頌
新春康樂！

弟　舒蕪上
一九九五．二．九

端木蕻良致羅孚信（一通）

承勳兄：
新年好！
上次敏之來，拍了幾張相，都不怎麼好。這張合影也沒排好「隊」，一笑。但每人都還可以看得清，做個紀念還可以，因此寄上一張。
春節又要到了，向你和嫂嫂拜個早年。衷心祝願猴年大吉祥，闔府大豐收！
歡迎來家玩。

端木　耀群[41]
九二．一．十二日

41　耀群，指鍾耀群，端木蕻良夫人。

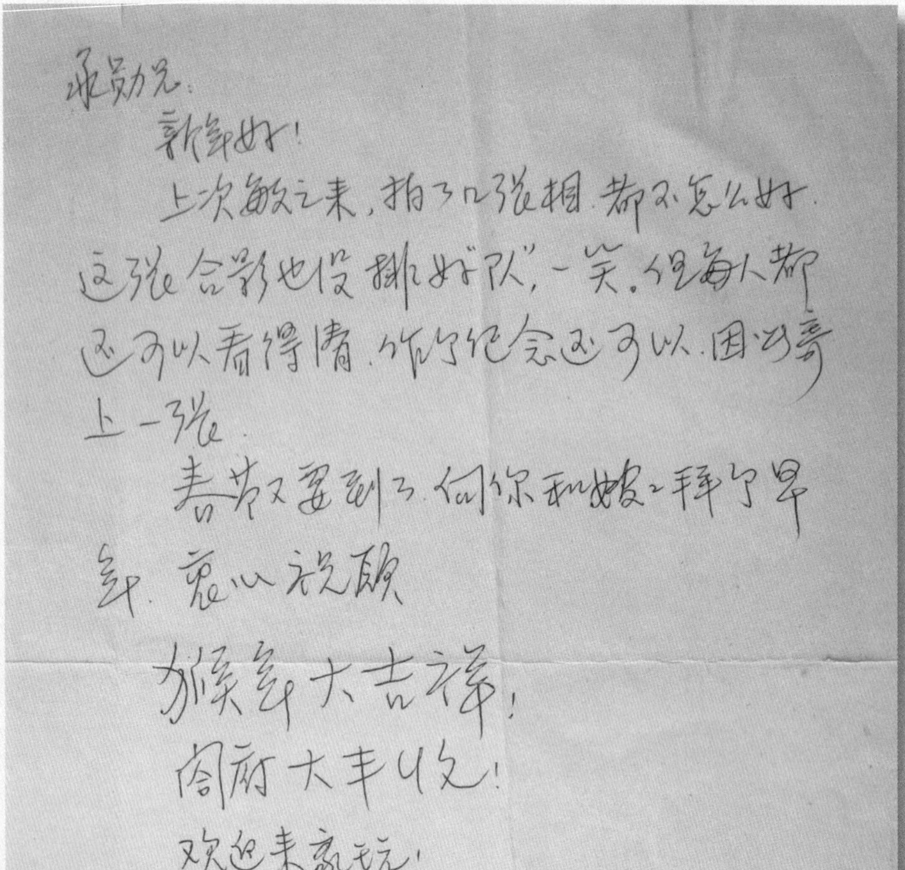

承勋兄：

新年好！

上次敏之来，拍了几张相，都不怎么好，这张合影也没排好队，一笑。但每人都还可以看得清，作个纪念还可以，因此寄上一张。

春节又要到了，向你和嫂嫂拜个早年，衷心祝愿

猴年大吉祥！

阖府大丰收！

欢迎来京玩！

端木·蕻良

92.1.12日

端木蕻良致羅孚信

秦似致羅孚信（二通）

第一通

承勳同志：

多年不見，料必諸事隆佑，為慰為賀。

我兄雖遠在海外，仍辱承諸多照拂，多次轉載拙作詩文，內心銘感，非言語所可形容也。惟十年來「四人幫」豺狼當道，我的聲音幾乎全沒有了。打倒了「四人幫」，情況才好許多了。

現寄上今日（一月十二日）《廣西日報》上發表的「論詩」一文，請予指正。倘可用，亦可轉載於貴報，因《廣西日報》讀者範圍不大，更無不可也。我於十多年前即受胡喬木同志之囑，研究新詩問題，目前已着手寫一本書，將從古至今，加以暢述。毛主席論詩的信發表，更使我對此有了依據和信心。我以為目前一些人談詩，有許多還是講的不怎麼着邊際。主要就因為對古代詩詞欠修養，韻律不精之故。而毛主席講的正中要害。此書楊奇同志很感興趣，想盡快出版，唯我目前事的不少，恐當須一年左右定稿。

作為副產品，想寫個名為《詩詞叢話》的小冊子，體載自由，二三百字至千字一則，內容涉及面較廣，從思想、風格、詩意、格律、遣句用字、詮釋各個方面都談，但決不人云亦云，均自己多年的來略有一得之愚，而略言之者。這樣的東西，目前在國內還是不很為人重視，因此頗想先在你處發表，然後由香港三聯書店印單行本。已初手寫了二三十則，直覺有點意思。大概可寫七、八十則，約五萬字左右。聽說你們辦了個文學副刊，作為連載倒是合適的。但我又有點躊躇和顧慮，不知有無這樣的前例（即國內的作者給《大公報》寫專文），將來會不會被加上甚麼罪名。因此，先寫這封信給你，請就實際情況酌奪，示知以便遵辦。此事曾於月前見到楊奇同志時談及，他認為無問題，要我把稿子寄給他，由他轉給你。但如何，我仍想先得到你的意見。

現在，也是在「四人幫」打倒後，看到廖承志同志發表的文章，我才敢於冒「海外關係」給你寫這封信的。我們是革命的關係，本來就應可以保持聯繫呵。

陳凡同志曾答應贈我們廣西辭源修訂組一部書，後來聽說無法寄，只能作罷了。我謹在此對他表示感謝。我仍在編纂辭源，要到明年年底可得脱身。但也有好處，因比起其他工作來，時間還是自由一點。

你上次給我郵寄來《辭源》港版本，在此表示厚謝。今後，如有甚麼特異的書，務請為我寄三幾種來（如韓素音的新書）。

「海外存知己，天涯若比鄰」，讓我再一次表示內心的感謝吧。

專此，謹祝

文安

陳凡同志並此致候不另

秦似

一．十二（一九七七年）

我的通信處：廣西南寧市戰鬥路廣西辭源辦公室

第二通

承勳同志：

久未通信，想必諸事勝意，為念！

我的雜文集出來後，想你在港已看到。我在序文上幾乎唯一提到的是你。書雖已出版，奈何無人評論，現將《廣西日報》上一篇評論寄上，倘念舊情，在《新晚報》的「文學評論」版[42]上給一席位置予以刊載，實乃萬幸。此文寫得未必充實，因是一位研究社會科學的人寫的，對文藝不大精通。我兄看後可加以刪改。

但願「天涯若比鄰」，遙予關注。

專此，並頌

文安

秦似

四．二十七（一九八一年）

42 「文學評論」版在這裏指的是「星海」。

1981 年冬攝於北京。左起：秦似、羅孚、周建强。

林鍇致羅孚信（二通）

第一通

史先生：

再奉上幾篇材料，除了一篇沈鵬寫的介紹文章外，我自寫的有三篇。一是談詩、一是談畫、一是談書法。為了使您了解我對藝術的意向，不為別的。

另有《詩書畫》小報一份也附上。

閱後咱們再找時間談。

祝安！

林鍇

九．十五

第二通

林安先生：

春節前聽說先生赴粵探親，後又聽包先生說已返京。諸事阻擾，終未能造府請教。

近作詩（兩組）五七言律共十首，奉上，連同前所寄《歸歟感賦》十首。請一併斧削為荷！

祝安！

林鍇 拜

四．二十九

舒蕪先生處亦寄去一份

黃果樹巨瀑歌

天缺西南補無功，無水漏作萬古春，一脈下貫天地通。非煙非霧霏濛濛，一一裹入玻璃風。白虹斷爛日色死，月輪輾處冰肌融。藏腑谽谺幾眩轉，水精簾子猶精工。大聖官差出未返，傳徑或過喀麥隆。兒孫旗隊接踵去，洞牖未遣山雲封。清境也為仙所鍾，六時嘉會樂無終。誰曾夜竊聖火種？誰果路拾楚王弓？頗聞水怪出湖底，幾見飛碟徑天東？星球地殼難盡考。當瀑況助鏖談鋒。風珠雨唾紛錯落，佐以醪饌腸腹充。惜哉茲當枯水季，姿容略欠平時豐。昨者西來富家翁，千金脫手瓦礫同。要借珠璣壯行色，銀河啓閘波濤凶。盆翻玉女梳妝水，鬥傾蛟窟腥誕空。雪山崩倒坤軸裂，聽之三日耳不聰。嗟我蠻荒一窮蝨，無錢買賞千玲瓏。幽討不辭路萬里，湔沐已覺明雙瞳。卻憐瑰異委擲叢山中，天公作意殊不公。何如分掰十億串，人各一串佩當胸。不容頑仙俗客專其蹤。我歌唧噴如飢蛩，隨風飄沒珍珠宮。

瘦生以詩嘲念柳堂，即步原韻戲答

陳朗

一

慣聽剝啄扣扉聲，倒屣今朝又出迎。
拂水我聞唯末學[1]，登樓君詠卻先成。
詳房面目淚如盒，楚國腰肢自有名。
不見年年寒食路，桃花得氣美人營[2]。

二

眉黛難描況淺渦，但將文字勘幺麼。
千遮不奪天街色，一塌何酬稿紙訛！[3]
紫燕來歸差可止，金釵顛倒不嫌多。
近年更把鷓鴣覓，關起房門學叫哥。[4]

1 拂水山莊與紅豆莊均錢牧齋別業。牧齋初識柳如是，築「我聞室」精舍以待之。
2 如是以詠西湖「桃花得氣美人中」句見稱於時。
3 拙稿繁簡字雜出，致發排鉛字後，時有魯魚之舛。
4 明清易代，浙東三黃中梨洲、晦木曾共牧齋進行復明活動，如是當亦參謀其事。晦木，學者稱鷓鴣先生。我近年於晦木史事多有稽考。

念柳堂

林鍇

莫捨師哥以念柳名其堂。語余曰：「吾繞門有柳廿株，亦頗留意否？」余頷之曰：「如其數矣，是必堂名之所由也。」哥正色曰：「吾實懷念柳如是耳。」余曰：「如是我聞曷若如是我見？眼前徒有廿株柳而未見如是也。」哥大笑。因戲以二律嘲之

一

近門先試語鶯聲，二十家姬管送迎。
拖兩籠煙春欲老，倚樓擫笛曲初成。
閒心不擬沾泥絮，醉墨都忘題柱名。
誰分屯邊逾半世，一朝留守亞夫營。

二

嫋嫋婷婷頰有渦，故家卻傍海門麼？
翠蛾依約痕如是，紅豆凋零夢已訛。
地借一方容膝可，天圍四面舞腰多。
風搓雨織情千縷，坐擁銜杯老阿哥。

避暑長白山，登天池石壁。蓋古火山也。寸草不生，回顧蕭然，大風撼宇，中人欲慄，凜乎不可久留，歸成二律。

一

風口翻從活口求，攜家逭暑得優游。
焦原豈少焚芝痛？怒焰終憐化水柔。
天眼碧經冰雪洗，鏡波清入夢魂流。
雲箋無色鋪千疊，供我臨池揮灑不？

二

炎火何年凍不收？一泓玄碧白山頭。
積灰雪煉都成玉，卷宇風剛欲裂裘。
水鏡照眉攜月過，銀瀾洗髓與天游。
投竿莫恃千金餌，中有潛鱗未可求。

還鄉吟　林鍇

一

南天門對老夫家，夢路歸尋認未差。
蛩嫂蠻姑無恙否？卌年深負故園花。

二

故山歸喜及花辰，夾路青峰點首頻。
雙燕南飛情更迫，殷勤報與眾鄉親。

三

花光灼灼掠雲車，乍接蠻風倦眼舒。
廣廈連岡天抱海，三山缺處我曾廬。

四

故里今朝景物奢，虹橋花巷路千叉。
「賞光不用勞芳趾，備有隨行小轎車。」

五

閭門一別日添梭，稠疊風雲上臉多。
今日歸身仍故我，更無人肯喚依哥。

六

榕陰復筆午風柔，涔水當門學拍浮。
歲月紛更驚一瞬，童心已萎再花不？

七

龍鳳湯鮮玉碗盛，魚丸蠣餅芋泥羹。
兒家門巷依稀在，獨憶深宵叫賣聲。

八

鴂舌宮商久失調，談天口怯向人驕。
故人情奈濃於酒，不覺醉談過半宵。

九

武夷奇秀屹東南，太姥粗頑氣象酣。
今日攜節天外到，胸中五嶽與同參。

十

果然人巧補天頑，撥地樓台指顧間。
容我搬床攤筆硯，風煙四壁寫家山。

寄麻花堂

一

坐臥書叢一欠伸，寺閒搖筆動星辰。
稱尊誰竟身能佛？辯難真疑舌有神。
萬感填膺成絕唱，一涔涸轍老波臣。
虛堂坐對寒宵永，手炸麻花饗上賓。

二

事若麻花擰愈乖，尚方請劍孰為媒。
醫非國手巫風熾，盜出名門禁網開。
北海節歸旌盡落。湘江魂去浪成堆。
當筵一曲空疏調，銷卻人間幾霸才。

三

一對麻花（五袴歌），神仙富貴兩蹉跎。
圖書有味忘吾老，風月無情負爾多。
照膽一丹差可剖，橫胸七字固難磨。
秋晨疏雨天壇路，可有新詩細馬馱。

四

高吟直過九霄雲，一卷堂前日又曛。
海國征鴻時寄字，仙家夢枕不邀君。
秋能許艷楓增色，水未成漪荇作文。
誰是各中知味者，麻花長短論紛紛。

注：堂主人有句云：「世間難得老空疏」，蓋反語也。又有句：「白首一心歌『五袴』，不吟風月作閒人」。

老九嘆

一

價漲無邊百物驕，青蚨一雙也難招。
書能換米論斤賣，筆不生花插架凋。
萬劫功回仙佛朽，一燈坐永鬼神朝。
孤吟無奈飢腸轉，二兩混沌供夜消。

二

詞賦連城苦自珍，萬元富户彼何人？
才堪白卷能驚座，德配黃金不鑄身。

室小空杯龍伯國，樓高厭與玉皇鄰。
盤飧苜蓿長相對，贏得蟫魚老更親。

檢校舊稿

沉沉樓影隊波灣，序入新秋暑尚頑。
土虺出林工剪徑，紙魚踞案傲遮山。
向人心膽何妨鐵，諛墓文章一例刪。
坐對晚窗清舊稿，不知纖月印眉彎。

戲題沉睡圖

對客窮聊宜借酒，出門難擠是登車。
孤頑如我情多靳，富貴前生分已差。
玉帝陵空狐作寢，淮王宅敝犬當家。
蒙頭自作遊仙夢，野語奇談一任他。

徐淦致羅孚信（二通）

第一通

承勳兄：

喜獲賀卡，甚感不棄。

東坡餐廳一別，常在范家書報刊物上讀到長長短短新作，雖遠猶近。尤其奇怪的是，對你的看法說法，幾乎毫無異樣，這大概就叫莫逆了吧？

我們這裏七老八十的朋友，有的大不如上年，孟浪扭了腳脖子走動不得，之方腿軟上街害怕被撞到，范用傷腰一度像蝦公，幸潔泯仍活躍*；弟亦粗安，但自覺又老了一個台階，徵候是懶得作文。知識*當應要求道德文章，今文章沒有了，剩下道德嗎？卻也僅僅是有所不為，決不想下海而已。

元旦照例從簡，春節勢必熱鬧，於香島為烈。

敬祝

闔府歡樂！

淦 八拜

九五、一、一六

1990 年 4 月，羅孚和吳祖光（左二）、吳霜（左三，吳祖光之女）、范用（右二）、徐淦（右一）攝於北京范用寓所。

第二通

史兄：

八月一日手書，我從天津兒女處度八十一歲生日後在八月中旬回京才看到，恕覆信遲了。你平安？

沈文發表在一個叫「中外」的陌生刊物上，由范公借我才見着，范公不了解作者為何許人。此人原在北京魯迅紀念館，後被上海電影廠調去參加魯迅傳記片編劇工作，而他將精力專注在為魯迅的二弟翻案上，鍥而不捨，大受另眼看待，被譏為「神經裏有毛病」，冷落多年，忽又出現此文，好似俗話說的「冷灰堆裏爆出一顆熱栗子」，可見他人不死，心也還為此而跳動。其實是徒勞的吧。這次他拉出兩位死人陸澹安和唐大郎，並及還苟活着的鄙人，都答覆**不了他的心*。沈君的努力，精神是令人佩服的，但不識時務耳。他六十年代奔走的結果，只在周豐一身上起了一點促進作用，促使這位訥訥的人求到胡耀邦門前，胡氏立即允查個水落石出，而且把任務交給了陶鑄的女公子斯亮，她也先走訪了豐一，不料隨即發生了胡氏自身不保的事。從此再無別的下文。今年只產生了八道灣十一號老屋拆不拆的新問題，最後一篇報道是有人使了這麼一殺手鐧：「保留故居論者名為魯迅，實為知堂」。嚇得別人誰還敢開口。海嬰表態，令我想起一九三六年他在萬國殯儀館蹦蹦跳跳的童年給我的印象。

我已老態畢露，甚麼用處都沒有了。剛過去的一個月在天津困於長雨和大水，才回來的三天被北京的悶熱*天氣攝住，只與范公通兩次電話（他訴苦氣也透不過來！），聞許公在協和等開刀去瘍症**，還沒來得及走一條長街衢*去看他。匆覆

祝你健朗勝我們

徐淦

九六．八．十九

邵燕祥致羅孚信（四通）

第一通

羅孚兄：

賀年卡收到，我也拜個晚年！

我忝為《大公報》慶回歸詩詞賽評委，原訂三月九日赴港開會，現已改在深圳。蓋通知太晚，英使館簽證照例要兩三個月，在京的人都不及辦也。

《中流》一、二兩期如只寫了王蒙、張賢亮倒也沒事，但一期主編卷首語攻擊當前形勢，謂不如過去（即指在蔣管區）做地下工作時的環境；二期又在批駁《與總書記談心》一書，文末點名質問劉吉，似已露項莊舞劍之意。林默涵主編說他不知道，不是他寫的，他多次請辭，「他們不叫我辭」云云。事本無聊，不過供茶餘飯後談資耳。

前天永玉在一家「豪天門啤酒屋」會見朋友，他們是毫不見老的。匆此謹祝

身筆兩健

燕祥

九七年三月一日

第二通

羅公：您好！

京門一聚，真是大家都高興。贈詩二首定稿呈閱。廣東《同舟共進》和北京《中國書畫》都說要用，就

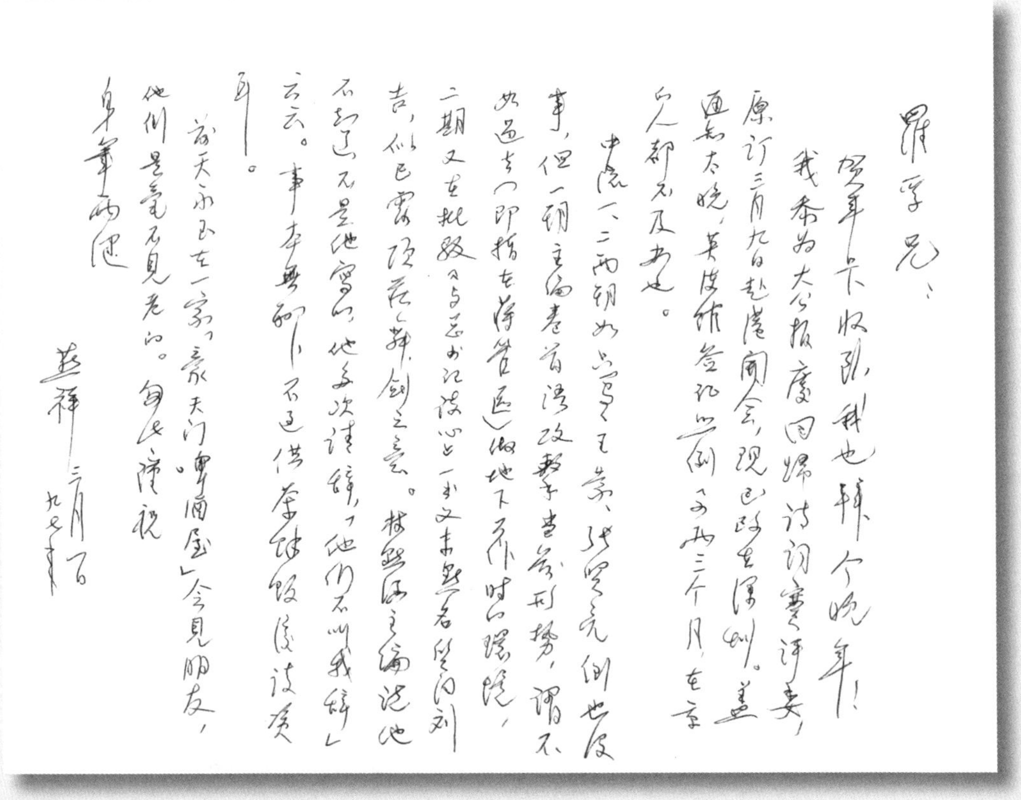

羅孚兄：

賀年卡收到，我也拜个晚年！

我忝為大公報慶回歸詩詞賽評委，原訂三月九日赴港開會，現已改在深圳。這通知太晚，其實能否簽證也得兩三个月，在京的人都不及去也。

中流一、二兩期如已寄上，望兄閱也（?）。度事，但一期主編者首語改善當前形勢，謂不如過去（即指在蔣管區）做地下工作時的環境，二期又在批發（?）……文未點名說劉吉，似已露頂花（?）之意。據說原主編說他不知道不是他寫的，他多次請辭，「他們不以我辭」云云。事本無聊，不過供茶餘飯後談資耳。

前天下午在一家「豪大門粵酒屋」會見朋友，他們是毫不見老的。匆此請祝

身筆兩健

燕祥 二月□日 九七年

邵燕祥致羅孚信第一通

未寄別處。

今日另函寄上《同舟共進》舊刊三本，大約旬日後可達左右。該刊逕寄香港，資費恐有難處，即請他們寄我處收轉吧。

此頌　望安

燕祥 拜

四月九日 二〇〇四

第三通

羅公：您好！

海雷帶來您的信附贈雙照樓詩詞集最新箋注全本，多謝！

我原有南方友人從香港翻印本複製來的，於「掃葉集」後並有「三十年後作」至「朝中措」為止，應為據一九四五年版翻印者，係銅鑼灣藍馬柯氏印務公司版。

這一回新增補遺，更難得有詳細箋注，當可於欣賞之際，更置於一定人事背景中體會品味也。人性總有相通之處，我想以我們數十年的滄桑，是可以從其詩境接近其心境的。

當然，這有一個前提，即作者的詩的確盡力表達了他個人的真實心境，——無論率真地或委婉地，總之是「藝術地」表達吧。汪詩從藝術上可以當之無愧。

我幼時不知汪被逮口占有四首，只知「慷慨歌燕市」云云，已深感佩。八十年代友人們初次為張志新（林昭）作墓時，從其手冊錄出斷句以代銘文，其實乃是汪口占二、四中句，「他時好花發，認取血痕斑」，「青磷光不滅，夜夜照燕台」，乃知少年汪氏之詩，能砥六七十年後的士節也。

八十年代遊廈門鼓浪嶼，登日光岩，見岩壁諸多題字中，有七絕一首署汪兆銘，估計文革中人不知此即鼎鼎大名的汪精衛，故與其他摩崖一道得以保存。又廿餘年過去，當仍在眼。

汪詩一直是我欲得之物，因多年只從人們引文中偶見鱗爪，如「雁門關外又重陽」之屬。此番不僅得窺全豹，且有人從旁講解，自會受益多多。

元遺山論詩，「心畫心聲總失真，文章寧復見為人。高情千古《閒居賦》，爭信安仁拜路塵」，為人服膺。其實，人有多面，不同人或同一人不同時空，作品亦不可同日而語。如「閒居賦」者，賦體正有助於獺祭鋪陳，未必「全拋一片心」也。李杜均有干謁文賦，有的且亦肉麻不堪，其實可視為他們的「應用文」，如「在任」者的「職務寫作」然。

當然，「應用文」、「職務寫作」，此中亦有是非，乃至大是大非。韓愈諛墓，不能免俗，誇大其詞，為了換錢，但沒有歌頌大惡巨憝，人們也便曲予諒之了。

周作人下海當漢奸，有其自辯之理，可置不論。其在任上作為官方一員的政詞、公告，同日寇一個鼻孔出氣，自是敗筆。他回到「書房一角」，寫他的讀書隨筆，正是說政務與世務中逃逸後個人經營的精神世界，仍是其早年「自己的園地」的延伸，似未可一筆抹煞，不妨置於當時散文中作一家視之。其中除了知識類中性內容外，亦有性情的流露，我從其一貫的文風文氣度之，相信是真實的內心世界。我以為，主張保存周氏晚年此類文字甚至給予相當的評價，並非吹捧「漢奸文字」。從人性的複雜性出發，要承認人格分裂的現實存在。

對汪精衛亦可作如是觀。汪比周更複雜，因他參與實際政治活動。然他的詩，不僅有藝術方面的意義，而且因（我認為）相當真實地表露了其情緒動態，亦即真實的心跡，也有助於對他作更深入的歷史考察。拋卻政治定性不說，他在抱持失敗主義情緒的知識分子及政治人物中，有極大代表性，而他的精神矛盾和苦惱，更多源於他對自己的處境包括會被人目為「漢奸」的命運心知肚明，卻以「知其不可而為之」，甚至「雖千萬人吾往矣」的儒家遺教，加上幾分僥倖心理走上言「和」之路，這其實在一定程度上表明了他的書生氣之迂闊，此類人本來殊不宜於從事實際政治——政治在某種條件下，乃是同強盜、流氓打交道，不具有高於強盜、流氓的實力和手段，其不失敗乃至身敗名裂者幾稀！

回到詩上來，雙照樓詩詞因不同於例如柳亞子們直接抒寫政治的詩風，而避開政治，從抒寫個人情懷出發，反可較少避忌，而一任真情的表現（自然是「藝術地」），在此，可以披閱汪精衛的靈魂。在責備其不知進退的同時不免嘆惜：他太把自己看成填海的精衛了！

承詢對汪詩的看法，簡述如上。或有離經叛道、不合時宜處，長者前不敢遮掩也。

潦草乞諒。

專此奉陳，再談。祝體健神安二老雙好！

燕祥 拜上

七月廿九日，二〇一二年

第四通

羅老：您好！

昨接「香港文學」贈刊，拜讀大文，有幸得您將拙作賀壽詩全引，十分榮幸，或可蒙香港友人或朋友們的認同吧。

包立民兄迻錄拙詩，有數處筆誤，前已奉告。

您文章中引詩，亦有二處出入。一是「長安道上欣相識」，應為「欣相認」，指我當年在長安街由東向西遊行隊伍中，您正站在南長街南口迤東的人行道邊，叫我「燕祥」，因得此邂逅，長存記憶之中也。

又，第七首詩「百年日月竟穿梭」，應為「競穿梭」，蓋簡化字易混同也。

拜讀大文，更令我高興的是，您以九秩高齡，猶能執筆並保持一貫隨筆文風，足證心健神清。願您珍攝，直追周有光老——他已一〇七歲，即臻「茶壽」矣。

再談，敬頌　雙安！

燕祥 拜上

九月十六日，二〇一二年

左起：邵燕祥、黃苗子、羅孚、丁聰。

樓適夷致羅孚信（二通）

第一通

羅孚同志：

因老病未能出門，昨命二子夫婦登門奉謁，祝賀新春。聽到了不愉快的消息，心裏非常難過，想像吾兄心情，不知何以相慰。年輕人已經成長，道路只好讓他們自己去走，我們也無能為力的。歷史總在前進，一切不過是一個過程，萬事作如是觀，可乎？

適夷

二月二日（一九九〇年）

第二通

承勳同志：

照片收到，謝謝，年來老衰日甚，大都杜門不出，在豆花莊晤首，殊為欣幸。讀本期《讀書》月刊，見介紹唐人一文，我估計是您寫的。香港是值得掛念的地方，三十多年經濟文化有很大的發展，但人為的隔閡太深，近來已能稍稍開放，希望您能於新的文學方面多寫一點評介文章，橫此事有益的，以為善否。

即請文祺

樓適夷 上

六月五日（一九九一年）

李駱公致羅孚信（一通）

羅孚老友：

多年未見，甚為想念。

知兄蒙受奇冤，終於昭雪，亦不幸中之幸。前不久我婿丁伯奎同令甥高天龍到京曾前往府上拜謁，蒙兄熱情接待，不勝感謝。伯奎來信說，得識風采，聆聽高談，實平生一大快事。還蒙兄贈送大作《香港，香港》，他拜讀之下，更加敬佩。他所著《駝蹤》一書以及拙著書法篆刻集另寄上，請多指教。伯奎信上還提到兄擬作桂林之遊，不知何時可來，來前請電告到桂日期，弟當相迎並下榻以待。人生易老，好友難逢，甚盼早日歡聚暢敍，其樂何及。

專此。即頌

大安

李駱公 拜上

五月廿三日（一九八九年）

柯靈致羅孚信（十二通）

第一通

林安兄：

手示像片奉到。人生遇合難期，攝影留痕，自是一喜。

十竹齋信封，不必當一回事，隨口奉託，有勞縈心，感謝。每屆新年，答寄年柬，尤為一大苦事。近年世上年柬充斥，價昂而惡俗不堪，欲求稍具雅趣者難於登天。此類現象，真堪浩嘆。

巴老近況如常，閉門閒居，不預世事。范用兄請他題一小箋，取來已多日，巴老對《隨想錄》印刷裝訂均極滿意，並囑對范兄道謝意。茲附題詞，乞便中轉去，轉為致意。我因太忙，偷懶不寫信了。春節在即，遙頌

百吉

柯靈

一九八八年一月三十日

第二通

柳蘇兄：

寄呈朱屺翁題詞，請收。因此老去香港開百歲畫展，近方求得。求字單位收到後，最後給此老一信，有個下落。（朱老地址是：略）

近為小思《彤雲箋》作一小序，已投《讀書》，有借重大作處。
近況如何？令郎有消息否？
此頌
請吉

柯靈
六．六

第三通

林安兄：

久未通候，近況如何？七月曾來京，四日京兆，會畢既返，朋友無一把晤。
我最近以日記體作旅大遊記，題為《遼東風情》，約萬字左右，擬投《新晚報》，不知寄與何人，兄是否可聯繫介紹？乞代一詢，並見示結果，告以可否，或如何投遞？費心謹謝。
京中友人近況，能見告一二否？
此頌
時綏

柯靈
八．二十九（一九八九年）

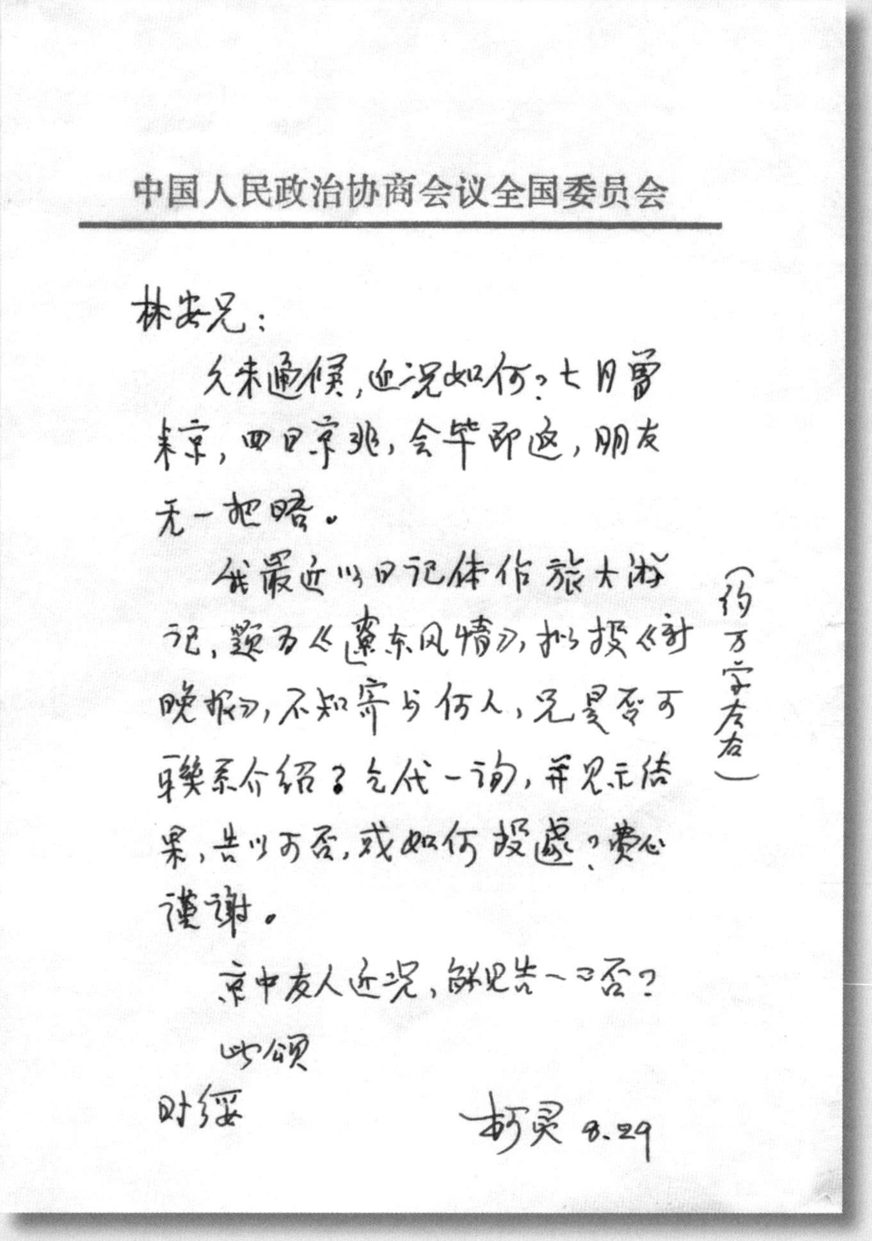

中国人民政治协商会议全国委员会

林安兄：

久未通候，近况如何？七月曾来京，四日京兆，会毕即返，朋友无一把晤。

我最近以日记体作旅大游记，题为《辽东风情》，拟投《新晚报》，不知寄与何人，兄是否可联系介绍？乞代一询，并见示结果，告以可否，或如何投递？费心谨谢。（约万字左右）

京中友人近况，能见告一二否？

此颂

时绥

柯灵 8.29

柯靈致羅孚信第三通

第四通

林安兄：

去春一晤，轉瞬經年。前偶讀港刊，知世兄安泰。去年在杭見范用兄，並知兄今年結業。行見重返故里，再啖蓬萊稷滋味，曷勝欣慰。

另郵奉拙作《墨磨人》，藉博一粲。另一冊煩轉贈董橋先生，並代致仰慕，求賜一港印文集。北京三聯版《鄉愁的理念》已去函郵購，誠如大作而論，「一定要看」也。

近況如何，乞示我數行。

徐鑄老遽爾謝世，故舊凋零，老境逼人。亦無可如何也。祝

新歲好運！

柯靈

一九九二年一月九日

第五通

柳蘇兄：

近況安吉否？

上海書店擬出一套「文史探索叢書」，我掛名主編，實際主編是范泉。兄所作香港作家剪影，似還可成一集，能慨兄支持否？不勝企盼。

附范用兄一信，便乞轉呈致意，並代說項。

我忙碌如故，而成績殊甚少，思之惘之。所問時綏

柯靈 上
國容[43] 附候
九二．八．十四

第六通

羅孚兄：

年前收到你的結業報告，欣慰之情，悅如身受。在巴老家拍的四張照片，可以算是珍貴的紀念品了。估計你已平安到達老家，過了特別愉快的春節，真值得好好祝賀。願新歲給你帶來更多的幸福！

五月香港舉行「兩岸暨港澳文學交流研討會」，我承邀參加，正申請攜國容同來，倘能如願，那就好了。

祝

全家康樂多福！

柯靈
國容 附候
九三．〇一．三十

43 國容，即陳國容，柯靈夫人。

第七通

孚兄：

在港承遠道存問，一直覺得不安。但也的確感到高興，儘管時間短促，有暢敍不足之憾。

這次去港，名為開會，實有私衷。一是國容四九年後未到香港，讓她去開開眼界；一是香港有些朋友使人懷念，我很想去看看。說也奇怪，「階級友愛」曾被我們奉為神聖，而人情之薄，常使人不寒而慄，反而在香港這樣的殖民地社會，友朋之間，雖交淡如水，也不乏善意，使人覺得可親。也許正因為彼此疏隔，反而沒有利害衝突，易於相處吧。我已到八五之年，以後大概絕少機會再作港遊，九七之後，變化更未許逆料。想到陳寅恪贈吳宓詩，有句云：「暮年一晤非容易，應作生死離別看」思之憮然。

接到我八十歲的老學生來信，知已將鬻畫之事奉託。此事只好麻煩你了。筆墨生涯，當了此一生，絕不做他想。但商潮澎湃，生計越來越困頓，我不得不把改善暮年生活，稍蘇積困的希望寄託在這上面。我的老學生也附來了大作《島居新文》剪報，多承齒及。這次去港，老學生對我接待殷勤，而且十分誠懇，相託之事，都切實代辦，確實古道可感。鬻畫得款，也可就近交他轉手。一切拜託。祝

一切順遂安吉

柯 上

國容 附候

一九九三．六．二十三

第八通

乎兄如握：

奉書欣慰。鬻畫濟困，重勞心力，於心不安，感謝之類的話就不說了。商潮勃興，文士途窮，殊非所料。一向以淡泊自甘，但修養不到孔門顏回的程度，頗以竭蹶為苦。「文革」之後，燒水器一去不返，每有機會住賓館，第一事即效太真故事，蘭湯沐浴，清除污染。事畢看看浴缸之髒，不免英雄氣短，羞見僕歐，一如楚霸王愧對江東父老。老舍《老張的哲學》中，說老張一生只沐浴三次：一次出生，一次結婚，一次去世。我比老張路猶寬，思之不覺莞爾。

涸轍之鮒，不求湖海之大，得西江一勺水，優游卒歲，不至有朋自遠方來，連招待到市樓一飯也自慚無力。於願足矣。

此舉志在救窮，不在救急，不妨稍待時日，待價而沽。一切由兄主張，仰仗鼎力。倘能於臘盡春回之際解決問題，得以歡度春節，自是一大佳事。應付手續等一切費用，請按例辦事，不必以友情爭取優惠。

近況如何？時在念中。排日筆耕，不遑喘息，似非老年悠閒之境，兄以為如何？此請

夏安。

弟 柯靈 上

國容 附候

一九九三・七・二十八

第九通

孚兄：

　　蜜蜜女士來滬，未獲一面，承惠《南斗文星高》，致謝。許多文章都曾拜讀，現在重溫，還是興趣盎然。文壇人事浮現，足供感慨。讀董橋文，深沉老到，看照片翩翩年少，非常「現代」，為之莞爾。

　　知曾漫遊歐陸，有附驥同遊之樂，想足償京華十年之失。

　　鬻畫之事，給你添了許多麻煩，此事稍得善價，就可以了。文士貶價，我現在的月入已低於電影局的門衛。日前與桑弧通電話，他也感慨萬千，深苦寒酸。清寒本是常態，但不期艱窘如是而耳。

　　日前，忽得台灣《中國時報》之邀，於明年一月上旬去台開一小會，能否批准，尚不可知。

　　巴老去杭一月，聞今明返滬。大著日內轉去，請勿念。明年巴老虛歲九十，上海作協現正籌備舉行圖片展覽，我正在受託寫「前言」。劉海粟現在港，明年九十晉九，要出畫集，也要寫序。小說擱置已久，而此類任務不斷，既寫不好，又不願純然當應酬文章寫，殊以為苦。

　　閉門謝客，一事不知，有大作或報刊見惠，心開眼界，實不感盼。好風有便，並盼時頒佳音。此請

闔安

柯 上

國容 附候

一九九三年十月二十二日

第十通

孚兄：

四月四日手書及刊物奉到。

鬻畫事多承費心，仍乞鼎力。能賣到八萬乃至七萬一張，也就算了。只是希望力爭速決。國容思女情切，而老境日深，很盼早日遊美，了此一生心願。

近出《六十年文選》，已囑出版社寄呈，想已達覽。此書得到稿酬一萬七千，已以萬二裝空調，當可解冬寒夏熱之苦，餘款正好付積欠房租。經濟轉軌，文人生涯愈益清苦，真是無可奈何。

草草，既候

闔安

弟 柯 上

國容 附候

一九九四．四．十八

第十一通

羅孚兄：

前上一函，諒達台前。

賣畫一舉，原是書生末路，不料竟如此之難。不久前，曾託朱君卓賢找出路，他覆信允諾。不料日前忽得此翁去世噩耗，令人不勝戚戚。人生奄忽，原是常事。去年六月旅港，曾承他借我港幣五千元，用購機票。雖然他一再表示贈送，我曾約賣畫得款，一定歸還，最近通信還談到此事，現竟在他生前無法兌現承諾，尤堪怏怏。

國容有友人張黃佩宜女士（國容曾教過她英文），久居香港，現已承她同意設法，兄既有困難，就請將齊畫兩幀就近交給她，期能於近期解決問題。種種煩擾，叨在相知，當蒙曲諒。專此奉託，即頌

闔安

柯靈上 一九九五·五·二十七

國容 附候

第十二通

羅孚兄：

新春恭喜。

畫款已全部收到，勞神心感，恕不作泛謝。赴美探親，曲折甚多，難於罄述。將來有緣，夜雨西窗，當為剪燭之談。

兄雲遊天下，不勝羨之。聞已問舍加州，為安度之計，計亦良善。他日倘得遠遊，一上君子堂，何樂知之？

今晨得夏公謝世噩耗，一代左翼文壇巨匠，從此永訣。我少年有幸追隨，恩重如山，悲痛之深，兄當可想像得之。

函寄港刊，已付洪喬之誤矣。

今日居家不出，心緒暗澹，幸恕草草。此頌春安

柯上

國容 附候

一九九六·一·六

沈昌文致羅孚信（二通）

第一通

羅老：

時霖常來，告知您的種種情況，十分令人高興。前讀尊作「《徐鑄成回憶錄》後記」，則知筆鋒仍然極健。徐老此書由我介紹，在台北商務印書館出版，現正在排校中，相信即可問世，屆時當寄奉。

香港牛津出版公司林道群兄寄我尊編《香港的人和事》一冊，已拜讀，日前並推薦時霖一讀。我覺得此書完全可以在大陸出版，可否允許這裏以此書為藍本，選出若干，另出一書。《讀書》雜誌吳彬女士正在編一學人雜文集，此書似可收入，她亦同意。出版者為遼寧教育出版社。不知尊見如何，亟盼示知。

我三年前得上峰指令，退休賦閒。現在為一些熟識的朋友幫忙打雜，雖無正事亦甚忙碌。凡作之事，均屬幕後，從不現名，以免舊識熟人之猜疑，以為有些甚麼動作。其實我只是為「文化虛榮心」驅使，既不謀稻粱，亦不準備躋入改革派行列。海外報刊時有關於我的報道，均與我本人無涉。此情此意，亟望得到朋友的諒解。

這裏的許多朋友在打聽「柳蘇」何以擱筆，因此很希望羅老有機會還為內地讀者寫點甚麼。祝好！

沈昌文

十一．二十

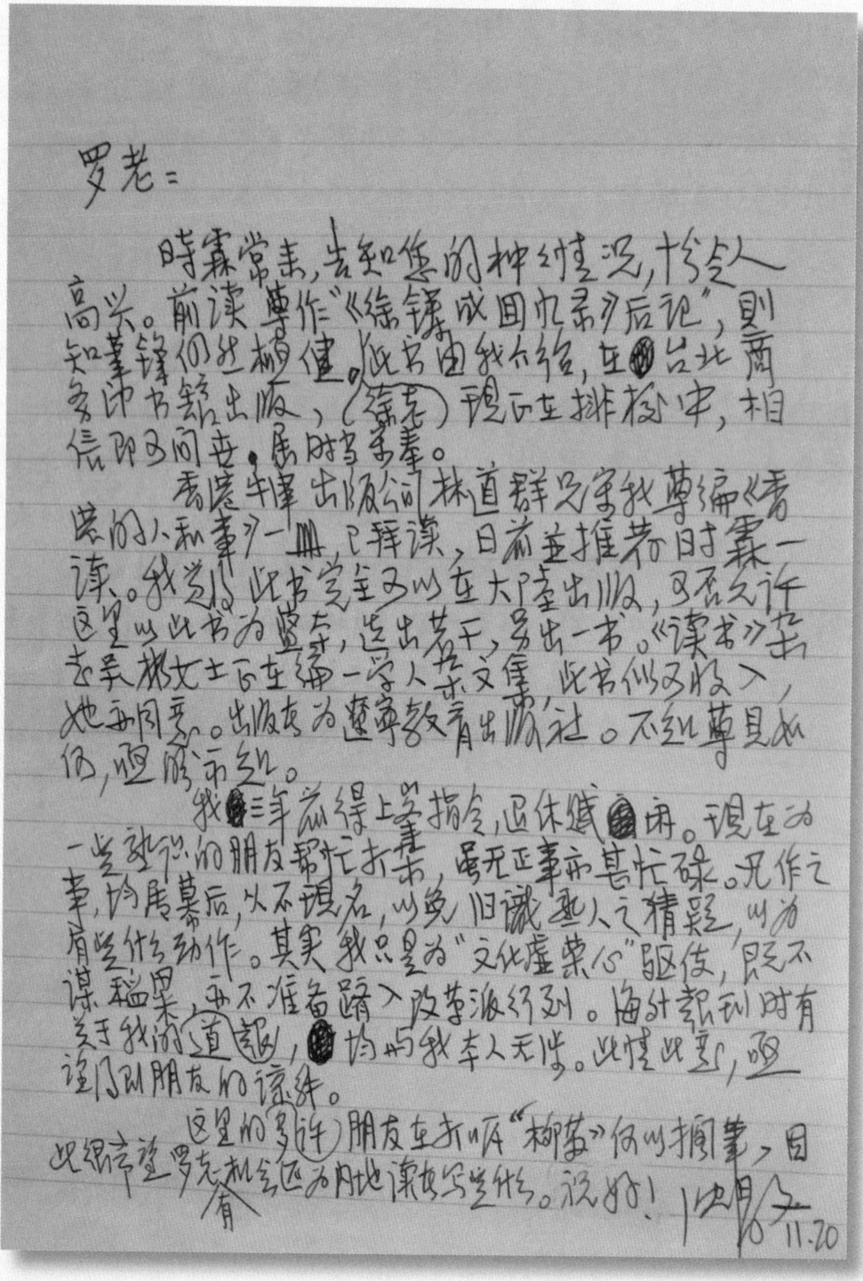

罗老：

时霖常来，告知您的种种情况，十分令人高兴。前读尊作"《徐铸成回忆录》后记"，则知铸老仍然矫健。此书由我介绍，在台北商务印书馆出版，（徐著）现正在排校中，相信即可问世。届时当寄奉。

香港牛津出版公司林道群兄寄我尊编《香港的人和事》一册，已拜读，日前并推荐时霖一读。我觉得此书完全可以在大陆出版，可否允许这里以此书为蓝本，选出若干，另出一书。《读书》杂志吴彬女士正在编一学人杂文集，此书似可收入，她亦同意。出版者为辽宁教育出版社。不知尊见如何，盼赐示知。

我今年已得上峯指令，退休赋闲。现在为一些熟识的朋友帮忙打杂，虽无正事而甚忙碌。凡作之事，均居幕后，从不具名，以免旧识熟人之猜疑，以为有些什么动作。其实我只是为"文化虚荣心"驱使，既不谋稻粱，亦不准备踏入改革派行列。海外报刊时有关于我的报道，均与我本人无涉。此情此意，盼望门外朋友们谅解。

这里的许多朋友在打听"柳苏"何以搁笔，因此很希望罗老有机会还为内地读者写些什么。祝好！

沈昌文

11.20

沈昌文致羅孚信第一通

第二通

羅老：

另郵寄上新書兩冊：《君子之交如水》、《我反對》。前書為章乃器的公子章立凡所寫。書中（二〇六頁以下）提到冒舒諲老先生的情況，想必是你感興趣的。章立凡你大概知道，現在北京，我們常見面。他研究中國近代史，曾在社科院近代史所工作。

後一書大概未出口到香港，為近期盛傳的八大禁書之一。其實，除此之外，其餘各書這裏都還在出售。至於章詒和女士的書，香港流傳的是足本，比我們所見的內容還多。《我反對》在這裏也應當還可以得到；所以少見，只是因為印得少的原故。

我女兒沈雙自美國移居香港，現在嶺南大學中文系教書。這樣，我也許過幾個月就會來香港。屆時當拜謁。

祝

安好！

沈昌文

二〇〇七・二・二十三

羅孚致沈昌文信（十通）

第一通

昌文兄：

收到來示！《香港文壇剪影》及《讀書》三期，也均先後收到，一併謝謝！離北京時匆匆未及辭行，致歉！

回港後，一應酬，二寫稿，至今仍在忙亂之中，稍喘一口氣後，定當重為《讀書》效勞，寫完香港應寫之作者。

匆祝

近好！

柳蘇

九三．四．十九

第二通

昌文兄：

恭賀新春如意！萬事順利！

前一陣收到傳真，未及作覆，徐時霖兄已有電話來，諸事奉悉，並請轉告。關於《香港的人和事》，已與林道群兄聯繫，他極表贊同。由您經手，交遼寧教育出版社出版，並說《燕山詩話》及此書早已寄上，既未收到，當即補寄。

柳蘇諸作，三聯除《香港，香港》外，尚有《香港作家剪影》，即天地之《南斗文星高》，《你一定要看董橋》即在此中，有些香港重要之作家未包括在內。如有興趣，當可補寄若干篇以充實內容。

今天收到寄來的鄭譯紀德的《從蘇聯歸來》，十分可喜！鄭老晚年文選《史事與沉思》三卷由天地出版，已通知寄上，不知已收到否？

我來美已一年多，唯綠卡仍未到手。舊金山是好住的地方，天氣好，不冷不熱，夏天最宜人。環境也好，花草樹木，賞心悅目。電視二十四小時不停，都是中國新聞（包括港、台）。報紙不乏中文報章，飲食之類更有南北各種餐館，養老最好。但醫療較麻煩，新辦法取消了一些醫療福利，收費貴得驚人。

匆匆，祝

春節好！

羅孚

九九．一．二十七

第三通

昌文兄：

收到寄來的《萬象》，謝謝！一直聽說它要出，沒想到它居然已經出了。在目前的眾多刊物中，它以不同的面目出現，讀來頗覺過癮！陳原老兄的《重返語詞密林》更是趣味盎然。我未讀「語詞原林」，得讀「續林」，亦覺滋味，費老的《溫習派克社會學雜記》初以為沉悶，讀之乃覺不然。顧老的《日記中的思想改造運動》料有可觀，容待細讀，以目前情況而言，《萬象》有特色，應長命，謹申賀意。

《香港的人和事》曾聞遼寧有出版之意，不知現已進行得如何？我曾以此意告林道群兄，想已與兄聯繫。如有意出版，擬抽換一二文章，有人建議可選入西西之《上課記》，事涉牟宗三；另有李黎之談香港一文，亦頗有意思，且我曾誤引李文，正好趁此作一更正。如此之類，遼寧版改正之最為方便也。此事我當與道群兄聯繫，特先告兄。

我們在港曾見過。趙麗雅則只通過電話，緣慳一面。她的寫作「重任」是甚麼？聞已不在三聯，不知目前有何「貴幹」？陸灝則只在北京時見過，我九二年曾有上海行，不知何故未見到他。《萬象》當年是柯老主編，惜未閱讀，不知內容如何？出版時間在抗日戰爭勝利前還是勝利以後，也記不準了。

三人信中，有「沈昌文年邁力衰，已經無法擔任具體編務」，讀之使人驚詫。兄不過六十許人，我輩視之，乃盛年也，何得言「年邁」乎？正有許多事可作，不得推卸也。

祝

近安！

羅孚

九九．三．十三

第四通

昌文大兄：

回港不過兩三天，就收到你寄來的袁冬林著《此生蒼茫無限》，真快！趕快看完，雖然比章詒和的《往事並不如煙》文藝性差了許多，但仍有不少事實是我所不知道的，增加見聞不少，十分感謝！

我不記得徐時霖是在甚麼地方工作的，也不知道他的住址，我想你定知道，便中請見示！並請告訴他，你已替我找到袁著，就不再有勞他搜尋了。匆祝

大安！

史林安上

二〇〇四、四、十四

第五通

昌文大兄：

收到寄來散木的《記一代名記者和女將浦熙修》，謝謝！作者原來是故友郭根的公子。郭根我很熟，當年在重慶我們在一張桌子上對面而坐，其後才換了徐盈，他因得罪曹谷冰而被無理開除了。

散木叫甚麼名字我不知道，現在何處工作也毫無所知，便中請告，我想和他通信聯繫。

日前收到寄來的袁冬林所作《此生蒼茫無限》，曾立即函謝，來信未見提到，豈未收到乎？信寄〇二信箱。這回改寄東總布胡同。匆祝

安好！

羅孚上

〇四、四、廿九

第六通

昌文兄：

信、書已先後收到，謝謝！

《紅》書作者原為我們以前的頂頭上司，她生平事跡我所知甚少，因此讀來很感新鮮，只是不知道它何以要被禁。我先從陳子善文章知有此書，乃託邵燕祥兄代為物色，大約後來是邵兄轉託你的吧。

來信既說可以續為覓書，因而再有所求。遼寧的《萬象》原曾送我一份，後來不知何故停了，想因我自美返港，未有通知他們之故。此刊不同一般刊物，每期總有可讀文章，在港雖有售賣，但要去離我居處頗遠的地方去買，我因懶得出門上街，因此往往錯過購買之期，不知可否仍請他們贈送一份否？你仍在替他們主

編此刊麼？台灣連、宋二人連續訪京，新聞大有可觀，而且尺度也放寬了許多，能長此下去，是大好事也。

匆祝

大安！

柳蘇　上

十二．五．〇五

第七通

昌文大兄：

收到來書及寄來的《萬象》，並知您五月份腦部動了手術，不良於行和活動，仍為我辦了郵寄之事，既感且愧！這以前，我已得燕祥兄信，告以貴體違和，腦部受傷，入了醫院，此事非小，幸吉人天相，想貴體此刻應已康復，為祝為禱！

《萬象》有董橋風格（邵燕祥語），每有可讀文章，你的去年全年合訂本我很有興趣，只是不好意思向您開口。這雜誌在柯靈時代面貌如何，我沒有看過。此刻的《萬象》每期都有要看的文章，在眾多刊物中自有特色。我也頗有興趣為它寫些甚麼，只是沒有甚麼適當的題材可寫。

謝謝您寄《記憶》和《萬象》！《記憶》已由此間明報出版社印行了港版，反應不錯。天晴炎熱，請多保重！從燕祥兄信中，得知府上原來有兩位兩代的醫生，可喜可賀！向她們問好！

請多保重！敬祝

雙安！

老羅

十九．六．〇五

第八通

昌文兄：

一年容易，又匆匆過去了。

這一年，承蒙你寄贈《萬象》，使我每月都得飽眼福，心中十分感謝！新的一年，我已在三聯預訂，可以不必麻煩你了。思之無以為報，你可有在港要辦之事或要買之書請告之，當可照辦，以表謝忱！

徐時霖事究竟如何，來得突然。說他係鑄老之孫乃是假的，真是從何說起，這一點絕對不可信。至於其他則要慢慢了解了。

即祝

大安！

羅孚上

〇五、十二、十七

第九通

昌文兄：

寄來書、志一包已收到，十分感謝！「懷念」一續、二續及「人物詠嘆」等，均極精彩可喜。唯「詠嘆」等五冊出版日期有三月五日至三月三日者，不知何故？

去年承寄贈「萬象」一年，現已訂閱，唯至今一月份仍未收到，此乃向三聯訂閱者，以與北京三聯相較，應無從比擬。不過，該刊遲早必將到來，仍可不必有勞寄贈也。

目前鳳凰電視「魯豫有約」曾播訪問足下一輯，頗為精彩，昨日（二月五日）此間《信報》戴天文章談論足下之「十六字真言」，特剪奉一閱。戴兄現居加拿大，因身上裝有心臟起搏器，醫生禁其作長途飛行，故近年均未返港，只能從報上讀其文章。足下在專訪中言談甚為風趣，「十六字真言」尤為驚世駭俗，「令人嘆服、笑絕」，特剪奉戴文，與足下同賞。記憶中，「魯豫有約」前已訪問過足下一次，此番應是再度訪談，因記憶力衰退，不少精彩處均已忘卻，但記得文字數處有誤，為陳原誤作陳元之類，則不必苛求也。

匆此，即祝

春安！

羅孚 上

二〇〇六、二、五

第十通

昌文兄：

昨晚看鳳凰衛視，有你的節目，《非凡人物》論成功，記得幾天以前也有過，使人印象深刻，如親風範。

前幾天，收到寄來的《前輩風骨》、《文化現象》等選讀文章，乃前所未見，引為精彩，多謝多謝！甚盼陸續有來，為感！為感！

春節將近，風和日暖，據說與溫室效應有關，乃不禁為來日擔憂。繼念我已八十有餘，九十將至，無甚來日可憂，不免自笑多情也。

匆祝春禧！

史林安 上

二月廿四日

許覺民致羅孚信（一通）

孚兄如晤：

寄來賀年片「紅木林」已收到，頗覺珍貴。上次小兒去港，帶來兄惠贈之書，亦並此感謝。弟平時因雜務羈身，加以殘軀日見衰弱，致少箋候，恕罪恕罪。

偶見港報刊，時看到兄之大作，深為欽佩。其實我的年齡與兄一般，兄能不斷寫出如許的文章，不論才思與精力，我不及兄多多矣。

此間一切如恆**，乏善可說。我平時也只寫些小文章自娛，為數甚少。至於評論，一是格於情勢，難以寫好；二乃發表之處甚少，蓋讀者均不喜看此類文字，刊物亦不免冷漠視之矣。范兄、舒兄等均安，見面時都談及兄，不知何時又能重新相聚一次。

專此奉達，即頌

新春大吉！

弟　覺民

二．八

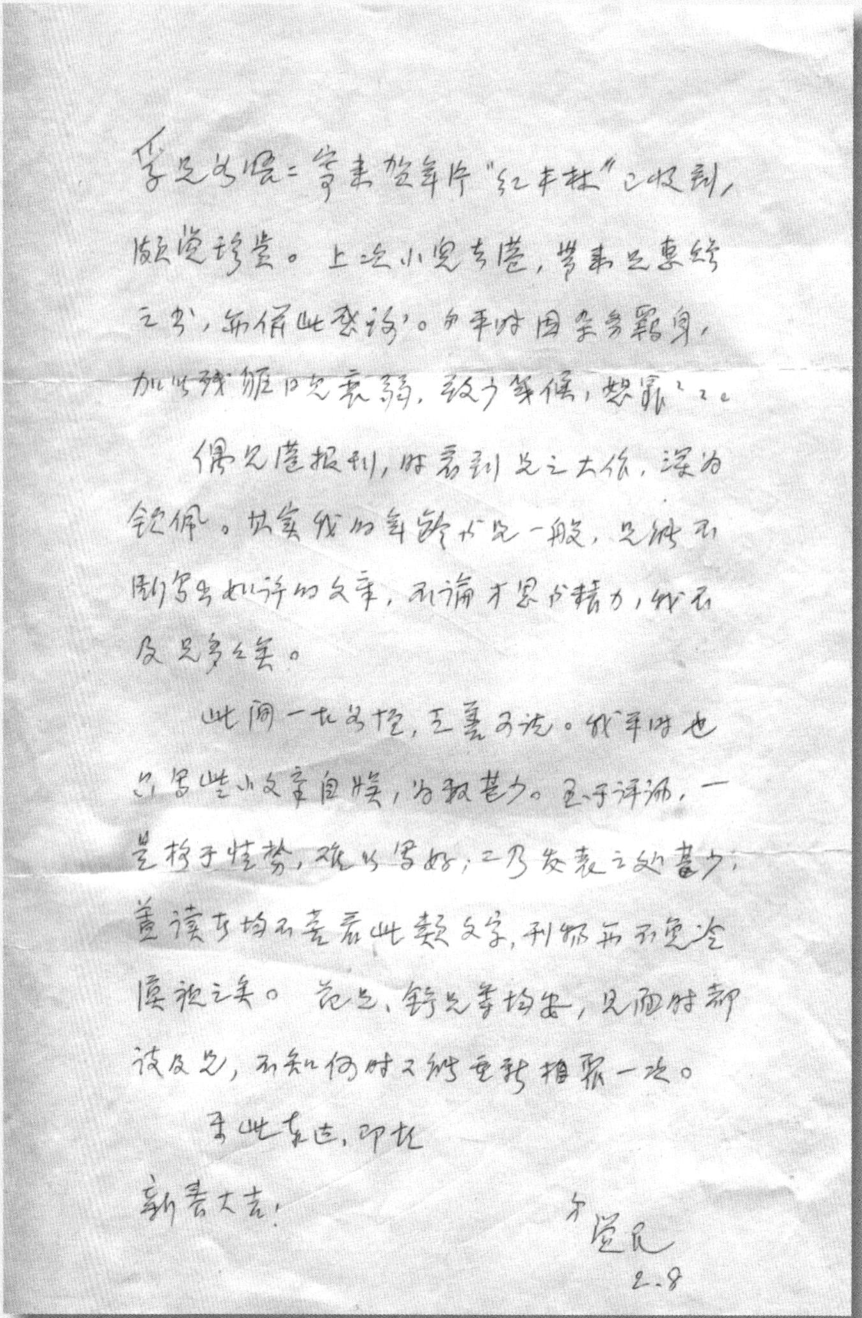

孚兄如晤：寄来贺年片"红木棉"已收到，颇觉珍赏。上次小儿去港，带来兄惠赠之书，亦借此答谢。今年时因杂务羁身，加以残躯日见衰弱，致少笔候，想察之。

偶见港报刊，时看到兄之大作，深为钦佩。其实我们年龄与兄一般，兄能不断写出如许的文章，无论才思与精力，我都不及兄多多矣。

此间一切如恒，乏善可陈。我平时也只写些小文章自娱，为数甚少。至于评论，一是格于情势，难以写好；二乃发表之处甚少；盖读者均不喜看此类文字，刊物亦不免冷漠视之矣。范兄、舒兄等均安，兄前时都谈及之，不知何时又能再来相聚一次。

专此奉达，即祝

新春大吉！

弟 觉民

2.8

許覺民致羅孚信

李慎之致羅孚信（二通）

第一通

承勳先生：

上週因亦代先生八十華誕，有緣識荊，何幸如之！

當年聶老所以遺詩，實緣弟讀《北荒草》後，曾有二律，奉呈，其詩殆為邀弟赴東郊一晤者，當時亦曾踐約，不料竟成唯一之一面也。

弟笥中尚存二詩原稿，玆將檢出奉上，聊博一粲而已。

順頌

暑安

李慎之奉

九二．七．十

第二通

承勳同志：

收到來信，因為錢先生的詩就在手頭，趕快錄呈。

重看冒叔子 錢鍾書

四劫三災次第過，華年英氣等銷磨。
世途似砥難防阱，人海無風亦起波。
不復小文供潤飾，倘能老學補蹉跎。
鬢青頭白存詩內，卅載重拈為子哦。

錢先生抄給我的詩還有一些，但也正如聶老的詩一樣，不知塞在哪裏了，於此可見我的「亂」也！說實在話，我極好陳先生詩，而於錢先生詩則不然，實因陳先生以性情為詩，而錢先生則以學問為詩也。

你說我是忙人，其實罷官兩年，我已是大閒人一個，頗有治哲學，挽頽風之志，然而學力不逮，迄無成績。所以推尊吳、陳兩先生，都緣正業無成，搞些副業而已，不過目的倒是一樣的。因將南遊，故草草作覆。即頌

秋安

李慎之
九二．九．六

又，謝謝你抄給我章士釗的詩

陳先生確是常常以趙家莊中的盲翁自比的。

又，抽屜裏又發現錢詩一首，趕快錄呈。
燕謀怪余不作詩，寄什督誘，奉報

六情底滯力闌單，上水船經八節灘。
識字果為憂患始，作人奚止笑啼難。
舉頭鵲噪頻聞喜，盈耳蛙鳴盡屬官。
者舊紛傳新語好，偏慚燥吻未濡翰。

陸士衡《文賦》：「始躑躅於燥吻，終流離於濡翰。」
錢先生一生未嘗趨時，高風亮節，並世罕儔，此詩可見一斑。

許良英致羅孚信（二通）

第一通

羅孚兄：

昨天大年初一晚小林小姐[44]來訪，帶來你託她帶的信、三本書和糖果，謝謝。一個月前又收到你的賀年卡。遺憾的是，賀年卡和信中都沒有你的地址，於是小林告訴了我，現在可以給你寫回信了。

自從你回香港以後，我們幾乎沒有機會再看到港刊了，同舒諲見面的機會也大為減少了。他這一年多次生病，我雖然身體還可以，但工作比以前反而忙了，而且頭緒多，常感時間不夠用。所謂工作，當然主要還是寫東西。不過，我們搞硬性理論的，寫出來的東西遠不像你們文人的作品易於發表。

你的兩本文集，留待以後慢慢讀，因為我對文學是門外漢，有些事並不了解。新版的《陽謀》立即吸引了我。此書初版我仔細讀過，發現一些錯，給作者寫了信。想不到作者也是學物理的，現在美國一個社區大學教物理，利用業餘寫這本書。新版中介紹我時，把「高級研究人員」誤為「高級研究員」。所謂「高級研究人員」指的是副研究員和研究員，研究員已是最高級的了。我當時剛去哲學所不久，未定職稱，只是以「高級研究人員」待遇。

《爭鳴》一月號刊出我一篇短文（為《包遵信回憶錄》寫的序，刊出時至少有七八處錯漏），你見到否？我很想聽聽你和你的朋友的意見。

聽說你忙於為生活而寫作，這一定有苦有樂。無論如何，能夠多出作品，總是大好事，希望以後能夠不

44 林小姐，指林翠芬，前《明報》記者。

斷地讀到你精彩的作品。

祝

闔家春節康樂！

許良英

一九九四・二・十一 上午

剛才讀了劉賓雁為《陽謀》再版寫的序，發現在反右運動最關鍵的問題上，即究竟是誰扼殺「鳴放」要搞「反右」的？他竟附和當局偽造的歷史，說是由於十分之九高級幹部反對毛的主張！（見第九頁）這個問題，一九八六年我寫過文章，只要翻一下《毛澤東選集》第五卷，一九五七年一月在省市書記會議上的講話就很清楚。想不到劉還這麼糊塗。他去年在香港出的《中國的良心》書的文章也顯得很糊塗。

又及二・十一 下午

第二通

羅孚兄：

昨晚海雷的司機送來你三・二十九信和書、刊，謝謝。你說或將去他邦，是否去英國？我的大兒子成鋼五年前去倫敦，在倫敦經濟學院任教。

我們的地址是（略），以後給我信，可寫英文地址，這樣反而會快些！

你信中說給我的書係吳江所著，但送來的卻是李澤厚和劉再復的書。李澤厚，一九五六年我就認識他。他有點小聰明，政治上是個投機分子。文革時（一九七一年）曾給張春橋、姚文元寫效忠信，一九八三年「清除精神污染」時又給胡喬木、鄧力群寫效忠信。鄧力群當時曾要哲學所吸收他入黨，以後查出他一九七一年給張、姚的信才作罷。他的反對辛亥革命的論調，並非首創，不過拾余英時等人的牙慧而已。這個背景對你或許有用。

祝

撰安！

許良英

一九九六．四．十

華君武致羅孚信（一通）

承勳兄：

昨晚永玉處候駕未到，只好寄奉，怕犯郵規，另掛號呈上請正。匆匆。即祝平安

華君武

八七．三．三

寫罷信封，如果史林安改成史林兒，則可與門號相符。又及

編者按：羅孚住處房號為四〇二。

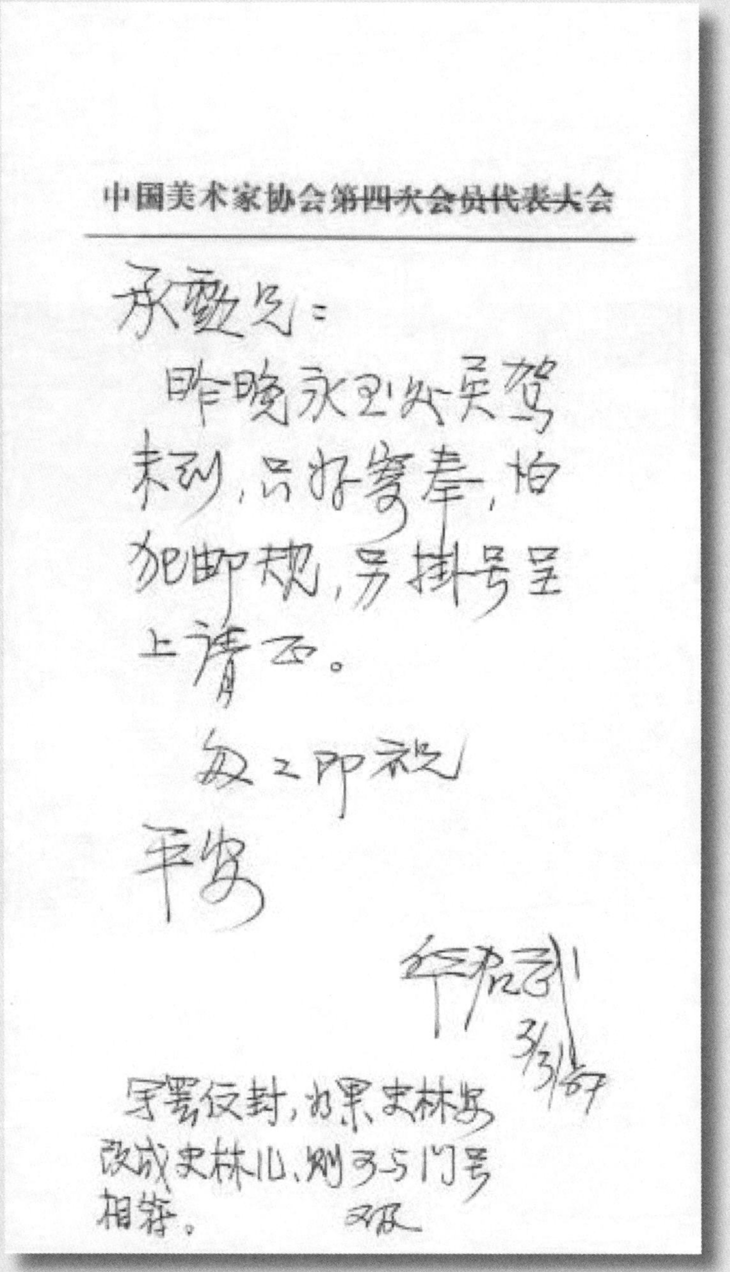

中国美术家协会第四次会员代表大会

承勳兄：

昨晚永玉以吴驾未到，只好寄奉，怕犯邮规，另挂号呈上请正。

匆匆即祝

平安

华君武

3/31/87

写错信封，如果史林安改成史林山，则可与门号相符。又及

華君武致羅孚信

1970 年代末攝於香港。左起：黃永玉、林風眠、华君武，羅孚。

姜德明致羅孚信（四通）

第一通

羅孚兄：

找到僅有的幾本《野草》，見第一期有史復的文章《男人們的心腸》，四六年八月十日寫於重慶，是有感於選「小姐」及「皇后」的。若是，我將複印後奉上。便中希賜示。

天氣稍暖，可來舍間翻翻舊書，其實我也是虛有其名，說不上藏書家，不過比不愛藏書的人多幾本稀見書而已。

勿祝

安好！

弟 德明

三、十一、（一九八八年）

第二通

羅孚兄：

自兄別後，很是想念。

上海早將紺弩全詩寄來，兄交我的雜誌也早已全部轉到范兄手中。只是兄借我的一本眾人合集《新雨集》尚留尊處，以後得便時再擲還可也。我已藏《新綠集》、《紅豆集》。

四川文藝出版社已將拙著《餘時書話》樣書寄來，我要送兄一冊，未知寄到此處可否？書印得不錯，全部道林紙，大開本，附圖百幅，可惜只印了一千五百冊。近編廿萬字的近作集一冊，已交出去。命運未卜，出書的意興淡然。

不久前去了一趟海南，又去了一趟青島。後者與祖光兄等同行，又宗江、馮英子、公劉、方成、舒婷、舒展、燕祥等，也是個筆會。

搬了新居，書還沒有整理好。舊書店也還走走，買了幾本線裝書。又江紹原自費印的一本書，上面寫有致知堂的一簡，時在二十年代。最妙的是胡適寫於民九的一篇序，竟是佚文，查遍海內外的胡氏年譜，著譯目錄索引和研究資料均無記載。

來函寄報社轉我即可，郵碼一〇〇七三三。家中電話是：略。若到京時，我當來府望吾兄。匆祝

近安

弟 德明

九三、五、廿三

又及

香港還有舊書店否？吾兄是否也去走走。前不久有人在《北京晚報》撰文，說到在港舊書店買到早些年海外印的徐悲鴻早期素描集，是徐氏託該書編者保存的留清素描，一直未印過。此亦可遇不可求也。

2011 年攝於《人民日報》內部餐廳。左起：羅孚、姜德明、方成。

第三通

羅孚兄：

接新春賀卡，得見永玉兄作素描，頗親切。

洛城華人雖多，然春節氣氛與國內比，相去甚遠。我居此兩月餘，因兒女上班上學，我與老伴不能開車，不會英語，除枯坐讀書外，甚苦。譚文瑞比我早來一月，近日通電話，亦云寂寞，決定提前返回矣！我但願能住到夏天，以便與兄一晤。但，若把圖書館的港台圖書讀畢，怕也要提前回國了。在此看了李醫生的回憶錄，並與譚老闆交換了讀後感。正在補看張愛玲、無名氏、張秀亞等人的集子，老伴則大看《傳記文學》。港台圖書雖多，待要看時也尋不出更多愛看的了。好萊塢影城、拉斯維加斯賭城及大峽谷都去過了，亦無興致再去第二次。因此京中故友時在念中，當兄居京時隔不多日大家總有聚會的機緣，並可海闊天空一番。行前曾去醫院看過夏公，又與宗江兄看了冰心、曹禺、荒煤（亦住北京醫院）。憲益的新居，我與燕祥去的，當然要喝酒。晚飯時乃迭一口未動，出於禮貌陪坐看吃而已。她不思飲食，令人擔憂！行前祖光兄說我住半年，時間長了點。不及親赴范兄處，只通了個電話。

在京時接茅兄寄我《敦煌夜話》，他很久無新著了。去夏京中有新波畫展，聽黃玲說茅兄有腿疾。若此日真語***，我關於葉先生的畫，至今無結果，茅兄亦有責任。這些事讓我聽後心裏很寂寞，但願聽到的都是些朋友們的樂事和好消息。

兄有新著仍望賜我，如面見吾兄矣。我有二書，分別交湖南、湖北，尚未看校樣。（一書曰：《閒人閒文》取退休後所作之意。）北京燕山出版社兩年多前要我一個計劃，一直無消息。近日忽然讓我交稿。稿子都在北京，明知我不能動手編，大概是「安慰賽」吧。我只好不回答。因想到另外一個設想，港地如有機會，望代留意。多年來，我保存了近百位作家給我的信件，如果全選的話書太厚了，如果每位作家選兩三件可編成十萬字的一本小書。當然，如有出版家喜歡作家手跡的話了，也可出影印本，那麼成本高，只能每人選一兩封了。近年出版的巴金、茅盾、俞平伯、曹靖華書信集，我已提供了若干件，此外還有夏衍、葉聖陶、冰心、孫犁、蕭乾、柯靈、郭沫若、駱賓基、丁玲、秦牧、新波、王冶秋、馮雪峰、艾青、黃裳、陸晶清、林淡秋、卞之琳、袁水拍、唐弢、廖沫沙、舒群等人給我的信，多者如聖翁、黃裳、蕭乾的近百封，夏公、巴金的也有幾十封，只能每人選幾件。包括亦代、憲益、小丁、苗子夫婦、祖光、宗江、燕祥諸兄的，真是洋洋大觀了。從保存現代作家史料的角度看，怕亦小有價值。我則寫個簡短的來歷作為序言，如何？當然，我這裏只是枯坐無聊，心血來潮而已。如無機會當作罷，實非必辦或急於求成之事也。即使可行，容我編好，抄就，注釋畢，怕亦要三、五個月的時間。我不過借此與兄在紙上聊天而已，萬勿認真。何況我也知道港台出書亦非易事，書店並非慈善家！

兄在京時無緣到舍下看我保存的小玩意兒，如沈從文的字，西諦自藏本，啓明墨跡，章士釗的書簡，張伯駒的對聯、許姬傳的詠梅氏詩，等等。還有錢君匋治印原拓、王蘧常的原稿，夏枝巢、夏承燾的信及詩箋等等。以後，我或許一一寫成小品札記以告世人。

匆祝

全家安好！

弟 德明

九五年二月四日

第四通

羅孚兄：

近接北京出版社之約，編一套「書話叢書」，第一輯擬選八家：魯迅、知堂、西諦、阿英、巴金、孫犁、唐弢、葉靈鳳。每本不超過廿萬字。兄編的三冊葉著六十餘萬字，選三分之一不到恐非難辦的事，論兄慨允。當然，亦得徵求葉中敏等家屬的同意，並問有否可補充的未收入集子裏的零篇，或收入過他集而未收三書中的有關書話。總之，想增添些新的，這樣對三聯的朋友也好説話，免得有甚麼版權之類的糾纏。其實當時與三聯也沒有訂甚麼合同吧，估計問題不大。這一次是要訂合同，並附（付）稿酬及編輯費的。

兄可選三書中篇幅較短，更像書話的那些，讀者面較寬的篇章，有關書*和藏書趣味的最好。我可補充六七篇未收入三集裏的書話。不知小思女士處是否還有資料。葉靈鳳是否筆名「藏園」，有一篇談歐洲古代木刻的文章，我一向以為是他的作品。擬收入。兄編好後可寫一編後記，一、二千字便可。全書不超過廿萬字為限。

我四月份自美歸來，一切尚好，常與舊友晤面。讀兄的近作已不易，不如在洛城讀的多了。

盼示並祝

全家好！

弟 德明

九五、八、廿九

陳丹晨致羅孚信（二通）

第一通

羅先生：

上月底承召拜見，意外欣喜。京港兩地相隔遙遠，真是難得相聚。平日雖常在掛念中，不若這次親眼看到您健康安泰，更是欣慰。順此，再次祝福您和太太健安。

後來，曾聽李輝夫婦說，次日您們歡聚十分熱鬧，可惜我去了上海沒有趕上。在上海，我把您的致意告訴了傅敏，他因操辦會議也很忙，向我要了您的電話，不知後來與您聯繫了沒有。傅聰沒有與會，但舉行了一場音樂會。傅雷的研討會本來是要開二天的，後來不知是何方神聖下令壓縮，減成了一天，主持者也有點緊張，唯恐出點岔子。其實，談傅雷逝世四十年，怎麼能避開他的死，又怎麼能避開「文革」，可見巴老生前抓住「文革」不放，反覆講有多重要，而有的人又多麼害怕別人提這個阿Q頭上的癩疤。但不管怎麼說，總算，上海及北京媒體幾乎統統用寥寥數語的報道敷衍過去的。

隨函奉上唐弢贈書目錄，是您讓夢晨寄奉的，再次向您問候致意。北京方面，您有甚麼別的事要辦的，請隨時來信示知，當盡心盡力去辦，請不要客氣。再次謝謝上次賞飯，祝

健安

丹晨、夢晨

二〇〇四．十．三十一

第二通

羅先生：

久未拜見，想您安好。夢晨近日來港，承蒙諸位前輩師友的關照和款待，使她與文學館同事能夠順利完成任務，他們非常感激，回來後，特別叮囑我向您致以真摯而衷心的謝意和問候。

記得許多年前，劉心武從美國訪問回來，帶回您賜贈的尊著。當時就想回信，卻苦於不知您的地址。問心武，他也說不清楚。後來，過了些日子，知道您回港居住了，但仍不知您的新址。後來，與顏純鈎兄通訊時，特意打聽您的通訊地址，承他賜告，不久又得悉您來過北京，參加聶紺弩的會，但卻又錯過見面的機會。所以，這次夢晨來港，又特地囑咐她一定要看望羅先生，代為問候。說實話，這些年來，確是常常想念您的，只是疏於問候，非常抱歉。前年我曾到香港中大住了一個月，不知為甚麼，我到香港許多次，這次心情最不好，幾乎沒有與朋友們聯繫，香港島一次也沒有去，臨行時給純鈎打了一個電話，沒有見面。給彥火打電話，他堅邀我到附近大埔他府上去坐坐。這就是我那次與朋友的交往情況。我遇到中大的朋友，情緒也不高，真是怪怪。但倏忽兩年又過去了，現在情況不知是否好些了，而我自己，還是那樣，懶洋洋的，打不起精神來。從「六四」以後，我不再上班，也就不參與文學界任何官方活動，連甚麼重點傳達，作代會，也都統統謝絕，我願意閉門獨處，想寫就寫一點。對我個人來說，我也沒有偷懶，一直堅持在寫。寫自己想寫的想說的。但不再聽任何「精神」、「口徑」，真的變成自在之物了。所以，文學界有甚麼活動，是看不到我的影子的。

但是，身在江湖，心裏並沒有忘記國家、社會。我還是留意看各種書報雜誌的，香港的事，我很關心。也許因為來過多次，對它有感情，所以很關注它。可惜資訊少，偶然看到《明報月刊》，我也常從那裏讀到您的文章、寶刀不老，思想仍那麼鋒利，文章寫得仍是那麼飄逸，真令人敬佩，但希望多多保重身體、不要太勞累。

……

謝謝您又賜贈尊著《南斗文星高》，我們兩人正輪流在讀。我最近有一篇介紹杜高的書的文章，可能在《明報月刊》近期刊出（如無意外）。原文寫得長些有四千字，他們略作了刪節，內地至今未敢刊出，其中頗多我自己切身感受的話。去年，我寫完一本小冊子十四萬字，是關於巴金回憶錄。今年正在寫北大回憶錄，如順利的話，希望明年能定稿。關於巴老的回憶錄，正請巴老家屬審看，怕有失實之處，爭取明年能出版，屆時奉送敬請指教。

拉拉雜雜，寫了不少，多多打擾，不好意思，請原諒。

敬頌

健安

丹晨　夢晨

○四．十二．五

蕭蓮父致羅孚信（三通）

第一通

羅孚兄：

我以避喘南行，現住北海。待春暖後始得返漢。

原呈此複印數頁，俾了解全書概貌。該書[45]為香港天地圖書有限公司一九八二年出版（楊公《銀翹集》亦此公司出版），想您或有熟人可託覓得此書。該書僅一百七十頁小冊子，拙詩為五律十四首，載該書一四六頁。譯者 Prof Phelps，從書的 Foreword 可知其學養。我於一九四七年在成都認識 Prof Phelps，他當時係華西大學外文系教莎翁的著名教授。他要我幫助他英譯陶淵明詩，故有來往。故曾抄贈他「峨眉紀遊詩」（該詩作於一九四六年春，時年僅廿二歲）。一九四九年後一律斷交。未想到他保存並選譯了我的少年詩作。此公返美後仍在大學教書，已於一九七八年病逝，享年八十四。又聽說他所譯陶詩選已在美出版，其中《閒情賦》可說是我與他合譯的，故華西大學八十校慶時我賀詩中有句：「傳來醫術人爭鑒，譯去詩篇韻最溫。」有此一段文字因緣，值得珍惜。故我對費氏此書如此渴求。此種心情，吾兄當能理解。

小遠已離開廣州社科院，將返北海或赴京。杜少陵詩所謂「庾信平生最蕭瑟」，果然。

我們擬在北海過春節，現住址：（略）

三月前賜示，均望投北海。

蓮 又及

45 該書指 *Pilgrimage in Poetry to Mount Omei, Poems selected* and translated by Dryden Linsley Phelp and Mary Katharine Willmott，（《峨山香客集詠》，費爾樸、雲瑞祥譯），香港天地圖書有限公司一九八二年出版。

第二通

羅孚兄道席：

音候久疏，時馳雲樹之思！上月抄離漢前，忽奉得曉明[46]轉來吾兄多方覓得之「峨山集詠」一冊，喜出望外，為之雀躍歡呼。此十四首少作，對我和文筠[47]已不僅是一組中英文字，而是失去了五十年的詩情、畫境、初戀、童心。定盦當時在「不是懷人不是禪」中「覓我童心二十年」，當不知是否真覓得；如今我們五十年風雨剝蝕之後卻失而復得，這是比甚麼都寶貴的精神家園之復歸。端賴吾兄古道熱腸，萐、筠寧不銘感五內！而最好之銘感方式是尊吾兄之囑，將此段文字因緣銘刻成一篇動情文字，稍暇當勉力為之。

又前年吾兄離京前曾留贈貴重禮物：紫砂壺與八寶印泥各一。可是老人之間如此珍貴的拈花一笑，卻不被重視。幾經周折，直到今年四月才由華中師大王幼平交蕭遠送到我手，且從無人告知。以致去冬我奉書吾兄，求代索「峨山詩」時，也全未提到。此實大不敬，思之益感歉仄於懷。文筠已將紫砂壺珍藏起來，作為傳家一寶。

蕭遠轉到北京營生。海青近況何如？去年讀到吾兄祝鮑一文，為之慨然。為避喘居北海，至明年三月後始返漢。

匆此不盡。敬頌

道安！

弟 萐 拜啓

十二月十六日（一九九六年）

46 曉明，即艾曉明，女，學者、作家、導演。中山大學教授。曾介紹蕭萐父和羅孚相識。

47 文筠，即盧文筠，蕭萐父夫人。

第三通

羅孚同志：

春節闔府安吉為禱！弟與老伴來瓊避寒，倏已月餘。小女萌曾攜外孫來此共度春節，雖了無寒意，然遙念蠶室，淒寂極矣。幸小女攜來翰墨軒惠寄漢上之「名家翰墨」十二月號「畫梅專輯」，鐵骨冰魂，青禽紅月，與老伴撫讀此卷，宛如羅浮夢裏遊，真足以祛忽忘憂。念及吾兄如此厚贈，高情隆誼，感激莫名！祈向香江朋友代致謝忱！

二月十二日訊，亦有可慰者，終有山高月小一景。不知羊城春信如何？

⁑曾寫詩箋二，塗鴉蕪句，託小艾轉呈，不知塵目否？小艾迄未來信告知，*有郵失事，殊掛念。

鄙地海南，曾參加海大與淡江大學合辦之儒學國際會，因得以環島遊。東坡貶居三年，離去時有詩：「九死南荒吾不恨，茲遊奇絕冠平生」。曾為至苦中作樂觀語，但亦非虛語。下錄拙詩，亦有此味：

雪鬢冰懷賦遠遊，飄然一葦渡瓊州。
寒凝大地渾忘卻，吟步荒崖喚野鷗。

海甸雲露育女英，甘棠歆拜冼夫人。
黎家吉貝寄紋美，傳到松江富萬民。

右瓊島行吟二首

泥塗曳尾説逍遙，化蝶詩魂不可招。
鑿竅豈能醒混沌，探珠何事怒緯蕭。
京山育木楩柟秀（指小艾等），南海掊風意氣豪。
轍鮒難忘秋水闊，緣洲情暖熨心濤。

右一律辛未元日書贈周偉民、康玲玲賢伉儷（小艾老師）。謹書陳博一粲，並乞正。

敬頌

春祺

蓮拜面 筠同叩

二月廿三日

李子雲致羅孚信（二通）

第一通

承勳同志：

連上數函，都未接回示，看來很忙。

有件事要麻煩您，我們最近收到一些香港、澳大利亞直接投來的詩稿，對這些作者我們毫無了解，不知應取何種態度。其中古蒼梧，我見到他經常在《星海》有文章發表，他的一首詩我們想發，您看是否可以？另有王心軍、王大鵬兩位，我們不打算用，不知他們在海外文壇的地位如何？政治態度如何？我們退稿時應取如何態度？此事只有向您請教，現附上我們詩歌組的要求解答的便箋，務必盡早覆示。

夏公已返京，他在此口授了幾篇文章，其中有一篇是為悼念瞿白音逝世一週年而作的寫其人其文的文章，約四千字，我整理好已請他過目，他打算除發國內上海的《電影新作》外，寄您一份發《新晚報》，您意如何？如需要，待他寄回後，我即抄寄。若您不需要，我就寄他處，亦望一併示知。

另外，我還有些事麻煩您，《開卷》今年第七期有一篇劉賓雁訪問記，八期有一篇於梨華訪問記，我想要。另外，於梨華返美後曾來信，仍說不日將她十四卷集寄我，決不黃牛云云，但迄今未收到。我懷疑她可能「黃牛」（因她去年來答應寄茹志鵑一些自己的作品，結果也未寄）。我九月份將請創作假，計劃寫評她的文章，但缺《白駒集》和《考驗》，而這兩本是她自己得意之作，必須論及，因此想請您代買《開卷》七、八兩期及於的《白駒集》、《考驗》。麻煩麻煩！

幾次寫信均未收到回音。我九月份請假，除為國內寫幾篇文章，償還一部份文債外，也想還您兩篇文債，您需要甚麼題目？

我想為您寫李黎及白先勇，不知您是否需要？也明告知，以便我統一計劃。月底或二月初開文代、政協，不知夏公錄音機能否託人帶來？如帶來，最好到廣東交洪遒同志。夏公下月去日本。

勿此

祝好

子雲 上

八・二十（一九七八年）

三位詩歌作者事因亟待處理，望抽暇早覆。謝謝！

第二通

林安先生：

您好！小馮[48]日前來上海打了一個電話給我，說您託他帶口信，以償還替人帶的美金遺失的債務錢不夠，您手頭有一些可先帶給我。聽後我好感動。感動的一方面是我被「搶劫」的事得到那麼多朋友關心，以致您遠在數千里之外都知道了，另外對您的心意特別感謝。現請您放心，替人帶的錢基本上設法補上了（採取了預支稿費的辦法，將來慢慢還），我這人是勞苦命，反正得做牛做馬去勞動——可我那幫朋友還說「塞

48 小馮，指馮偉才。當年代表香港中華文化促進中心去上海拜訪文化局。

翁失馬，焉知非福」，說不定這樣倒可以治我的懶病，可以多寫點文章呢！

見到柯靈夫婦（柯現在北京），他說您和范用同志原來要來上海，後因范公身體不好作罷，現還準備來嗎？歡迎您們來，如決定來早日通知我，我一定在那段時間不外出，在上海等您們，好好招待招待您們——我有一個拿手的節目，就是請您們到龍華寺吃素齋，那裏的素齋是全國第一，我請過的人，人人說好，當然也可以請您吃國內第一流的中餐和不錯的西餐。盼望您出來走走。

祝好

子雲 上

十一．二十八（一九八七年）

小馮未能見到，我當天想請他吃飯，但他與文化局有約，次日他就走了，這只好等下次再說。又及

司徒華致羅孚信（八通）

第一通

羅孚老兄：

《龔定庵全集》與《龔自珍》兩書，均已收到多時，遲覆為歉。情物並重，銘感莫名！

在收到《龔自珍》之先，我已從書店買得一冊，但無論如何，我還是很珍惜你的饋贈的。倘日後遇有同好者，我便把買來的轉送。

已粗略讀過《全集》中的詩詞一兩遍。讀得「十萬狂花如夢寐」、「胸中海岳夢中飛」等句的原出處，很是喜悅。龔另有「五萬情花入夢來」之句。對「十萬」、「五萬」之別，想了一想自以為是地認為：大抵有比愛情燦爛一倍地感情罷？

前曾承告知，「世事滄桑心事定，胸中海岳夢中飛」是梁任公的集句。我很喜愛此聯，因其甚契合自己此刻的心境：經歷了歷史的大轉折，今後的路向更為堅定分明，在理想中變得更為壯麗的祖國河山，仍時刻在夢中盤旋飛翔。

日昨在報上讀得你對我「十面承諾」題詞的意見，所說甚是，多蒙指教。當時沒有想到「軚」與「鞋」兩字字押韻，如有此發現，當會寫成「不移民，不轉軚，不變色，不擦鞋——故我依然，不變五十年」。因在粵語中，「然」與「年」較「然」與「變」音韻更近。

我寫出「依然故我」四字，有一個個人的典故。八七年夏，我到北京參加草委會議。會議提前半天結束，因而有一個下午的空暇，於是便有請車到天壇去，天下起滂沱大雨，雖有雨具，三數分鐘便全身盡濕，於是便請車子轉到聞名已久的琉璃廠。在琉璃廠買了兩幅字。一是中堂行書，寫的是「一塵不染，萬法皆空」，署名「鐵寶」，不知是何許人？另一是橫幅隸書，寫的是「依然故我」，連署名也沒有。在返港的飛機上，另一位草委問我帶在身邊的是甚麼。我告訴他是在琉璃廠買的字，還出了謎語給他猜，倘猜中了，便把字送給他。一幅是「天天洗面，天天打掃，實踐是檢驗真理的唯一標準」。另一幅是「五十年不變」。他猜不中，我把謎底告訴他，他聽了還是不大了了。回來後，家裏沒有掛的牆壁，兩幅字便送了給朋友。其實，我買的並不是那兩幅字，而是那十二個字而已。這十二個字，藏在了我的心裏。

讀了遊黃石公園的大作，甚是嚮往，未知將來是否也有機會一遊。我到過大瀑布和大峽谷，也許是近「仁」多於近「知」，對後者較喜愛。遊大峽谷時，坐的是小型飛機，在低空中看見那色彩斑斕，有如無限深邃的窄巷的峽谷，在谷底有溪澗、有翠樹、有人騎着馬在行走。不知怎的，我頓時聯想到，人類在大自然和大歷史的隙縫中的掙扎和發展。我還想到，假如不是在天上，而是在地面行走在谷底，所見的景色和感受，會是更為震撼人心的罷？

明晨帶領民主黨的「選舉考察團」到台灣去，這是在中國土地上破天荒舉行普選的地方，想此行當有所獲。

專此並頌

撰安！

司徒華

九四年十月三十日

第二通

羅孚老兄：

昨在《聯合報》的《半世紀見聞》，讀到您最近遇陳禎祥女士，可不知是否也見過陳哲民老先生？

我在四十六年前認識他們一家。那時我是《學生文叢》的熱心讀者，不時義務做一些送稿、校對的瑣事，常常到他們在灣仔乍菲道（即今謝菲道）的家裏。有人曾告訴我，他們是陳獨秀的後代，我一直半信半疑。後來，《學生文叢》停刊，我便再沒有見過他們了。

去年，在《新華文摘》上有一篇文章，談陳獨秀的後代，讀了不勝唏噓之餘，很高興知道陳哲民老先生還活着，而且還在香港，我託人打聽過他的下落，而且還到圖書館去找在那篇文章說他出版的科技雜誌，想從雜誌的通訊地址去打探他的消息，但都沒有結果。現在知道陳禎祥女士也來了香港，更是高興。

不知道您還有沒有機會再見到他們？如能見到，請代向他們致以深切的問候！倘方便，問一問他們是否還記得這一個四十六年前的小伙子。那時候，我因騎單車跌斷了右臂，纏着繃帶。我還和他們一起去過北角的賽西湖旅行，下山時，我單用左臂抱着當時是小孩的陳禎祥走。不知甚麼緣故，我對這麼久遠的往事，印象竟如此深刻！

我知道，這一封信是會麻煩您的。但是，雖然猶豫了好幾次，仍禁不住要拿起筆來。請您原諒！

祝好！

司徒華

九五年五月十日夜

第三通

羅孚老兄：

於報上讀得兄暢遊北美之大作，也引起了我的遊興，但未知何日方可有如此寬餘！

因緊接之三級議會選舉季，我已兩年多未有度假。上週趁選舉與立法局會議開始之隙，去了沙巴前後五天，藉以充電。弄取之餘，再讀了前所贈《聶紺弩詩全編》一遍，因「六月飛霜狗臉皺」一句，觸發了集句之興，遂得絕句三首。

1990 年代参觀黃永玉香港畫展。左起：許禮平、司徒華、羅孚。

胸中五嶽成平地，
六月飛霜狗臉皺。
今日毒愁刀火血，
頭天身在老刑天。

哀莫大於心不死，
相思一寸也該灰。
曾經滄海難為淚，
路上新苔掩舊苔。

手提肝膽輪囷血，
一笑心輕白虎堂。
萬里關山長路險，
起看天地色玄黃。

我讀點文學，純是以他人之形象來調劑一下自己終日的邏輯思維的生活，以作休息。時有感觸，又自忖無寫詩的才華，只好集句——以舊瓶裝新酒，以澆自己塊壘。至於那是怎麼樣子的塊壘，恐怕只如魚飲水。兄對聶詩體會至深，想或領會。

九七日近，越來越多認識或不認識的人都苦口婆心勸我離港。我單單想到，絕代才華如聶老者，尚遭遇如此摧殘，我只一普通人，又怎能「臨難而苟免」呢？

昨文聯會在尖沙咀文化中心側舉行活動，得便瀏覽了溫暉的畫展，睹原作，更覺其技巧高於意料之外。在留名冊上，寫了一句——「有花有刺更薔薇」，靈感來自聶詩「無花無刺也薔薇」，意思是技巧與內功相益得彰，使作品更為可人。

專此奉達，並候

道安！

司徒華

一九九五年十月二日

第四通

羅孚老兄：

我訂閱的《讀書》是國內版本，每期總是姍姍來遲，十一月份的，前天才收到。昨晚睡前，讀了王存誠的《為時代作證》，是談聶紺弩詩的。讀後很有啓發感慨。

該文說，讀聶詩要設身處地。竊以為，所謂「設身處地」，也就是該文同時說的「一個偉大靈魂的『苦難的歷程』」。

中國當代知識分子，可謂苦難一族。我幸未經此苦，然而設身處地，是受到了作好思想準備的教育的。該文又闡釋了聶詩中的反意，連皇帝也反了，這是一個新角度。我認為應有此意，這才符合聶老的風骨和作為一個傑出的雜文家的。

最使我銘心的，還是聶老對胡風的友情！

忙裏偷閒，聊幾句。專此並候

道安！

第五通

羅孚老兄：

十月卅一日，我應美國香港華人聯會之邀，前往紐約參加其第七屆週年大會。本月五日返港，即收到教協轉來所贈之《龔自珍編年詩注》，喜悅莫名，感激無既！

日前，我已記不得在那個專欄讀到此書之出版，既不知是否已運港，一時也未能抽空到書店去查問。您深得我心，只不過很有點受之有愧而已。

收到後，我立即拿來與手邊的《龔自珍詩選》（劉逸生選注）對照了一下，新著較詳盡。

司徒華

一九九五年十二月一日

四十多年前，很愛讀汝龍譯的契訶夫的短篇小說。那時候，平明出版社出了開度很特別的單行本，以其中所收的一篇篇名為書名，我陸陸續續地買了三十多本，只欠其中的一本《魔術師》，始終找不到，很以為憾。日前，在三聯看見一本《契訶夫小說全集》，也是汝龍譯的，立即買下了。但封面沒有汝龍譯者之名，《前言》也沒有片言隻字提及，我對此感到很不舒服。我不知有沒有誤記，以前的平明版似乎有注明是英譯本轉譯，此次的上海譯文出版社則說由俄文本譯出。稍後，在九月份的《讀書》，讀到李文俊的《想起了汝龍先生》，雖然對汝龍的介紹殊不詳細，但也給我一點點的滿足。又再一次想到，不知多少有志有才之士被扼殺埋沒了。這是我們民族多大的不幸啊！

專此祝好

司徒華

一九九六年十一月五日

第六通

羅孚老兄：

所贈《龔自珍編年詩注》，於極忙中，也忍不住擠出睡眠的時間，斷斷續續，匆匆讀了一遍。讀着，難免聯想起此地之近事，遂又得集句四首。茲奉呈，並祈賜教。

一

白日西傾只九州，魚龍得意舞高秋。
萬人側目千人諾，團扇才人踞上遊。

二

一笑勸君輸一着，美人捭闔計頻仍。
中門一步一荊棘，奇古全憑一臂撐。

三

且莫空山聽雨去，隔釜誰報雨沉沉。
照人膽似秦時月，撰杖觀濤得幾人？

四

我所思虧在何處？江東文隕少微星。
不容明月沉天去，東海潮來月怒明。

專此　順候

近安！

司徒華

一九九六年十一月廿一日

第七通

羅孚老兄：

我收到以「光華新聞文化中心」信封寄來的兩張同樣的照片。此外，無片言隻字。我猜想是江素惠寄來的，也許她不知道你的地址，其一是希望我轉給你。茲附上。

背景的對聯，經你在專欄介紹，知道原為錢鍾書先生所撰。「年光逝水」，我們都的確漸漸老了，而你更比我年長十載；「世故驚濤」，我曾經歷的只是微波，而你真真正正的越過駭浪。照片把這八個字攝下，我覺得頗有點意思。

專此布達，並候

近安！

司徒華　頓

一九九七年一月十三日

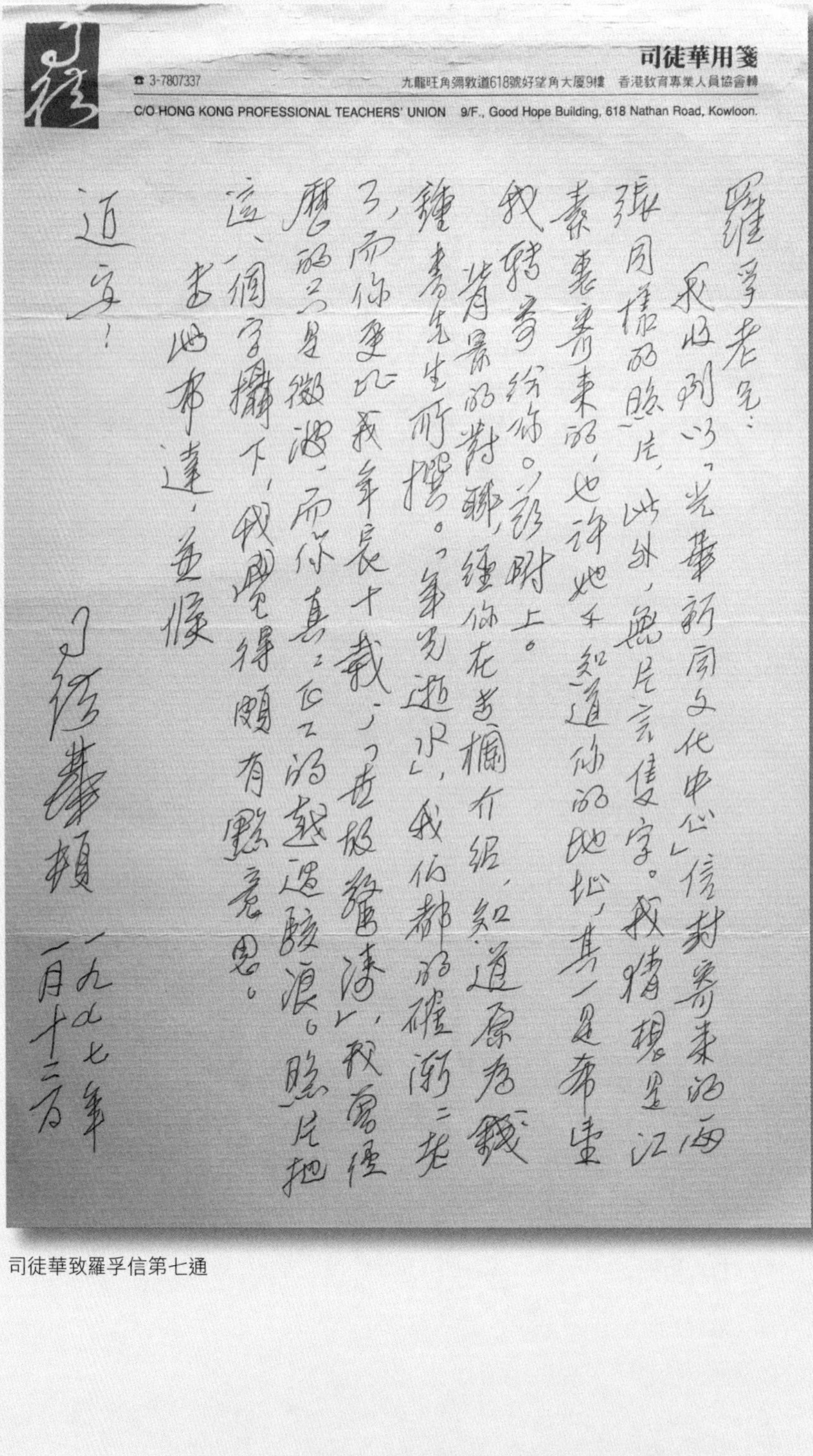

司徒華用箋

☎ 3-7807337　九龍旺角彌敦道618號好望角大厦9樓　香港教育專業人員協會轉

C/O HONG KONG PROFESSIONAL TEACHERS' UNION　9/F., Good Hope Building, 618 Nathan Road, Kowloon.

羅孚老兄：

我收到以「光華新聞文化中心」信封寄來的兩張同樣的照片，此外，無片言隻字。我猜想是江素惠寄來的，也許她不知道你的地址，其一是希望我轉寄給你。謹附上。

背景的對聯，經你在專欄介紹，知道原本是錢鍾書先生所撰。「年光逝水」，我們都的確漸漸老了，而你更比我年長十載。「世故驚濤」，我曾經歷的只是微波，而你真真正正的越過駭浪。照片把這一個字攝下，我覺得頗有點意思。

專此奉達，並候

近安！

司徒華頓

一九九七年一月十二日

司徒華致羅孚信第七通

羅孚與錢鍾書夫婦攝於 1980 年代。左起：羅孚、錢鍾書、楊絳。

第八通

羅孚老兄：

久違！於《明報月刊》，得見健筆如昔，慰甚！

我自九七年五月初，以二缺一接寫《明報·三言堂》，三日一稿，轉瞬已三載辦。這是平生第一次寫專欄。凡見報文字，一篇不漏而結集，至今不覺已有四冊：《捨命陪君子》、《猶吐青絲》、《胸中海岳》和《去尚纏綿》。茲託友人之子李正豐先生送上，祈不吝賜教！第五冊書名《悲欣交集》，預計可於春節前出版，屆時另寄奉！

側聞去年曾返港，以未能一晤為憾！

貴府電話，不知是否亦是傳真號碼？請告示。以便一時所需之通訊。我家電話是：（略），傳真是：（略）。

這兩年來，我天天游泳，健康較前有進步。貴體近況如何？多多保重！此祝

安康！

司徒華

二千年十二月八日

朱襲文致羅孚信（五通）

第一通

孚兄如晤：

《聶詩全編》日昨收到，至謝！

記得前月信中已談及，學林出版社曾寄來一冊，扉頁夾有「羅孚敬贈」打字複印之小紙條，既蒙再次賜我，擬由老兄名義送故鄉圖書館，諒能同意。（梁、陳兩先生在世時，具從我所請，每出一書比送故鄉圖書館一冊。該館經費太少，時下風氣所趨，寧可捐錢辦鬥牛、鬥雞，就沒考慮到捐錢給圖書館）。

整理先伯遺作事，碰上難以解決的困難，幾乎無一篇舊文不出現「**」。先伯的話，我尚可酌情補上，一些引用前人的話，由於出處不明，已無從查對。望老兄有以教我。

前月十七、本月十二之信，諒蒙過目，如能覓得《吳宓和陳寅恪》，祈賜！

元齡兄及黃偉林君均附筆問候！

剪報兩份，隨信奉上。

草草，遙祝

闔府安好

弟 襲文 上

四月廿三日（一九九三年）

第二通

孚兄如晤：

四月間曾託洛杉磯老同學轉寄一箋，料蒙過目。久未獲教，深以為念！但願您和嫂夫人起居如恆。週前至中華路獲知，令姐仙遊，天仇剛從岳陽返桂，廳裏懸着令姐遺像。天仇告訴我，您正進行化療，海星世兄已去看望您。默祝您早日康復！但願能再次在故鄉重聚！

桂市正在大範圍地進行舊城改造，主要是擴寬主要馬路，重建所有橋樑，水東門大橋將於下月中旬通車，比舊橋寬一倍半。從南站至十字街已基本完工，夜景相當可觀。

前月中旬，廣西師大等為紀念鄉賢馬君武先生一百二十週年誕辰，曾舉辦學術研討會，九四高齡地保之先生和我俱應邀參加，開得比較好，閉幕式在雁山舉行，並謁墓。市政協文史委編印《回憶馬君武》，舊文居多。我根據保之先生口述整理出一篇《永遠懷念我的父親》。保之先生老而彌健，忽動遊興。昨日已飛往新疆。此老曾問及尊況，我無以為應。

隨函奉上近照兩張，着紅衣者叫唐昇，是母校（桂中）近二十年來出類拔萃的尖子，一九九五年以廣西理科第一名考入清華，以六年時光完成了一般學生八年才能獲得之學士、碩士，先後被評為清華優良畢業生，獲優秀論文獎。美國五所知名學府及劍橋大學三一學院爭相錄取攻讀博士，免除學費，並許以高額助學金。唐君選中加州理工學院，日內即將由桂經滬飛美，此信即託他帶往南加州付郵。可惜您在北加州，否則我將託他面交。我想，他遲早將有到舊金山的機緣，屆時定將拜府。

龍華已退休，喪偶，已在南寧續弦（舊日同窗），目前暫住南寧。宗彥、襲明在溫哥華當爺爺，奶奶。我如常，少病，糊塗度日，無孤寂之感。

為闔府祝福！

弟 襲文於五里店獅子嶺陋室
二〇〇一．八．十三

杜宣先生（上海市文聯副主席、作協主席）和我時通魚鷹，老兄是否和此老（今年八十）相識？尚陽先生近曾探尋老兄近況，無以為告。（只告早已安返港島）

第三通

承勳老兄：

久疏箋候，料想嫂夫人和老兄起居如恆，從惠賜的賀年卡上的照片看，老兄氣色正常，只不過平添幾許白髮而已，祈善加保重！我結識的老中醫（近十來年已先後作古）都主張人到老年，菜餚務宜清淡，最好常年吃豬骨燉湯和以冬瓜、蓮藕、蘿蔔、花生仁、黃豆、黑豆等。雞鴨倒不宜常吃。時下不少老年人多飲豆汁，兼飲牛奶。有些人說梁漱老終年素食，我曾蒙漱老多次賞飯，見到此老吃雞蛋、飲雞湯而不吃雞肉。此老曾對我說過，是生理性的素食而非信仰性之素食。

來年九月廿三日是我們的母校百年華誕，校方已成立百年校慶辦公室，並已在網上發出第一號公告，將向海內外知名校友分發，辦公室託我分寄與我有聯繫的老校友，我說還是由辦公室分寄較好，老兄近期可望收到。在此，懇望老兄賜寄回憶文章和早已成書的大作，以存紀念，我認為最好是由我轉交。由老中青年校友及校領導組成之籌委會即將成立，目前正大興土木，屆時將行慶祝活動，海內外校友有的將回校參加，不卜老兄是否有翩然回里一遊並參加盛典之想？（廣西的中學只有母校有四位中科院、工程院之士，最近協浦中學出了一位，其他中學都是空白。）

老兄不久前曾到澳大利亞，估計曾會晤陳文統（梁羽生）校友，可否將有關母校百年大慶的信息轉告，希望這位梁大俠也能惠寄文章之類，以存紀念。

生於一九〇七年十一月十三日，九二高齡隻身回故鄉定居，每年分別在廣西師大及西大（南寧）對一批批碩士生義務講學的馬保之老人，元年初八猝然在昆明辭世。此老於除夕前一天由小保姆陪同飛三亞避寒、度歲。前兩天，還與我約定：「二月十號我回來，十二號來我這裏敘談」。萬萬未料到竟突然有昆明之行（由加州至三亞之女兒想遊昆明），抵昆明後就溘然長逝。此老為人厚道、謙遜、和藹，言談風趣，思維靈敏，記憶清晰（三年前，我出示一張五十年前在南寧與杜魯門總統特使，參議員諾蘭合拍的像片，此老即不假思索的說「這不是我為你們兩人拍的嗎？」）海峽解凍以還，為故鄉做過不少好事。近五年，每年都出國，來往於美、新（加坡）等地，我一再奉勸年事已高，不宜來回奔走，在故鄉講學就行了，此一老說「如果不經常走動，我就會生病，反而不自在」。前年還兩次問及老兄，看來舊金山之談給此老的印象不淺。加州的另外兩個女兒趕至昆明奔喪，護送骨灰回程，廣西師大、西大分別在桂舉行悼念，部份骨灰被帶往加州，部份將於四月二日安葬於雁山君武前輩之墓側，安葬費用由市府承擔，我看過設計圖，尚大方，屆時加州將回來一個女兒。

《章士釗文集》已過目，由於我提供了章行老在桂所寫的全部詞，章含之女士寄來一部（十冊），我大致翻閱後，已以章含之名義送圖書館，其後又得到《柳文指要》上下冊。

去年年底曾在南寧參加廣西文史研究館五十週年館慶（我於十二年前受聘），得知啓功先生已封筆，目前廣西的書畫界似無突出的人才。（啓老在桂時，看中龍隱岩中石曼卿一幅石刻，我以拓片相贈送，啓老回京後惠我對聯一副，立軸一張）

故鄉久已缺雨，灕江水量大減。

附上去冬與自京回里的倒兒攝於先祖父詩碑前之照片一張。（先叔代黃旭初撰並書之《重建八桂廳記》，舊城改造後，該碑已不知去向。）

草草不盡，順候

闔第安吉

請回示！

舊省府大門內，先叔代黃旭初撰並書之《重建廣西省政府記》已於十餘年前重見天日。

弟 襲文上

二〇〇四．三．一日

第四通

孚兄如晤：

乙酉新年將臨，向老兄和嫂夫人拜年！衷心地祝願你倆新年安康！並祝願闔府新年平平安安，吉祥順遂！

惠寄之賀卡在元旦前收到，老兄和嫂夫人的氣色、身體都比我想像地好，可喜可賀！但願今年能在故鄉面敍！（陽曆七月以前故鄉多雨，八月太熱，九至十一月是每年最宜人地季節。）

高興地獲知，不僅大作寫就，還邀請陳文統學長提筆，我已將此訊面告母校校長蔣平，囑筆致謝！蔣平，是川籍，年屆半百，與我甚熟。襲南任教育局副局長時，蔣曾兼任副局長。週前曾邀集少數老校友徵集有關校慶之意見，將出版百年之慶紀念冊，紀念郵票及明信片。組織各項慶祝活動等等。校友中有四位中科院及工程院院士，除與老兄同屆之李林（四光先生之獨女，世界第一個人工合成胰島素之鄒承魯院士的到。

夫人）已於前夏作古之外，其他三位都將回校參加慶典。我已將鄉賢梁漱溟老惠我之手跡作為禮品，龍華已將退休後寫成，人民出版社去春出版，裝印俱佳之《文藝復興的起源與模式》（二十四萬字、七十八彩頁）當作禮物送去。老兄之著作，也請賜寄！（請掛號付郵，也請賜我一份！）一些老校友已陸續將紀念品送到。

梁培寬、梁培恕昆仲，與我保持聯繫。十餘年前，我經手建成穿山公園之墓，目前正在改建。培恕兄所寫明報出版社三年前出版之《梁漱溟傳》，三聯原擬在國內重版，但對梁毛之爭建議適當改寫，作者未予同意。培寬兄今年已七十有九，正在編寫漱老年譜。

月初天仇公子曾宴請廣西師大王傑副校長及法商學院院長等，我應邀作陪。王傑與我鄰*座，託我代為向老兄致候。我曾表達老兄有回里之想。（王傑，年四十許，工作很認真，與我相識的幾位老教授對此君均有好評。）高勁目前正在物色對象。

近七、八年，我的家人已分散於京、石（家莊）、南寧、美、加、新加坡等處。龍華也在南寧續弦。

入冬以來，故鄉一直不冷，冬至以後，氣溫陡降，近日未見陽光，寒風更兼冷雨，室溫每凝固在七—九度之間，手腳每有僵感。

書不盡意。盼將紀念文章及早賜寄！敬祝

闔府冬安

弟 襲文 上

二〇〇五．一．二十一

第五通

乎兄：

此箋有三個目的：一是向老兄拜壽年，遙祝老兄長壽百年，甚而超過百年！二是向嫂夫人和老兄拜年，衷心祝願二老新年安康、吉祥順遂！第三個目的是問：從來示中得知，老兄又存了數千冊書，亟待辦理。我考慮後向故鄉圖書館館長透露，該館希望老兄以這批書相送。為此，去年十月十七日，該館十月二十七日先致函給老兄，遲遲至今未獲回示，盼老兄示覆！我則靜待回音！

去年十一月，我進行體檢，堪以告慰的是，血壓血糖血脂心臟等大體正常。

書不盡意，順候　儷安

弟　襲文於故鄉

二〇一二．十二．七

黃偉林託筆問候，他出席了全國作家大會。

我全家老少大致正常。

姚錫佩致羅孚信（四通）

第一通

羅先生：

很久沒有聯繫了，只是從電波中得知您曾訪美，想來早已回來，現在又忙於筆耕吧。

今寄上二文，未知能在香港發表否？一是朱靜芳的回憶，該文原有一萬二千餘字，包羅聶之一生，我看後刪去一半，只記朱所了解的聶出獄前後情況，突出獲釋之謎。現已交《人物》雜誌，編輯很感興趣，只是最快也只能在明年三月見版。她希望此文能在香港發表，特此附上照片一張。二是拙文一篇，也順便寄上，總之，給您添麻煩了。

前曾聽姻姪女講，您也曾為聲援他的哥哥席揚[49]而發表意見，我們很感謝您。

北京的外表日趨繁榮，但這一切也似乎離我越來越遠。我依然在傻幹。永江[50]本月底帶領中國電視藝術家代表團去美走馬觀花。我都很想念您和羅嫂。專此　祝

身體健康

錫佩

十一．二十六（一九九四年）

49　席揚，香港《明報》記者，一九九四年因將通過朋友取得的當時尚未公佈的中國人民銀行存貸款利率和中國人民銀行參加國際黃金交易決策等資料寫成稿件發表而被判刑十二年。一九九七年一月被假釋。

50　永江，即郭永江，姚錫佩丈夫。

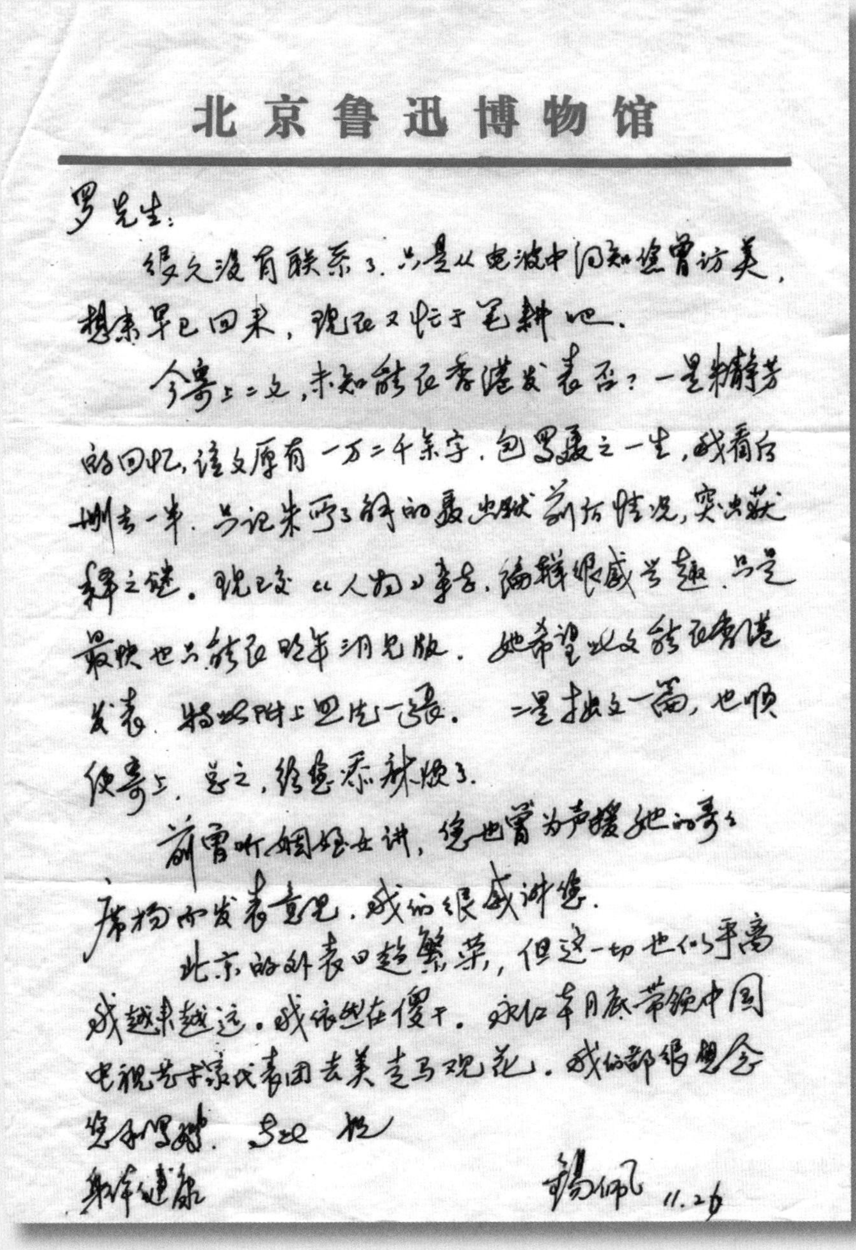

北京鲁迅博物馆

罗先生：

很久没有联系了。只是从电波中得知您曾访美，想来早已回来，现在又忙于笔耕吧。

今寄上二文，未知能在香港发表否？一是朱静芳的回忆，该文原有一万二千余字，包罗聂之一生，我看后删去一半，只记朱所了解的聂出狱前后情况，突出获释之谜。现经《人物》杂志，编辑很感兴趣，只是最快也只能在明年三月出版。她希望此文能在香港发表，特此附上照片一张。二是拙文一篇，也顺便寄上。总之，给您添麻烦了。

前曾听姆妈女讲，您也曾为声援她的哥哥席杨而发表意见，我们很感谢您。

北京的外表日趋繁荣，但这一切也似乎离我越来越远。我依然在傻干。明年一月底带领中国电视艺术家代表团去美走马观花。我们都很想念您和罗嫂。专此 祝

身体健康

锡佩 11.26

姚錫佩致羅孚信第一通

第二通

羅先生：

您好！

久未聯繫，春節前收到您的賀卡，又得見先生的親切面容，十分高興。畫像頗能傳情，如眉頭上多了幾分愁絲，是憂國憂民所致吧。望先生之達觀常在。

今年春節前後卻是我內外交困之時，永江的腿關節突然紅腫，疼痛異常，不能行走，一時不能確診病因，脾氣狂躁。我的視力也大幅度下降，白內障、飛蚊症、黃斑膜都加劇了，只得把所有的工作停頓，一心照料我家先生，內心雜亂，外表倒多了幾分溫柔。現在，他的腿關節尚未排除類風濕的可能，但股骨頭處有骨刺已確診，好在已能行走，只要不太勞累，尚無大礙。而我在這半年內，心已玩散，幹甚麼都提不起勁來。可是，雜七雜八的事仍很多，只得被推着走。去年冬和永江合作將賽珍珠的《大地》三部曲改編為電視連續劇，已完成第一部十四集，上海電視台和河北電視台擬聯合出資二百萬拍攝，如簽約成功，就得趕寫二、三部，這對已習慣用電腦寫作的我來說，倒有點發憷了，我真怕我的眼睛會毀在這電腦上。我玩了一卦，名為「既濟」，辭為「初吉終亂」，莫非這就是我客串電視劇的「好處」？還不知會出現多少亂子呢！

……

是前年吧，我曾寄一份朱靜芳憶聶紺弩的文章給您，一直無回音，是忙，還是未收到？後來該文在北京《人物》雜誌發表，台北《傳記文學》也發表了全文。

您曾告蕭銅先生不幸葬身於火災，我和郭永江聞之，感傷不已，人之生命，竟如此灰飛煙滅了，而他與你們來我家的情景，猶在眼前！

聽包立民說，您在九七後可能移居，若有新址，望告知。我很掛念您和羅嬸，請代向羅嬸問好！

長此

即請時綏

姚錫佩

五·二十三（一九九六年）

又：附寄《中華讀書報》一文，令我吃驚的是，他們竟用所謂的「友情」、「人情味」去剝削音樂家了。

第三通

羅先生：

沈鵬年文似在大陸未發表過，問了京滬等地關心周作人事者，都云不知，但對其中的一二論據，彷彿又似曾耳聞，可能沈在其他文章中也曾提及。我很想讀讀這篇文章，能否複印一份給我。

前不久，京城為八道灣拆除之事也鬧得很熱鬧。後經北京市規劃局會同北京文物局在一九九六年三月研究決定，保留這一魯迅故居。不料四月八日的《法制日報》及八月二日的上海《文匯報》又以記者採訪周海嬰的形式，對保留提出異議。我的已退休的同事江小蕙（江紹原之長女）寫了一篇文章，卻無處可登（大概有礙於海嬰之意見吧），為此我又想把它推薦給您，是否能在港地刊出，原文較長，我刪除了後半部份的建議等等，如還有不合適處，也請您代為斧正。

我又給您添麻煩了，請原諒！

長此　即請

文安

錫佩　九·九（一九九六年）

第四通

羅先生：

新的一年又即將來臨，特寄上賀卡，祝您全家康樂！

您寄來的沈鵬年文早已收到，並從范用先生處借到全文，提名為《周作人歷史懸案初探》，載《中外論壇》九六年第三期，該刊在紐約出版，北京有辦事處，香港未發表最後幾段，我本已複印好要寄給您，但因本人忘性太大，竟一時不知置於何處，後又匆匆去了上海約一個月，回來後又忙於修改一劇本，直到最近在清理東西時才找到複印件，想來您早已有了，不過，還是把這小半篇寄給您吧。

沈文的論據大都是很難考證的，其觀點亦屬不同的倫理觀。因屬一家之言，又集眾人之傳說，所以我建議陳漱渝和王世家在《魯迅研究月刊》上轉發，但他們未置可否。

從上海回來後，我收到海嬰的一封信，因為梅志告訴他，我認為海嬰對主張保留八道灣故居的意見應持寬容、理解的態度。海嬰在信中頗為誠懇地談了一些他「還沒有把握能不能在刊物上披露」的想法。我以為，站在一個曾受過周作人——特別是信子污辱的家屬的立場上，他的思想感情是完全可以理解的。因此，我也坦率地談了一個民眾和研究者的想法，周氏家族之恩怨之所以如此惹眼，正因為它已越脱了家族的範圍。研究者的看法，當不會獲得他們三家的一致認同。我日前正在寫的《倫理衝突下的周氏三兄弟》，就是一件吃力不討好的事，遲遲不完成的《周氏三兄弟》一文，還因為周建人與當權者的關係，恐怕也很難為當局通過。（當然還因為很難的得到第一手的材料）。只得慢慢來吧。

……

就此打住。祝

新年好！

錫佩

九六・十二・二十

黃裳致羅孚信（二通）

第一通

承勳兄：

久不通消息，前奉隨筆數則，不知已清覽否？冬夜檢書，忽見有馬瑤草故事一則，亟錄呈。如前文未刊，可補入也。*將易歲，草此候

節禧！

弟 裳奉

一月廿九日

凡兄同此不另

第二通

承勳兄：

際垌來，攜來惠書，拜悉一是。「香港」一書，早已奉到，且即拜讀終卷，深以為佳。年來寫香港之書不少，皆無此才情筆墨也。年來時於南來友人處得知近況，優游暇日，文酒過從，深以為慰。海上殊少友朋閒談之趣，深感寂寞。近來已久不作文，只繙讀故書耳。周作人談話發表後，即有人反駁，但非關主題，弟已別撰一文，交《讀書》，不知能發表否。命寫舊詩，塗一紙，請哂存。詩字皆不成氣候，可笑人也。

兄地址已失去，故此信請范用轉，暇時可賜一信告知尊址。近出小書兩冊，或可奉陳，但皆是港版舊書重刊，想兄皆已見過了。

匆此　即頌

夏安。

蘿軒箋前曾見過，不知近尚有否。當過市一觀，如能得，當奉寄也。

弟　黃裳　頓首

五月廿日

錢伯誠致羅孚信（一通）

承勳老友吾兄：

謝謝代轉梁羽生先生信，頃已得回函，並附來致兄一信，茲特奉上，請*收。溽暑京滬皆同，諸*珍攝是幸。

匆匆不一，即頌

文安

弟　錢伯誠

九二・七・二十一

杜宣致羅孚信（一通）

承勳兄：

昨日得電話後，即託人去找資料，據說發表的，大約只有這些。並特寄上，請收閱為盼。此次在港承足下、敏之、克林[51]諸兄召飲。一別近卅年，能有此暢敍，誠為一大快事。感此。我於一月二十日返上海，但二十八日即因心動過速（一九四跳）入院，目前出院，春節在醫院中度過。

今年為抗戰勝利五十週年，也是我們這一代的崢嶸歲月。你應為此多寫出點佳作。春寒料峭，呵手作書，草率草率。

專此並頌

闔府大吉祥！

杜宣

三月六日（一九九五年）

51 克林，疑為克夫之誤。克夫，指黃克夫。

邵濟群致羅孚信（一通）

羅孚前輩：您好！

昨日收到您六月十七的來信並高旅先生遺著二篇，謝謝！

我即就此二文轉告在京的家姐及弟，未知他們是否收有，我確是未拜讀過。他們也都見過高旅先生，我則無緣。不過，「文如其人」，讀了這兩篇回憶文章也如見到高旅先生。可以想見，那時，包括聶紺弩和張天翼先生等，一大批這樣正直進步的、有才華又有朝氣的年輕人聚在一起，同甘共苦地生活工作，為一個光明的新中國而奮鬥，是多麼美又多麼令人感慨的事？我一直認為，雖然這次是紀念荃麟的百年，我們實際上是在紀念一批與時代同時成長的革命青年。他們有過缺點錯誤、有過幼稚簡單，生活道路坎坷不平；他們富有人性，也有豐富多彩的人生，然而絕不是那種以自我為中心的人性和人生。雖然他們現在多已作古，但這筆精神財富卻永遠值得後人學習繼承。

這次的紀念集是以紀念荃麟百年的名目申報的。雖然如您所說，葛琴與荃麟只差一歲，然而專門回憶葛琴的文章這次恐怕不便收入。您也知道大陸上的事還總是要當局批准的，字數上又有些限制。或許明年會有機會也不一定。好在許多追思荃麟的文章裏也多有提到葛琴之處，本來荃麟與葛琴就是很難分開的。

這裏謝謝您紀念荃麟葛琴的心意與文章。待紀念集果真出版後，定當奉寄給您指教、留念。

王存誠是我的姐夫，他和我姐姐一起聯繫編纂這本紀念集。

您於八十五之高壽仍學習電腦，令人佩服。上次送您中文電子郵件，因用不同的中文軟件，不知可否閱讀？這次我還是以航空郵件寄您好了。

順頌夏安。

小鷹（濟群）

二〇〇六年六月二十八日

羅孚致周健強信（十二通）

第一通

健強：

信和稿都收到，讓我慢慢處理吧。先帶上「美立廉」之瓶給你，轉給胡老。近年記憶力衰退，我已記不起在京時是聶老還是你託過我這件事，既然來信提起，就照辦了。這藥恐怕要按照醫生的囑咐去服用才好，不要亂吃。希望他早日勿藥！如有他新的消息，請你及時寫信告我，供我發表或不發表而只是參考。信到時，潘際坰伯伯已經北上，問過有關同事，說並未留下你的稿件，想來你也見過他，當面談過了。你和聶伯伯、聶伯母的照片，也託潘伯伯帶來，不知收到了沒有？匆匆，祝好！

羅叔叔（承勳）

八〇．十．十七

第二通

健強：

聽說你回原單位，為你可惜！但處於精簡時期，也無他法，實在不巧，只有等以後的機會了，只要在文學工作上有進步和成就，不怕沒有機會的。一切在自己的努力！

先寄一份今天出爐的你的大作，同時刊出的還有三耳文章，你佔鰲頭他包尾，也可以自豪了。可惜無「白色花」詩人照片，只好把扉頁印上充數。

餘再談，匆祝
全家好！

承勳 上
二、十八（一九八一年）

第三通

健強：

三草已出，先寄短簡報喜，日內當可收到書也。

今晚飛英旅行，旅途中再寄信。此時已無暇詳談矣。祝
全家好！

承勳
六、二十一、下午（一九八一年）

第四通

健強：

沒想到會收到我這封信吧？沒想到我已經基本上恢復自由了吧？沒想到我會搞出這樣的事情吧？……事情是確實的，性質是十分嚴重的，我受到的待遇是非常寬大的，我已經在七一前夕獲得假釋，目前住在海淀區雙榆樹南里二區三號樓五門四〇二號，一個人一個單元，每天有人來替我做飯，生活費每月八十元。我可以自由活動，別人也可以隨時來我這裏。這幾天，我去看過畫展，到過親戚家，也有親戚來看過我。由於天熱，人事上今昔有異，我不想多走動，只是閉門思想，閉戶讀書，準備寫作——此是後話。慢慢地也會安排我一點工作，有關的人說這不必急。

一年多來，我也是受到優待的，住在招待所，吃得好，睡得好，身體也好。還比以前胖些了。

考慮了幾天，要不要寫信給你和聶伯伯，終於還是決定寫這封信（聶伯伯的住處只記得是勁松區，你的但望沒有記錯），想到有些欠你的事，總要慢慢清理，就還是寫了。也希望你告訴聶伯伯我近況如此。

我的住處離友誼賓館很近（見附圖），離你的住處就遠了。如果有興趣，你可以在任何晚上來坐。除了星期天到親戚家，基本上我不去那裏，除了上午十點鐘以前出外散步，白天我都在家，晚上就更是了。如果先寫信通知何時來，那就更可以萬無一失。不過，十四到十八九，我家裏的人將由香港來看我，我在城裏的時候就多了，你能把電話寄來，我就可以在她們的旅館打電話給你。

我的戶口名字是史林安，寫信寫這個，找人找老史，記得不要弄錯。

如果能向聶伯伯要一本「散宜生詩」更好。那天看張大千畫展，去了朝內大大街，人民文學出版社盤貨不開門，沒有買到。祝全家大小都好！

羅伯伯　七．八（一九八三年）

第五通

健強：

收到一本第七期《讀書》，猜想是你寄來的，但看信封的字跡卻不似出於你之手，也許是託人辦的吧。前幾天我在報刊亭買了一本第四期「人物」，已經看到這期《讀書》，當時心想，看完了「人物」再買它吧（我這以前已買了第六期），沒想到這卻省下來了。

我們去過兩次中關村，還沒找到新華書店。去過一次香山，在新華書店中買不到「鄧小平文選」，過兩天也許進城到王府井去看看。可能也沒有了（我兒子去過一次）。不知道你有沒有辦法？

我們去過一次香山，主要是看了香山飯店。貝聿銘的設計不錯，清雅大方。海星已回去了。羅嬸嬸住到下月上旬才回去。

天熱，不大想出去。聶伯伯的住址便中盼寫告。我們那天雖跟你去過，我卻不記得具體的街道和住處號碼了。

祝好！

史叔叔　八．二十（一九八三年）

第六通

健強：

打過一次電話，答以未來。想來如非出勤，必係偷懶，是耶非耶？

見人手中有第十二期《新華文摘》，報刊亭早有第十二期《讀書》，我則均未收到，可能寄者已改變主意，不送了。便中請代購十一、十二兩期《文摘》及第四期《新文學史料》為感！《讀書》我可自買，報刊亭似無售《文摘》者。此事不必問寄者。

嬸嬸有可能提早歸來過春節，因第四小孩忽有假期，可以同來。如港中如有事要辦，可寫信與她，寄「香港銅鑼灣天后廟道新東方台十二號樓三樓」即可。「三樓」不能寫阿拉伯數字之「3樓」，照港中習慣，3樓就是四樓了，依序而上，是地下（即一樓）、1樓（即二樓）、2樓即（三樓）、3樓（即四樓也）……

收到一賀年片，下署「耕夫」，字跡蒼勁，疑係三耳，但又覺其未必有此閒情耳。

祝你全家新年健康、愉快、進步！

史復　八三．十二．二十九

第七通

四姑娘：

「晚來天欲雪，能飲一杯無？」那天正式小雪天，卻終於無福消受友朋飲啖談笑之樂，也是暫不得已之事，希望這個「暫」字，真是為時甚暫之暫。欲飲輒止，也許是我的多慮，但目前似以多一事不如少一事為宜也。

昨天偶然想到，三耳伯伯還有一首自壽詩我沒有和，白天去醫院時路上想了一想，晚上湊成了這樣的八句：

詩意全無一舊交，讀君奇句亦堪豪。
庸人傳已勞湘女，肉食家仍覓舜韶；
荊楚青空縈夢寐，後前赤壁豈焚燒。
據床猶自揮神筆，未老黃忠是寶刀。

第一句你是聽他說過，見我的面就沒有詩（其實他以前寫過四句，說這話以後續成了八句，即那首「不七尺軀雄前夫」）。三、四句寫到了你，第四句是孔子在齊聞韶三月不知肉味的故事，借用舜韶，說他希望朱正寫傳。五、六句是湖北人的應景之筆，前後赤壁賦的黃州赤壁其實都沒有火燒過。最後是黃苗子曾說，他在床上還能洋洋萬言地寫東西，真不容易。

第一句也作「詩意全無亦可交」，第二句原作「讀君奇句我堪豪」，原意是自誇眼力，後來一想，近於為出書表功，所以改了。

上次和的一首，記得你還未看過，現在也抄在這裏：

流水行雲任所之，自由主義智如癡。
忽聞*店二鴉筆，崛起騷壇三耳詩。
壽當三萬六千日，人似炎黃虞夏時。
原學爛柯千載奕，是甘是苦自家知。

第二句原來是「自由主義大如斯」，七、八兩句是「願學爛柯山裏術，與君千載決雄雌」。自以為原來的好，但「斯」和「雌」不是原來的韻腳（雖然同韻），這就是「和韻」而不是「次韻」了。

三耳伯伯處我還未把第二首寄去（日內就寄），先抄給你看，也算為你的事鳴放了一下。匆匆，祝好！

史叔叔　八四・二・二十四

第八通

四姑娘：

有一新件要交蜜蜜，仍須勞你轉交，並告她立刻處理。

所有諸件都不宜「曝光」，過問之際，請「醒目」一些，不被察覺，以免不便，拜託了！

因趕時間，所以不便交海星帶，他回去時已過截稿之期，故不得不麻煩你。

《回憶錄》四本、掛曆二件，是海星帶回給你的。

盼你能趕得及帶回一本《烏托邦》給我。

一路順風，路途愉快！

羅叔　六・一（一九八四年）

第九通

四姑娘：

由於對《江城子》這詞牌不熟，今天翻了一下《白香詞譜》，居然沒有查到，再翻《唐宋名家詞選》，卻有新的發現。

五代的歐陽炯有一首：「晚日金陵岸草平，落霞明，水無情。六代繁華，暗逐逝波聲。空有姑蘇台上月，如西子鏡照江城。」最後一句有「江城」，有「西子」，說不定《江城子》是他這詞首創的。

翻下去五代的和凝有兩首，抄一首吧：「竹裏風聲月上門。理秦箏，對雲屏。輕撥朱弦，恐亂馬嘶聲。含恨含嬌獨自語：今夜約，太遲生！」最後是「今夜約，太遲生」六字句，比歐陽炯的「如西子鏡照江城」七字句，已經有一字之差。

使我感到自己靠不住的，是它們都沒有分上下闋，就是這麼短短的一節小令，我昨天的意見顯然不對了。

再翻下去，卻又回復了信心。蘇東坡也有兩首入選。抄它一首「西城楊柳弄春柔，動離憂，淚難收。猶記多情曾為繫歸舟。碧野朱橋當日事，人不見，水空流。韶華不為少年留，恨悠悠，幾時休？飛絮落花時候一登樓。便作春江都是淚，流不盡，許多愁。」這都是上下兩闋的了。上下闋字句一樣，是重複一遍的調子。而上下闋的最後一句都是六個字，和和凝的相同。

看得出來，《江城子》在演變，歐陽到和，最後一句成了一字，而和到蘇，又變成了上下闋。

《遊子吟》那首應是和東坡同調，記憶中分開的兩段連起來讀，詞意才完全，因此我的意見恐怕還是對的，兩段是一首，不是兩首。

另一抄件的《如夢令》（或《調笑令》），你把「何日揚帆歸舟」改「歸渡」，我把它改成「何日歸舟對酒」或「縱酒」，都不好，不如改為「酹酒」。毛主席不是有「把酒酹滔滔，心潮逐浪高」之句麼？

便中請了解一下，商務有沒有羅素文選或傳記之類，還有一本《愛因斯坦論人生》不記得是三聯還是商務出的。如有這些，盼各買一冊。《愛因斯坦文集》以前買過就不要了。這些都不是我要，而是建議你作為禮物，送與吾家新娘子，這樣你就不必再為甚麼禮物操心了。

我這顧問到底還是答覆了你的問題。也補充、修正了上面的問題。

全家好！

林安上　八五．六．九

第十通

健強：

蜜蜜又來問二事：一、那本書的內地版會不會運到香港賣？二、到底收多少稿費？我已主動要海星答覆：一、內地版不會運港賣；二、接受稿費千字五十港元的辦法。

如和你們的答案不符，請即電話告知海星。

上次交你的是一百五十，並非二百。有一信和錢留海星轉你，小強去時他卻忘了。他說，本週甚忙，下星期有便你再去取信吧，或將電話聯繫，他人在，才去取信。

祝好！

羅叔　八八．六．二十七

第十一通

健強吾弟：

這是學彭詩人的口吻，由於要談幾句詩，雖然所談是舊體，並非他的新體。

那首七律，實在是不高明的打油，不過是應制（奉命文學）兼應酬（說來不敬）之作罷了。匆匆而成，急於獻醜，其實還有待推敲，家人可傳閱，以博一笑，行家就不必了。聶伯當然例外，在他面前不怕醜，說不定還可得指點而改正；也許還另有收穫，他也想到要贈你幾句。

「庸人大志焉非福，妖后元兇定不詳」是需要改的，「妖后窮奢紀不詳」似乎好些，紀就表示寫作。不過「紀」和「焉」對不上（焉也可改寧）。「煮字今朝添壽字」，也可改「添一壽」。將來想定了，當試用毛筆，另寫一張。

你那天談這個週末來。後來想起必須告訴你：我的生日是一月廿九，即上週三你過生日的前一天。你不要以為是十日，我早已不用舊曆折合了。但歡迎你週末如常來，如常招待，沒有特殊化。要特殊一點，就等春節到府上吧！

史叔　二月四日

第十二通

健強：

春節將臨，祝平安、萬福！

今年的新年、春節你們都是在新居中過的吧。我們在北京的時候，你們還沒有搬家，現在當然已經一切子。

就緒了？可惜我們去年在北京時你們一切還沒有安排妥當，不可能參觀你們的新居，也沒有機會看你們的孫

這一次金融海嘯對你們有書名影響沒有？中國當局已經採取了好些重大措施應付，也包括了房地產方面的措施。你們的新居在何處？

當年來京，惜未得晤。我們先去渝、蓉後到北京，在重慶時曾赴附近的江津一遊，參觀了陳獨秀的舊居；是陳晚年借住鄉紳的住宅，房子甚好，但他卻窮愁潦倒，生活困頓，他死在當地，葬在當地，現因托派問題已經解決，墳墓已遷回故鄉安徽，舊居空置，開放參觀，所拍照片，作為賀年片之用，圖中除我夫妻及海星外，餘為親戚。照片中為陳塑像。

再一次祝平安、幸福！

羅孚
吳秀聖
○九、一、十八。

丙輯

徐鑄成致羅孚信（十一通）
徐盈致羅孚信（四通）
唐振常致羅孚信（四通）
羅孚致唐振常信（一通）
王文彬致羅孚信（一通）
蕭乾致羅孚信（五通）
文潔若致羅孚信（一通）
李光詒致羅孚信（一通）
譚文瑞致羅孚信（一通）
譚秉文致羅孚信（一通）
陳偉球致羅孚信（一通）

徐鑄成致羅孚信（十一通）

第一通

絲韋兄：

讀七月二日《島居雜文》「徐鑄成喜獲改正」。老友深情，浸透紙背。你把我當作「本師」，更使我汗流浹背。回憶當年，疎懶成性，還帶些「家長」作風，對新鋭後進，未能及時作必要的輔導，比之季鸞先生的循循善誘不如遠矣。

大文有一點得自誤傳。我其實是一九五九年九月就首批「摘帽」的，並非「一年多以前」。當時，新華社還發了專電，把我列為「改造好了的……」第一名。

照常理，既然「改造好了」，應該可以一視同仁「咸與維新」了。而實際卻遠非如此，「帽子」飛了，帽「痕」宛在，緊箍咒越念越緊。當時有個熟諳聖經的領導説，只有世界徹底改造，無形的帽子才能「不翼而飛」。這話，曾嚇出我一身冷汗。當今之世，誰敢説自己的思想已徹底純化了呢？像畢生努力革命、行言一致的好總理，還説要改造到老呢，何況我們這些曾裹過小腳的人！聽此讜論，只能望洋興嘆，沒齒無望了。

「摘帽右派」，是被剝奪了言論權的，已發表過的作品，也要銷毀。你大概還記得，陳凡兄為照顧老友，約我寫稿，從六二年到六五年，我在港《大公報》曾寫了不少稿子，是改署了「容齋」、「丁寧」等筆名，有些還用了我新出生的孫兒的名字「時霆」，可見是不合法的，是瞞「天」過海的。

所以，「帽子」雖只戴了兩年，「褫奪」公權，載入「另冊」則有二十年。直到四人幫粉碎，清算了極左路線，我才得以暢所欲言，寫一些東西。自然，塵封了這多年的筆，不能流暢，也無文采可言了。

所以，説「一年多以前」也差不離，我開始解凍，是在兩年多以前，而兩年多來，像一旦可以放聲高唱的老藝人一樣，興高采烈，埋頭寫了六十多萬字，連多年的宿病，血壓也不高了。它也以「行動」表示對極左路線的厭恨，和對四化事業的擁護。

你說：「問題在報，也在人」。一點不錯。所以，古人說：「是故擇業不可不慎也」。去年，上海越劇界紀念她們當年結成十姊妹反抗邪惡勢力。而十姊妹中，迄今還有八位健在，只有筱丹桂在解放前夕被流氓逼死，竺水招則在十年浩劫中被四人幫迫害自戕。

新聞界的遭遇，就遠比她們慘烈了。別的不說，一九四九年開國前的全國政協大會，新聞界的代表是十四人。五四年以前，惲逸群、劉尊棋兩位首遭冤屈；五七年，我和儲安平在劫難逃，楊剛自殺。十年浩劫中，鄧拓、金仲華兩位慘遭殺害，胡喬木、陳克寒、張磐石、徐邁進四位被扣上「走資派」帽子，受了多年的磨折。總算一筆賬，這十四人中，受迫害而死的已有五人（鄧、金、楊、惲、儲），受迫害而熬過來的有六人，只有一個依附過林彪、四人幫，兩個老報人則巧於趨避，未受波及，還一直成為名流。

於此，可見這個職業的危險性了。

正為你所說的，現在是雨過天清氣爽了。我最近曾在一次會上表示，過去的舊賬，都將付諸東洋大海。今後，我決不消極吸取教訓，從此「安份守己」，盡說空話、套話，唱唱八股，做一個風派，而還要敢想敢說，認真做一點事，為四化為祖國盡其綿力。否則，對不起人民，也對不起朋友。

我年過古稀，還有甚麼「餘悸」可悸。這是可以告慰老友們的。

老報人王孚國兄（前《新聞日報》編輯主任）近贈我一長詩，起句為「百鍊成鋼筆，千錘不壞身」，結句為「芸芸無冕輩，高潔有幾人」。我是愧不敢當的，對於三十年來國內的新聞界，則是很概括的總結，我以為。

匆此問好。

徐鑄成

七．十五　上海（一九七九年）

第二通

絲韋兄：

前信發出後。三十多年前的往事，就不斷閃入回憶中。大概因為老兄是桂林人，我們又是在桂林結識的吧。想得最多的是桂林那一段生活。

你大概還記得，我那時一星期中至少要進城兩三次，多半是赴宴。我剛從香港逃到桂林時，一個朋友故意給我游揚，說我的酒量大得很，是「香港酒家」，這一下，給我找來了無窮的災禍。每飲，必成為「敬」酒的目標，而且他們似乎已很快就摸到了我的「吃軟不吃硬」的脾氣，自己先乾了一杯，杯子合在我面前，「你看着辦吧，稍稍沾唇也可以，反正，我的敬意是盡到了。」我在這反激之下，不得不舉杯仰頭一飲而盡。

這有名的三花酒是很有後勁的，步出酒家時，十九已酩酊大醉了。怎麼辦？如果在香港，那很簡單，僱一輛的士，回到報館，休息過把鐘頭，再上班。那時的桂林，下鄉卻無任何代步。第一，當晚非趕回報館不可，而且要趕寫一篇社評。第二，回去只能「獨立自主，自力更生」，靠自己的兩條腿，這都是「鐵定」了的。

過東江橋不遠，就折入一片荒野，但還隱約一條小路，也偶有一盞光如鬼火的路燈，還不時從省醫院等處飄來了一線燈光。到了祝勝里（看這個名稱，就知道是抗戰以來形成的村落），就彷佛行船到這裏要起岸一樣，要另加裝備，花五分錢（天曉得是五角、五元、五十元還是五百元，反正就購買力來説，相當於現在的五分吧），買一盞紙燈籠，撿一根竹棍。這樣，才一步一點地走入小徑，然後是溪上小橋，山邊峭壁，戰戰兢兢地走着，有時還傳來怪鳥的啾鳴，還會聽到山後響起的狼嗥。最後穿過一段從亂墳堆裏踏出來的一條曲折小徑，到了星子岩下的《大公報》。

還要振作起精神，看已到的新聞稿。並翻閱你已為我準備好的材料，寫好評論。審閱稿件，直到最後一版截稿，才倒下床頭，放膽酣睡。

這段回憶，很給我啓發。經過十年浩劫，我們真也七顛八倒、爛醉如泥了。但是大敵當前「亡我之心不死」者，大有人在，我們別無其他選擇，只有憑自己的兩條腿（當然，也要有一盞燈和一根棍子）完成這新的長征，為了子孫萬世打下富強的基業。

這裏最主要的一點，是非完成不可的信心和決心。

你以為如何？

鑄成

七．十九（一九七九年）

第三通

絲韋兄：

前記桂林的夜行經歷，還該補充一點。

我那時的唯一嗜好，是學唱京戲，每次進城，必先到榕湖邊上的「風社」票房，向莫敬一先生學一兩段，一字一句，推敲約歷兩小時。

在醉態朦朧的回程中，也不忘邊走邊哼，等到哼完了所學的幾段，報館也在望了。

解放以後，怕這「勞什子」太糾纏人，下狠心把它丟開了。但因此養成了眼高手低的毛病，對時下的演出，輕易不予首肯。

四人幫垮台後，舊京劇又復活了，我多半在電視裏欣賞。只有幾次是去劇場，看過張文涓和蘇州京劇團的「李慧娘」。

毫不誇張地說，我被後者的藝術所「風魔」了。特別是演李慧娘的胡芝風，她以梅派的藝術，吸收了北昆、梆子乃至芭蕾的各種特長和表演手法，真把這個嫉惡如仇，死了也不罷休的美麗女神演活了。

上海的文化局，大概頗有點地方主義，只分配他們在偏遠的小劇場演出，而他們兩次來上演，觀眾人山人海，三四小時的演出過程中，觀眾如醉如癡，浸沉在高度的藝術享受中。

後來我才知道，這位年輕的藝術家（也四十多歲了），原是南洋中學的高材生，考進清華大學，入工程物理系讀了兩年，因醉心藝術，輟學專攻京劇，拜梅蘭芳為師，難得的是她學到了梅氏的苦鑽細磨的精神，一齣「李慧娘」，大概總精雕細磨了十年多吧。從劇情、身段、唱腔、服裝、音響、舞姿，都不斷創新，力求符合藝術真實。

因為是先後同學（論清華班次，我恰恰比她早三十年），她曾來舍訪晤。最近，接到她的來信，說他們離滬後，先後至大連、青島、濟南演出，很受各地的歡迎，盛況還超過了上海，已接到北京的邀請，準備十月間到首都演出。

她信上還說：「我們一個地方劇團，要到京劇的故鄉演出，不免又驚又喜。還要不斷練功，不斷磨練，應不負首都觀眾的熱望。」

聽說，美國方面，已有人邀請他們去演出。

你一定會相信我，不是為了同學關係，給他們作義務宣傳。

鑄成

七．二十（一九七九年）

第四通

承勳同志：

接讀手書，雖在意中，亦出意外，不免喜極而涕。

常言道：「常在海邊走，哪有不沾鞋。」況是奉命常涉足海濱，此潘漢年同志所以冤屈長眠也。幸逢三中全會以來盛世，所以雖有有力者從中媒孽，而在不長時期內即獲「刑滿」恢復一切應有之權利，實應為吾兄額手慶祝，亦為你的子孫輩慶賀。

自得知兄由穗赴京以後，即斷絕「寄語」的寫作，新晚副主編曾來滬要求續稿，即加婉拒，所以表示「人去樓空」，無語可繼矣。

前年克夫抵京，確有聯袂造訪之意，而年老出則需車，又行期匆促，是以未果。陳凡之「瘋語」，一笑置之，蓋原其受人操縱也。

至弟所存稿費，弟亦無賬目，只當兄遭回祿，同付一炬可也。且弟七九、八〇之際，叨惠甚多。區區損失，更不應計較，累及後輩。

冒兄為弟久已心折之文友，其詩格一如紺弩兄，而文則清麗多內涵，耐人尋味，已即轉交文匯。但今之文匯，一如港之文匯，雖同為弟開闢草萊，而對弟一如「廖公」評語之「尊而不親」，換言之，並無甚麼實質的影響，所以弟近年作文，幾乎不在兩文匯發表，所以冒兄文能否如期刊出，不可知，好在舒諲大名，編者應熟識，弟細閱此文，頗覺清新、生動有綿裏藏針之妙，不知果能賞識否，好在弟介紹此文稿，即申明為不準備採用，務必及早退還作者（告以地名）。冒兄處務望告以一切經過，並代陳景慕之情，今年十二月民盟將開中全會，屆時當覓車造訪吾兄並拜訪舒諲兄。

去年大聲兄過滬，弟適與老伴同遊江浙諸勝，他曾特地打長途電話至宜興報，適弟已轉赴湖州、杭州，不及一晤，而近年屢讀其通信，覺其文采及新聞敏感，更勝昔時矣，可喜。

弟去夏曾患小中風，經及時治療，加以自我鍛鍊（太極拳），已逐步恢復。而近年《明報》文已少寫，國內除不得已應酬之作外，亦力加約束，因醫生說我心臟血壓均正常其他亦無病症，原因在體力精神太緊張，「超負荷」（病前曾每日一文），所以極力克制自己，希望多活幾年，及生能看到民主與法治真正輸入中國四化能及早實現也。

餘容續談，即頌

暑祺

尊夫人祈問候並致敬，老伴屬筆致候。

鑄成 手啓

八・二十一・八六

第五通

承勳我兄：

別甫半月，而變幻萬端。

弟一切已準備好，機票已訂三日下午班，（票已取來），禮物亦由家鄉運來紮好，不料廿八日高天來滬，偕談家楨來訪，說接閻部長通知（自穗），說《新天》公開刊出弟半年前致陸鏗信（並附有「新刊」登載之弟文），認為卜等並無誠意，許第一亦認為不去為宜，民盟費公亦同意，主張六月間改在國內祝壽云云。

弟深感報國無門，對以後各節，則意興索然。

去電良鏞等兄，則說：「內子進院，兒輩堅阻勿赴港，未能踐約為憾……」等等，對國內說話，均照此「口徑」。

弟十四回滬後，看到港《新晚》忽捏造刊出弟一文「一代報人張季鸞」，完全顛倒事實，說張一向受黨尊重，並說張對蔣之清黨曾竭力反對云云。這種不尋常的惡劣作風，（弟自兄去職後，從未有片言隻字投「新晚」），顯有挑撥作用，弟已有預感前途之不祥。少夫粗率，果中其預謀，來此魯莽舉動（他當然不會想到有人如此卑劣地捏造）果使事敗垂成。

請速轉告文葆同志，如「張傳」尚未寄港，即請改寄弟處。否則，寄給胡菊人他們看看亦好。

專此，即頌

近綏！

弟　鑄成

二日（一九八七年六月）

第六通

承勳我兄：

惠函奉悉。揑名寫文公佈，惡劣殊屬少見。於理應訴之法律，但事涉猛人，勢力通天，有人一再勸阻不必「家醜外揚」，弟亦投鼠避器，損害「富連成」名譽，殊亦不忍。可悲者，如此大為機會，為小人破壞，甚為可惜耳。

弟仍定下心來，寫「八十自述——自編年譜」已成三萬餘言，寫到二七年跨進大公大門，開始接觸張胡之頃。估計全文將逾廿萬字，擬在一年內寫成，恐過此則記憶力衰退，有些經歷記不周全矣。

近接朱琴南侄來信，囑早為其叔之文集作序。正在構思文稿，寫好後或擬複印一份請兄指正其細節。

弟身體粗健，老伴入院動手術後已完全恢復。本月小孫時霖入京，曾囑其趨前聆教。

專此，即頌　暑祺

舒諲兄及諸友好祈代問好

世兄道好

弟　鑄成

五・二十六（一九八八年）

第七通

承勳吾兄：

柯靈帶來尊翰及雜誌兩冊均收到，並奉讀吟草，不勝今昔之感。

我一向身體粗健，生平從未住過醫院，今年九月中，在一次政協的納涼晚會上，大概受了些風寒，忽急性支氣管炎，到醫院檢查，即扣住不放，破天荒住了三個星期醫院，現在出院已四十天，遵醫生勸告，我出院後即完全戒絕香煙，因為再未有痰咳，也算壞事變了好事。

《紅岩春秋》內容甚豐富。抽暇當遵囑寫些短文。你寫的喬冠華也拜讀，我和他也曾有交情，讀來更感親切。

承問的兩個老人：羅吟圃，廣東人，曾任《星報》（孔出錢辦的）副總編，而言論有風采，有稜角，最為人所稱道者，陶希聖由淪陷區到港，十分活躍，儼然抗戰英雄，經羅在《星報》撰文，借一由陷區來港之老人之事跡，加以辛辣諷刺，陶乃鎩羽赴渝，由張季鸞介紹，投入陳布雷幕府。

唐錫如，是我的宜興小同鄉，曾由人介紹，入《天文台》，因看不慣「台主」之醜惡面目，即憤而辭去，後不知其下落如何。

如見到時霖，望轉告其寫信給我，因家中長久不接其家信，甚繫念。

鑄成 手書

十一．二十四

第八通

承勳吾兄：

惠函奉悉，小孫造府拜謁後，亦以電話告我。

「從一萬號至三萬號」宏文，弟亦已見及，竟有廿六年新記大公創刊之初，季鸞先生曾函邀其參加云云，弟屈指計出，彼才十六歲少年身，真可謂有特異功能之神童矣。

弟同意你的看法，從中破壞，端為自爭為嫡系傳人，實可笑之至。

朱琴可文集序已寫好寄往桂林，茲將原稿附陳於後。

本月二十五日，民盟中央會同《文匯報》將在滬為弟祝壽，由錢偉長伉儷及談家楨伉儷參加主持，民盟中央還有多人想來參加，有關方面亦參加，弟十分惶恐。

匆覆，即頌

暑祺

舒諲先生祈問候

鑄成　十六日

第九通

承勳吾兄：

在京歡敍，迄今懷暢不已，承盛筵款待，並送珍禮，甚感故人情重，得見兩少君玉樹雙璧，侍奉周至，尤為欣慰，舒諲兄文章道德，久所欽敬，此次得以訂交，為平生快事。

別後即於翌晚抵家，一路平善。第二日即參加市委宣傳部之幹部討論會，聆聽部長之發言、號召，足見

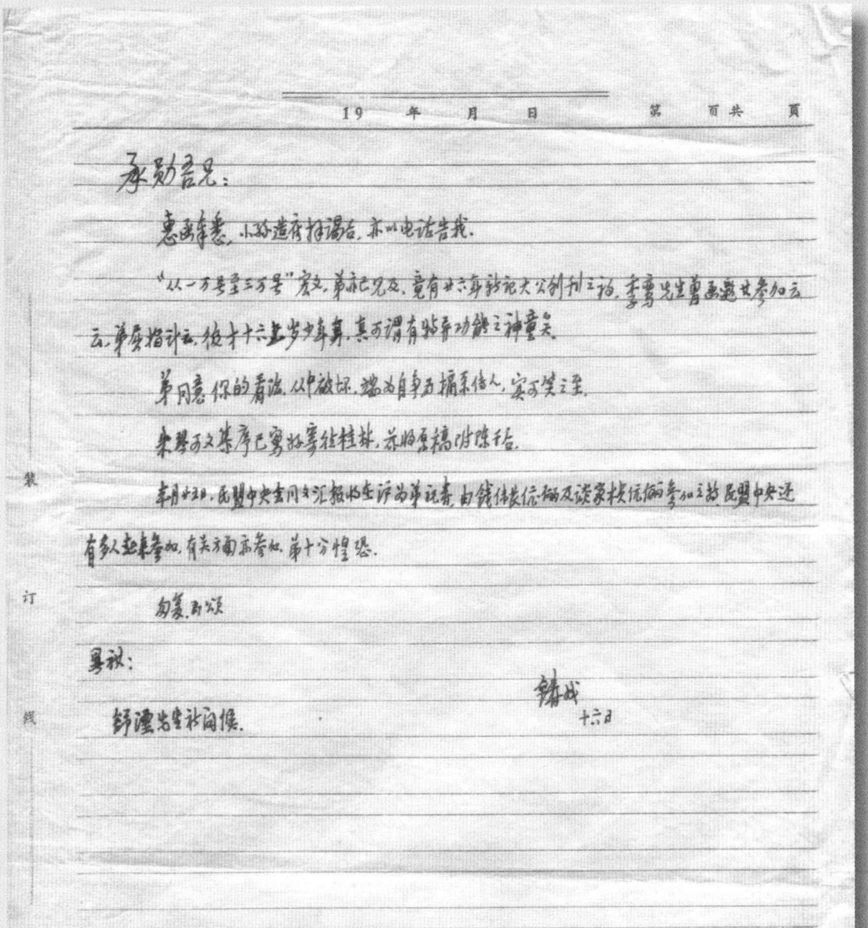

19 年 月 日 第 页共 页

承勋吾兄：

惠函奉悉。小孙遗存拍谒后，亦以电话告我。

"从一万号至三万号"一文，弟亦已见及，竟有廿六年前记大公创刊之语，季鸾先生曾函邀其参加云云，弟爱指斥云，彼才十六岁尚少年耳，真可谓有骀荡功能之神童矣。

弟同意你的看法，从中破坏，端为自争而搞垮他人，实可笑之至。

来琴可文集序已寄好寄往桂林，并将原稿附陈于后。

本月廿五日，民盟中央与同文汇报作生评为弟祝寿，由钱伟长、侯外庐及谈家桢、侯仁之等参加之故，民盟中央还有多人要来参加，有关方面亦参加，弟十分惶恐。

匆复，即颂

著祺：

舒湮先生祈问候。

铸成
十六日

装 订 线

上海纸品一厂出品 16开 双线报告纸 (81.4-12) 30克 打字 302-45 (3152)

徐鑄成致羅孚信第八通

中央意旨，一起貫徹之速，而近十日來，正氣勁吹，變化之速，使人難以緊跟，弟以老邁耄耋，可不到之會概不參加，可不寫之文，概不落筆，以期頤養晚年，少動腦筋。

聞政協三月底開會，弟當勉力參加，則把晤又不遠矣。

昨日晤談家楨同志，告訴近得大聲兄來函，云四月中即抵港，為弟祝壽事具體聯繫，好友熱情，令人感奮。香港各報，對國內近事評議熱烈，可以想見，文匯似較聰明，頗有好評。滬上看報及出版社，近來忙於轉蓬，令人有手足無措之感。

專此，即祝

新春百福，闔府安吉。

冒兄均此問安不另

弟　鑄成

一．二十二（一九八九年）

第十通

承勳同志：

又多月未通音訊，想近況安適。上月得易錫和信，彼亦了解京中情況，我的「書簡」仍寫，不過年邁事多，數量已遠不如前，少夫為「新天」[52]四十週年約稿，弟亦徵得領導同意，寫一稿去祝賀，藉為兩岸通氣。

民盟開中全會，弟定廿九日下午飛京，可惜下榻京豐，且會期不過十日，但無論如何，必要一車入城，到尊處訪問，並訪問冒舒諲兄，以表久仰之忱，日期大約在下月初的星期六或星期天。那天還定赴中關村

52 「新天」，指卜少夫主編的雜誌《新聞天地》。

（黃莊）看望我的大兒，所以在尊處時間不能太長（有一長孫攙扶）。如吃飯，亦望力事簡單，兄知弟不吃魚蝦牛羊肉，只要白菜、肉片燉一砂鍋足矣。

弟到京後，再函告電話如何聯繫，最後確定拜訪日期。陸鏗兄常來函，友情依然。

專此，即頌

儷祺

徐鑄成

二十日（一九八九年五月）

第十一通

承勳吾兄專覽：

閱港報，悉海星已釋放回港，可賀可賀。吉人天相，安知非福。

上次林翠芬來訪，曾勉湊舊聞，寄《明報》數稿。現因年邁，足不出戶。見聞閉塞，確感有「江郎才盡」之嘆。或至明春政協例會期間，再盡綿力了。

弟雖年邁，最近檢查心臟、血壓均正常，眠食也如恆，可告慰遠念。小孫時霖常有信來，道及尊況。

尊夫人處，祈便中問候，即頌

近綏

鑄成 手啓

十·六（一九九一年）

徐盈致羅孚信（四通）

第一通

勷兄：

貽平兄見告，兄已到京。友誼盡在咫尺，但亦無緣拜謁。唐人追悼會本可見兄，又以車子不順，到達時兄已去。告別會後，晤德潤，請他致意。請向俠文兄代為致意。見到啓平兄他說即返港。

子岡仍未能照顧自己，因家中如寒窯，只好求得進了一家醫院。遠在東郊，係首都衛戍區醫院，軍事化管理，不得無「因」探視，這樣，也就簡單多了。我沒有汽車，也不易到達。她心情平靜，聽說唐人的死，係因看國際球賽而激動致死，她說，她不會這樣。

兄與啓平購一電視，實不敢當。因弟也買了一個，不必重複。當由啓平兄另作分配。費公由館方代送一病號車，極感。

鑄老過訪，談及兄的精彩表演。卜少夫的槍花，說不定我兄真能應邀去台也。台灣《中國日報》社長丁維棟（?）亦在重慶《國民公報》及《大公報》工作過，好像當時就是通過曹谷老派來的。

鑄老還說，陳紀瀅寫《大公報》的第三本傳記，就是鑄老的。

匆匆轉祝

體健。

弟 徐盈

十二日（一九八二年）

今年雙十二，四十五週年，要紀念一番。

第二通

承勳同志：

我為《新晚報》寫了一篇短稿，配合科學大會用的。多年不寫上報的稿件，筆澀，不必勉強用。

朱森教授之死，是二陳與朱家驊鬥法的犧牲品。手頭沒有舊報（只有一篇剪稿），只能含混的提一提。今天地質界還有李四光、翁文灝兩派的人，不團結，我寫這篇的用意，是這一方面。今天有用武之地，想一想過去的血腥苦難吧。（附去舊報一份）

港報文章，應有其特點。二十多年，不見港報，只能慢慢摸索吧。

敬禮

日內還要寄去另一短稿。

徐盈　三月十四日　安

第三通

承勳我兄：

在醫院中，蒙您送我有關香港的大書一冊，我受益匪淺，十分感謝（國內還未見介紹）。

我返家後，身體略好，但又跌了一交，現在還不能走路，怪在自己，不說別的了。

我翻出抗戰末期你編的《新生代》十二期，印得不錯，願意送到您手一冊，如你不便進城，請告我一聲，我可寄給范用兄轉你。如何之處，盼告。

順致

敬禮

徐盈拜　一．六　八七

第四通

羅孚兄：

《文匯報》副刊（一月五日）轉載了您的《曹聚仁在香港的日子》一文，如見老友。文筆謹嚴，沒有一個虛字。（《讀書》雜誌出面介紹，一定轟動文壇的，我卻未及早見）。進城有便，到西四北六條三十四號來看看我如何，吃個家常飯，還有條件。

子岡一病，進入七年，現已植物化了，無法應付。有個好保姆照應她。我仍在文史委員會作「統戰」文章。餘不一一。專祝健康！

弟徐盈

一月廿一日（一九八七年）

最近，由周雨兄出面編兩本有關《大公報》（抗戰時期）的集子。

唐振常致羅孚信（四通）

第一通

承勳兄：

二十餘年未晤，竟得三談，快何如之！

遵囑寄上拙文複製件，請閱正。擬加一副題，尊意以為何如？寫稿時原擬寫此副題，一時忘了。複製時重閱一遍，文章近乎不痛不癢，然自忖是如實的。台灣分館改為分銷處，亦未始不可。尊書出版時，尚望賜寄一冊。

此件收到，尚望賜告。還寄舍寓（地址略）。

何時能蒞滬一遊，甚盼。

專此　即頌

著安

弟　振常

五月十六日

第二通

承勳兄：

手示得。

余秋雨筆墨官司事，如此了斷最好。前已聞陸灝言及。兄文措辭得當，余當無言。弟與余相識，唯從未與之談及其與陳西汀（兄文誤寫為程西河）糾葛事，中間又插入何滿子與鄭拾風的文章，更增複雜。聞余所謂告《明報》者，實是做個樣子給拾風看也。

經往社科院出版社查詢，未曾出版過「陳獨秀傳」，只數年前出版過陳修良所寫的潘漢年的小冊子。現航空寄上，請收。陳修良大姐（其夫沙文漢）與潘相熟，但為文多憑記憶，史料往往不實，此書亦有此弊。數年前一位青年寫了一本潘漢年傳，曾以打印本贈我，不知後來出版否？其打印本我也不知放置何處去了。上海《聯合時報》連載《潘漢年與董慧》，也寫得不佳。潘漢年妻弟董偉林為弟老友，居港，搜集潘之材料至豐，如有機會，當為兄介紹也。

我或將於九月份到港，尚待港大邀請信到來。如成行，不知我兄是時在港否？至盼一晤。拙集《饔飧集》新出，此次京行將樣書全部送罄，無一冊攜返，待所購書寄來後，當寄奉或攜港面陳。

專此，即頌　普綏

振常　拜

五月廿二日

第三通

承勳兄：

託胡曉明帶來手書早得。此君由港返貴陽，將信寄與陳子善兄轉弟處。據告兄帶與柯之雜誌均被收去，至於賜弟之書，胡至陳信未言及，不知吉凶。日前胡到港，談書無恙，得以妥收，謝甚，謝甚。此書曾敏之託杜宣帶我一冊，雖得，而未細閱，即交杜了，頗憾。今得兄賜，喜同新見。

《中國文化》文何以至今兄方得見？該輯出版之前，弟即告編輯部寄送兄處，編輯部亦告港中華寄送了，何以遲遲如斯？殊不解。此文所寫皆由衷之言，非溢美也。兄才如斯，弟所深佩。今以高齡，猶日揮美文多篇，即此可見弟所言非虛。日寫專欄多個，看來也只有在競爭激烈，生機盎然之社會方可形成。鐵板一塊如內地，殆不可能。弟屢被商務陳萬雄兄所逼，為港《商報》寫一專欄，大約五六天甚或七天一篇，今已歷一年，雖寫而未斷，然已感力竭矣。

約兩月前，令揚兄曾有電話，計議邀我赴港一行，今無消息，計當有困難。不行不足惜，只憾不能與兄尊一醉也。

如有新作，盼賜。其他書刊，雖所願觀，然不知書界狀況，無從提名也。弟前出有關上海史論文一冊，以裝幀過劣，不願以之示人。另一冊小書，一二月後或可出書，當寄奉。

此信收到後望賜數字。

專此。即頌

儷安

並問敏之、克夫。

振常

二月二十四日（一九九五年）

第四通

承勳兄：

返滬後，即患感冒，倒並非因為滬港之冷熱迥異，而起因於上海之熱超過香港，接着大寒所致。其結果是佳節滴酒不能飲，何憾如之。

已寫信告慎之，告兄擬為之出詩集，今得覆，謝辭，原信附上，看後便知端的。我估計是其詩恐多犯忌語，如在港時所說悼克林詩，「羡君騎鶴上天去，勝似屠門握殺刀」句。他信中所云遊黃山詩曾抄示，亦多同此類。又曾錄示其寄胡喬木詩及胡之答書，詩中亦有犯忌之詞。所得者，他抄錄了你所未曾覓得的聶紺弩贈詩。他要《聶紺弩詩全編》，如有，可寄（地址略）。他問你的地址電話，我將抄寄，並抄你的FAX號碼。但不知他明年赴港時你尚留港否？

在港行前曾與楊範如通電話，可惜匆匆未能與之一晤。範如見告，頭一日她和你及郁風夫婦曾聚會……（略）。

此信收到後望賜數字。我還是想得到那兩本有知堂製版信的書。陸灝家有FAX機，號碼為：（略）。如有急事，可託轉。

專此。即頌

著安。

並問嫂夫人、敏之、克夫。

振常

二月二十一日（一九九六年）

慧華附筆問候

羅孚致唐振常信（一通）

振常兄：

新年收到傳真，轉眼就是半個月了，九七已過，虎年將來。初時未細看，以為你還在香港，再看，才發覺是上海傳來的。如今真方便，方便得真是「天涯若比鄰」。

此刻我又可以像問鄰居一般地問你了：《文匯報》為甚麼要和《新民報》合併？合併的正面意義大還是負面的意義大？前幾天才看到這個傳聞，昨天就有人問我，我實在答不上來。初步看，兩大結合，實力增強，應是好事，合併後有日晚報，有雜誌，可以成為一個極有實力的集團。《文匯》現在除了《讀書周報》，還有別的甚麼？《新民》是沒有附刊的吧？

我因此想到另一問題，《文匯》、《新民》儘管也曾為當局所不喜，但還是讓它們保留老招牌，沒有砸得稀巴爛，何以《大公》就非砸爛不可，不讓它翻身？老的一輩編者、作者、讀者都走了，《大公》這老招牌就更沒有人想要它復活了。

你離港回滬後，香港《信報》上曾刊出胡績偉學習十五大的一篇文章，分三天登完，為胡、趙鳴不平，不知《信報》是如何得到的？不知你已經看見過沒有？我曾看過一個錄影帶，好像是為李銳做壽，在北京文采閣聚餐，群賢畢集，慷慨陳詞，很有可觀之處，不知你曾看過沒有？

傳真詳談張紫葛其人、其書，但有一惑我們未解，即劉再復何以一再著文捧他？你們的文章出來以後，他還捧之不休，更不用說沒有更正這以前的捧場文章了。難道他一篇也沒有看過批張之文麼？這不大可能的。

近來曾見黃裳兄否？陳凡既逝，更念此君，偶翻舊照片，有我等三人遊淺水灣留影，為今天已是三缺一矣。見面時請代致候，請他保重！

匆祝
春禧！
嫂夫人好！
秀聖附筆問好
八日忘了，九日始傳

承勳　九八・一・八

王文彬致羅孚信（一通）

承勳兄：

聽說您已回港，很好！

去年，我十一月來京，因未帶筆記本，加上北京電話號碼改變，和親友聯繫困難。我僅和蕭乾、方蒙通過電話，曾到徐盈家探病，值他八十壽辰。他病情比子岡好得多。我近年情況，由方兒面陳。

祝您和嫂夫人健康！

王文彬　九三・二・一

蕭乾致羅孚信（五通）

第一通

承勳兄：

你在百忙之中給我寫的信及剪報，均已拜收，甚感。在我心目中，以為《新晚報》是「蚊子報」，大小如文革前的《北京晚報》，現在才知道它不僅是大張的，而且篇幅比《人民日報》還多出一倍。讀了「星海」，大開眼界。可見我們這裏對香港狀況太愚盲了。

另外，要向兄及秀聖嫂鄭重道歉，深深道歉。秀聖嫂不但曾是我的芳鄰，而且五〇年（？）還在漢口街頭見過一次。人一老真沒辦法。那晚學逵兄隨講，弟隨說，於是鬧出喬太守之笑柄，真是慚愧。如果僅是信中弄錯還好說，又在書中題詞張冠李戴，確實該打四十大板！在你們四位大編輯面前顯醜了，奈何奈何！

關於蔣*午，多謝兄的指點。弟對他是早有戒心的，因三十年代他即投靠宣鐵吾部下。四十年代港報起義後，他還說過不少怪話，例如散佈說，楊剛在美與他如何如何。去歲他忽然從「人民文學」（雜誌）給我寄來一封信，內附一篇葉聖陶小說的英譯，要我給他「發表」，我當然無處去發表。我也回他一短信，說相別三十載，請他說說這段簡歷。隔了些時，他回信說在佛教甚麼學校教書，信中附了個司馬長風在《快報》寫的關於我的一篇文章（連載三天），題目是「蕭乾魂斷夢之谷」，文中有過譽處，也有捏造處。所以我回信問他此何許人。他倒也老實，告我那個人與台灣有不乾淨處。因此，當然不再理睬。在那信中，他就要來北京。弟因三個子女都要學外語，一部錄音機搶來搶去。去夏際坰兄赴港時，僅再託置一二磁帶，並說明以拙文交換，他一直未予置理。故又託了蔣一下。不想兄慨代託學逵兄帶來SANYO及十盒磁帶，真是感動又感激。當初以為蔣來，而弟正去冀東旅行，臨行囑我愛人去蔣處取錄音機時，「甚麼也不要說」，後來經學逵兄交了底，自然當更加小心。他來信總仍以三十年代口氣稱我「乾哥」。我們在此經過三十年的鍛鍊（五七年前是在作協經常陪外賓，有時還陪敵性外賓）一直可以應付，請釋念。

弟那篇《大公報．文藝》，望不要過於操心。反正全文已在「史料」上披露，其中關於「文藝獎金」又將在《讀書》上發表，在港不登也可以，或僅登「文藝獎金」那一段也可以。反正寫得太乾巴，流水賬。前邊至於魯迅逝世那段又涉及時人，不得不避諱。請兄儘管往字紙簍一丟可也。

還是向前看。首先，弟還得設法早日補償**錄音機之債，「未帶地圖的旅人」已寫完，曾由巴金、姜德明及劉賓雁三位友人通讀過並提了意見。弟修改後即交「當代文學」（秦兆陽編），他們立即付排了。一俟知道出版確期，立即將複本寄敏之兄。弟已向他言明，如有稿酬悉數交兄。弟**篇將在《人民日報．戰地》上發表，已有初稿。那邊催，但弟近來為「史料」事（詳後）無暇寫完。只好五一後交稿了。僅五千字，擬交給《星海》，不知屆時（三萬五千）扣款尚差若干。弟下半年寫作之外，必須把易卜生的「培爾．金特」譯完。總之，今年內一定努力清償此次債務。對兄之厚愛、關注，當銘志不忘也。正因為「大公」一些老友太冷酷了，益覺我兄之溫暖。因此，對「星海」的支持，絕不會以清償債務而結束，此一點請兄釋念。

大概兄已知道，弟曾介紹敏之兄和陳學昭直接通了信，她已同意讓「文匯」連載她為《史料》所寫之回憶錄。對於「星海」，弟有一設想，須今秋（最快）才可望實現。目前我們正在向三十年代一位重要作家（左聯成員）的家屬做工作，爭取把那位作家一批遺物（包括回憶錄）整理出來，其中有些材料比《史料》迄今發表出來的都份量大多了，個別甚至有文獻價值。此事請兄勿外宣，先我們之間了解。待時機成熟，我想建議她把其中尖端部份除給《史料》外，並為兄抄一份發表。保證可以引起海內外研究三十年代文學人士之注意。由於全稿十幾萬字，不宜全部發表，弟當就地代兄選擇其中尖端部份。目前這家人母親及老四（女）已基本同意，但老大老二尚未能認識其發表之必要性及「安全性」，估計能說服他們。總之，兄在心目中先登一下記吧。詳情以後再奉告。匆問

編安

並向秀聖嫂致意並道歉。

弟 蕭乾

二十七．四（一九七九年）

存在一個問題，即家族不同意在《史料》之外去發表，這個可能存在，但弟當盡力去說服。總之，兄先掛個號好了，請靜待吧。

第二通

羅孚兄：

你好！今天收到有鉛印報簽的《新晚副》，甚感。過去兄及敏之兄均親筆寄刊物，弟殊覺浪費精力。如今刊物也「現代化」了，甚慰。我已向他建議仿行之。

葉維廉兄想已抵港了。他人熱情，學問、文筆均極好，對祖國大陸十分嚮往。弟正在為他進行來京講學事，因此才寫了那篇不像樣的文章。

最近寫了一篇「海倫斯諾訪問記」，近二萬字，已交「花城」（他們八月號刊出）及香港《中報月刊》了。青少年回憶正在撰寫中。

匆問

近好

弟 蕭乾 上

三．七（一九八〇年）

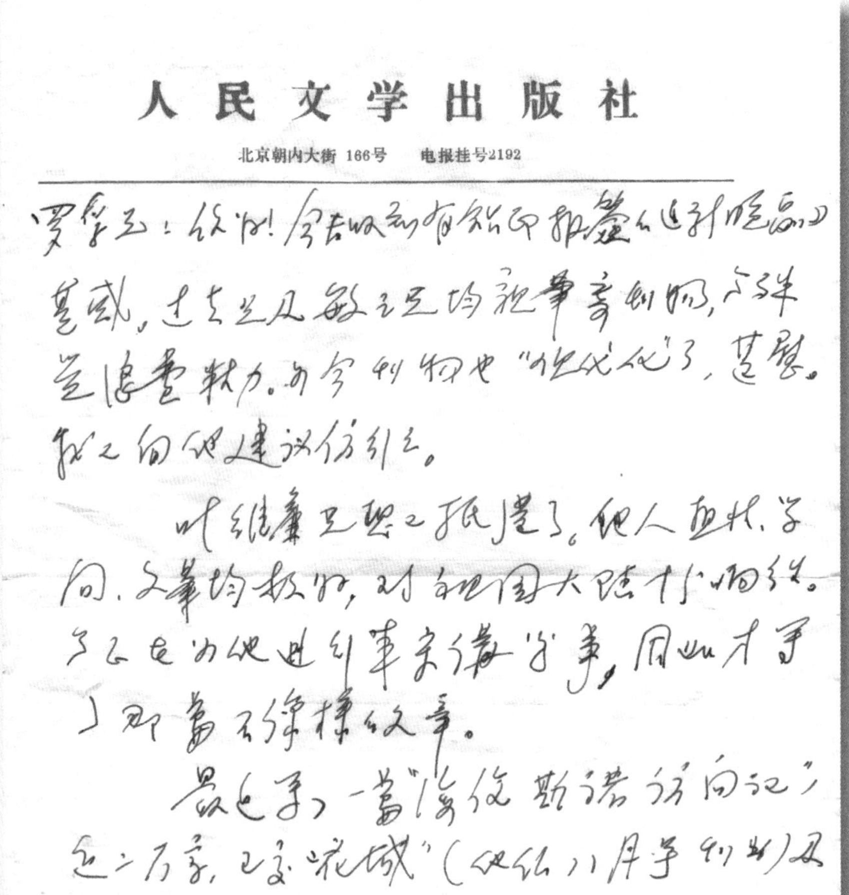
人民文学出版社

北京朝内大街 166号　电报挂号2192

罗孚兄：你好！今去收到[illegible]《[illegible]》[illegible]。[illegible]均[illegible]，[illegible]精力。而今刊物也"[illegible]"了，甚慰。我已向他建议仿行之。

叶维廉兄想已很熟了。他人在北美，学问、文章均极好，对祖国大陆十分向往。今年[illegible]为他[illegible]，因此才写了那篇不像样的文章。

最近写了一篇"海伦斯诺访问记"，近二万字，已交"花城"（他们八月号刊出）及香港中报月刊了。[illegible]已在撰写中。

此问

近好

弟 乾

3/7

蕭乾致羅孚信第二通

第三通

承勳兄：

近來好！李文健來京暢談了十數次，知香港文藝界頗為活躍。弟近來寫完訪美文章後，又轉入整理舊作，「散文特寫選」最近即可出版，自當寄上求正。又為香港三聯編了二書，一為《一本褪色的相冊》，內容分二部份：一為七八年以來所寫回憶文章，二為訪美文章。另外又為他們編了本「選集」，只放了十二篇小說，二十餘篇散文特寫，文學短篇未收。另外，文學出版社要弟編個短篇選集，湊了十八篇，有一篇三萬字的代序（回憶青少年），「當代」預備第四期發表。廣東人民出版社要年內趕出「夢之谷」，我正在修改之。「相冊」天津百花要同時出。所以，八〇—八一年可有六書印出，可算是豐收年了。（請不要披露）。這樣明年可以投入新的創作。

再，出版局已正式任命我為人民文學出版社顧問，還是經中央書記處和中央組織部批准的，（去年算是出版社任命的）。這樣，我在家寫作的情況也可以穩定下來了，不然我也有些放心不下。（也請勿披露）。

寫此信是為向兄道謝，許碧珍的女兒呂子西經兄出函介紹，已考上了暨南大學，使此華僑青年有一就學機會，是功德無量。（附她的來信）

「延河」七月號有樓適夷一篇致夏衍的文章，兄見到否？看了兩個口號問題仍未了結。

艾青夫婦二十四日離此，二十六日可能抵港。這次僅他們二位了，劉賓雁去不成了。

匆問　著安。

弟　蕭乾　上

十五・八（一九八〇年）

攝於 1970 年代末香港。左起：羅孚、蕭乾、陸鏗。

第四通

承勳吾兄：

你們好！昨敏之兄來醫院探視，對弟開刀後的情況已有了結。目前尿道及前列腺仍在發炎，所以一時還不能出院。

寄上在病中為香港三聯所出「新鳳霞回憶錄」寫了個短評，隨函寄上。再，去年十二月三日之「星海」可否再為弟補一份？有人借去未還。上有弟之「選集序言」。

匆問　近安

弟　蕭乾　上

二十一．一

上次面交給您的《五重塔》，如果不用，請託人帶給我或寄還給我，謝謝。

潔若

蕭乾動手術後，體質虛弱，需要吃些西洋參，他請你用他的稿費買些西洋參，託人便中帶交給他，但千萬不要寄，＊金超過參款，太貴了。

潔若

第五通

絲韋兄：

你好！電話似已變更，望告。弟的也改為（電話號碼略）。也找不到兄住址了，故託轉。

謝謝兄囑港三聯寄來的「絲韋卷」，正在奉讀中，並擬在滬報（《文匯》或《新民》）先寫篇短文，以兄的序言內容，談談「自我反左」。這需要極大勇氣。兄還把舊時左文編入集中，尤為獨創。實應好好提倡一下。

匆問

年好（正在感冒中）

弟 乾上

九三．一．二

文潔若致羅孚信（一通）

羅孚兄：

謝謝您寄來的幾份簡報。今託令郎送上《世紀》一冊，請注意《日本休想賴賬！》一文。這本就送給您了，但希望您能便中複製一份給我。將來好收集子。其實我還有一部合訂本，但複製起來有困難。我是令郎隨時可能抵達舍下的情況下才找到這本雜誌的，已來不及到外面去複製了。

您從我寫（周、錢）二文中可以看到，我並不仇恨他們。整個淪陷期間，我是在北平讀的書，六年日本小學（日文），兩年聖心學堂（英文）之後，我在輔仁中學念了初三及高中，國語教科書編得很有水平。所以四六年全國統一招考時，我才能以優異成績考入平均三十個考生中取一名（清華）。周、錢、文元模（死在獄中）等，其實是做了替罪羊。中國人一向是窩裏鬥，互相削弱力量，任日本人欺負，這次釣魚島事件，除了海外一些聲音，誰又敢抗議。平素積怨甚深，確實也怕亂。我雖署了名，的確也怕亂。戴厚英在和平時期尚且被砍死，一旦亂了，亡命之徒會趁機在自己民族之間製造一樁樁大屠殺。誰敢說一場文革，死的少於南京大屠殺。而且南京大屠殺中，沒死多少有名望者，（那些早已逃之夭夭），把文革中死（或被摧殘的）開列出來，是一張驚人的名單。

《故人的綠洲》您大概已有了，這次簽的*，請轉送別人吧。

匆祝

撰安！

潔若

九六・九・二十一

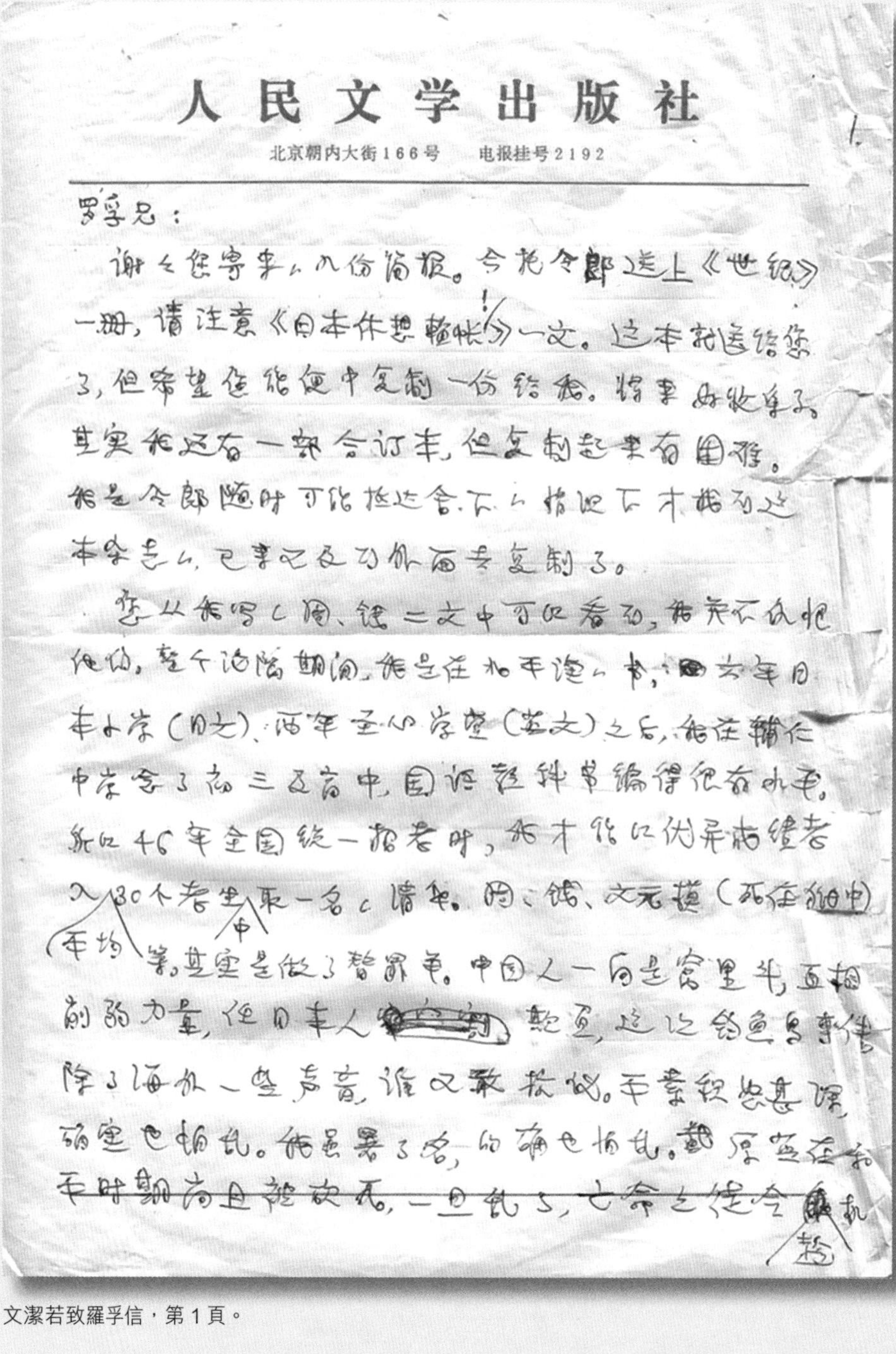

人民文学出版社

北京朝内大街166号　　电报挂号2192

1.

罗孚兄：

谢谢您寄来的八份简报。今托令郎送上《世纪》一册，请注意《日本作想[illegible]帐》一文。这本就送给您了，但希望您能便中复制一份给我。将来好收集了。其实我还有一部合订本，但复制起来有困难。我是令郎随时可能抵达舍下的情况下才找到这本杂志的，已来不及到外面去复制了。

您从我写的陶、钱二文中可以看到，我实不[illegible]把他们，整个沦陷期间，我是在北平[illegible]的，[illegible]六年日本小学（日文）、两年圣心学堂（英文）之后，我在辅仁中学念了高三，[illegible]中国话[illegible]编得很有水平。我以46年全国统一招考时，我才能以优异的成绩考入平均30个考生中录取一名的清华。陶、钱、文元模（不在狱中）等，其实是做了替罪羊。中国人一向是窝里斗，互相削弱力量，但日本人[illegible]就是，这次钓鱼岛事件除了海外一些声音，谁又敢抗议。[illegible]

~~[illegible]~~

文潔若致羅孚信，第1頁。

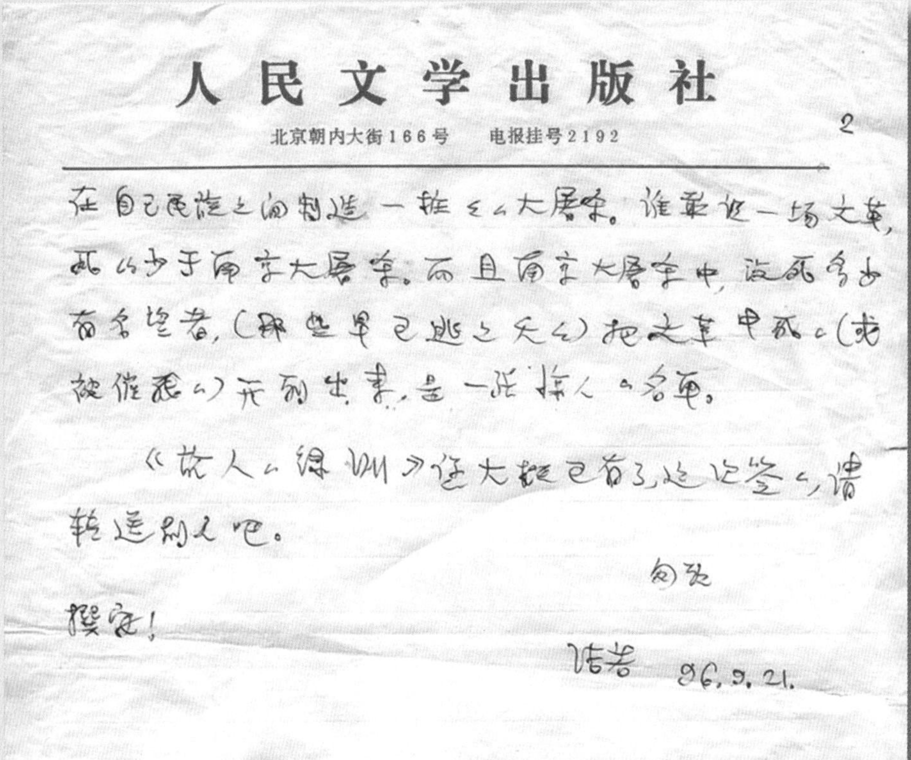

人民文学出版社

北京朝内大街166号　　电报挂号2192

2

在自己民族之间制造一桩桩大屠杀。谁要说一场文革，不少于南京大屠杀。而且南京大屠杀中，没死多少有名望者，（那些早已逃之夭夭）把文革中死的（或被逼死的）开列出来，是一张惊人的名单。

《旅人的绿洲》经大致已看了，这些签的，请转送别人吧。

即祝

撰安！

洁若　96.9.21.

文潔若致羅孚信，第2頁。

李光詒致羅孚信（一通）

承勳兄：

多年不見了，無時不在念中。

頃接鐘德兄電話，告知你的住址，特此函候，希望能收到你的回信。

我於八五年重回《經濟日報》，在出版社擔任個顧問的名義，我一直堅持上班。出版社社址在虎坊橋福州館前街六號，近因業務開展，在太平街二十四號市體委招待可租了幾十間房子，編輯部門移在這裏辦公。我每天早上去陶然亭公園活動一兩個小時，上午十時到下午四時在辦公室。如有便進城，盼過我一敍。市體委招待所就在陶然亭游泳池院內北側，地處陶然亭公園東門斜對面。上述時間內，我一般都在辦公室，電話是三三八〇五六，如來時，請先打個電話，以便恭候，我仍住在原《大公報》宿舍，晚上一般不出去，家裏的電話是（略）。

匆此不一　順叩近安！

光詒

一月十七日（一九八七年）

譚文瑞致羅孚信（一通）

承勳兄：

多年不見，時在念中。我兄此次來京未獲相晤，深感遺憾。得知閣下身體安康，且老當益壯，筆耕不輟，十分欣慰和敬佩。承贈大作，不勝感謝，拜讀之後相形見絀，自愧不如。鄙人自一九八九年退出工作崗位，一直賦閒家中無所作為，唯以讀書看報度日，只偶爾應報刊之約寫幾句針砭時弊、譏彈世態的打油詩以供補白，亦抒心中忿懣。年前曾受友人敦促結集編印出版，乃是不登大雅之堂的次品，謹隨函奉上二冊，聊供我兄茶餘飯後解悶，望勿見笑。你我均已屆耋耄之年，回想當年相處的歲月，真是恍如隔世，感慨繫之。不知尚有機會重逢相聚否耳。尚祈多加珍重，歡度餘年。言不盡意，容後再敘。專此，順康

時綏

攜夫人均此

弟 文瑞 上

庚寅年重陽（二〇一〇年）

2011 年，羅孚與譚文瑞（左一）攝於《人民日報》的內部餐廳。
譚文瑞是《大公報》的同事，後為《人民日報》總編輯。

譚秉文致羅孚信（一通）

承勳兄：

你託人帶來的《銀翹集》已由鐘德兄交給我，十分感謝。

你我幾十年疏於交往，恐怕已很陌生了。說起來我們卻是老同事老相識。一九四三年我考入重慶《大公報》，開始在經理部工作。四四年想桂大撤退時，你們從桂林撤到重慶，當時給我印象較深的有陳偉球、尤引生和你幾位。四五年我離開報社去了印度德里廣播台工作，四六年初應李子寬先生之約，返回上海《大公報》採訪課工作，直至上海解放。這一期間，我與偉球、鐘德兄結下了深厚的友誼。

解放後我隨報社由上海到天津、北京，偉球兄則去了《工人日報》。五八年開始，我受到了莫名的噩運，被打成反革命，判了十二年徒刑，最後被流放到新疆勞改，直至八五年方始獲得徹底平反，落實政策回到北京，被安置在文化部人事司。回北京的那一年我已六十三歲了，大半生寶貴的時間，就此白白浪費虛度。不久就辦了退休手續。

回北京後不久，獲悉你由於工作關係遭到了誣陷，被羈留北京。當時，考慮到諸多不便的原因，一直未能去看望你，實是一大遺憾。

最近，鐘德兄接奉你贈與的葉靈鳳文集及楊憲益的詩集後，就向我推薦這本詩集。我在拜讀之後，深深為這位老先生的錚錚鐵骨所感動。也為我中華民族有這樣一位大英豪而感到驕傲。因此，才乘送書與偉球兄時，懇請偉球、鐘德二兄轉向吾兄索要。這裏，再一次向你表示我的謝意，並望日後多有賜教。順請

冬安

弟 譚秉文 頓首

一九九五・十一・十二

陳偉球致羅孚信（一通）

承勳兄：

寄來的賀年片收到。清詞麗句，留芳齒頰，感謝之至。倉促間無以為報，附上俚詞一首，聊以博笑。

此頌

春節快樂！

偉球 上

二月三日

沁園春

謝承勳兄寄賀年片並述京華近況

返棹香江，南國優游，轉瞬經年。看詩囊吟篋，瓊瑤滿貯，生花妙筆，文采依然。寄我華箋，海披紐以，祝賀新詞語更妍。君真健，願老當益壯，馳騁文壇。

京華事說當前，聽改革歌聲響徹天。有名流學者，奢談「下海」，金錢至上，誰挽狂瀾？更有作家，追求俗趣（注1），到底無非要賺錢。身外事，去管它作甚，且聽鳴蟬。（注2）

注1：俗趣，指一些作家推出的「性結構」作品，大撈其錢（據說某作家新近出版了一部仿《金瓶梅》的小說，獲稿酬一百萬元），如此等等。

注2：冬天是沒有蟬的，所以要用「蟬」字，一是為了押韻，二是蟬又名「知了」，那些身外事，知道了也就罷了，去管他做甚麼。

丁輯

趙隆侃致羅孚信（八通）
羅宗浚致羅孚信（一通）
張亞冰致羅海雷信（一通）
張亞冰致吳秀聖信（一通）

趙隆侃致羅孚信（八通）

第一通

承勳兄：

李任兄同往批准去港探親，特託他代來看望你，請與接談，他是宗章在川大念書時的同學，早年前育才念過書，現在在重慶三師任副校長，對我們是比較了解的。

那年開四次文代會。我在報上看見主席團名單裏有你的名字，立即寄出一封掛號信託全國文聯代轉，但大約是幾經輾轉耽誤了時間吧，送達文代會辦事機構時你已離京返港，這封信就被郵局退回了。在信退回前，王覺（大勳）兄已將你託他帶給我的一封信和一部電子計算機交到我手中了，當時我全家人和宗章全家人（包括目前在成都的宗括）都為得到你的確實消息而感到無比欣喜。時光迅速，兩年多的時間又在轉瞬間逝去了。我準備我久已想給你寫信，卻一直拖延下來。一則是因為一別三十多年，經歷的生活波瀾起伏，許多話不知從何說起；再則因為你在託王覺兄帶來的那封信中說：回港後再寫信來，所以多少也有是想等你的來信。去年你介紹兩位友人來此參觀，我們曾把小孫子（名羅翔）的照片一張交他們代為轉給你，但他們走後就杳無音訊，連在賓館代我們拍的照片也未見寄來，不知是何緣故！

今年三月我去京參加中國博物館協會成立大會，會後在京逗留幾天，見到了隆勷、繼祖，他們都談及你幾次赴京相聚的情況，對你的盛情款待非常銘感，但隆勷談到給你寫信從未得到過回覆（去年十二月去蓉開會晤及亞濱時也談到過類似情況），對此作過一些揣測。繼祖談起張寶鏘兄目前在中國新聞社廣東分社工作。今後我們之間通訊，以甚麼方式傳遞為宜？是否可以通過寶鏘兄代轉，便中乞示知。

我在過三個月就滿六十歲了（我記得你比我年長一歲，那麼應當在去年滿了花甲），暫時尚難擺脱目前承擔的工作，可能要過一兩年才能求得清閒，宗浚則將滿五十八歲。我們有四個孩子，……宗哲中年以後個人境遇不好，她的愛人十多年前就去世了，但一子一女均已成長，她本人正在等待退休中，她對你當年對她的關懷、幫助記憶猶新，多次囑我代為致意問候。

早年你我共同認識的人，現在在重慶的只有趙不磨（重慶二師數學教師）、王大昭（市廣播事業管理局副局長）及佘炳（《重慶日報》記者）等寥寥數人，王文彬、田伯萍你都認識，但我是解放後才認識他們的。程曉侯（健武）現在在黑龍江省委任副秘書長，章潤瑞在南衡學院任院長，馬西林在合肥中國科技大任黨委副書記，胡鍾達在內蒙古大學任副校長，陳邦幸、胡國梁（胡果）均已不幸逝世。知住附聞。

我和宗浚都很盼望在有生之年能與你重逢話舊，大家都是六十上下的人了，不像青年時期，不能說「來日方長」。所以，我們希望你在下次到內地來的時候，務必擠幾天時間到重慶來一趟，你現在是忙人，只有擠時間才能實現這一願望。

匆此即頌

雙安！

弟 隆侃

二十・五（一九八二年）

向秀聖問好，孩子們沒有見過面，也均此致意問好！請寄一張你們的照片來。

又：香港有一家公司首託人向我們接洽恐龍（化石標本）去香港展出，詳情見另紙。請便中就近代為了解一下這家公司及其有關人員的情況。

第二通

承勳兄：

數十年闊別，時縈懷想。四次文代會期間，承經大勣兄攜來手書及惠贈計算機，故人情重，殊深銘感。去歲貴友來敝處旅遊，曾託其奉上孫兒照片一張，唯去後音訊渺茫，未悉收到否？月前有熟人去港探親，曾託其代為探望並奉上一函，適逢吾兄返回內地，所託帶信函遂在當地投郵，不知是否已呈尊覽？得便乞惠我數行，以慰遠念。近半年來，先後在蓉在京晤及亞濱、宗哲及隆勷兄，伊等亦時以吾兄為念。唯海天懸隔，音問罕通，殊為悵憾耳。

弟行年六十，尚未退休，而精力漸衰，心餘力絀，碌碌無成，深負師友期許，至為慚愧。宗濬數年前退休，曾患重病，所幸近一兩年來健康狀況逐漸好轉。宗章則突於去春因肺癌亡故，他生前多次談及昔年經港寄居尊寓時情景，甚望得遇機緣，重逢把晤，不意言猶在耳，而人事匆遽，其人竟盛年早逝，殊堪悼惜。「念載京華共酒樽，十人今有幾人存？」弟與宗濬均渴望於有生之年，重親風範，暢敍離衷，務懇在得便返回內地時，撥冗來渝盤旋數日，以慰相思，為禱。

大勣兄受友人之託，轉寄文稿一篇，如內容尚無不妥，望能為貴報採用。因便附寄此函。紙短情長，不盡欲言，專此即請

儷安！

弟 隆侃

向秀聖嫂問好！望寄一張照片來。

一九八二·七·十三

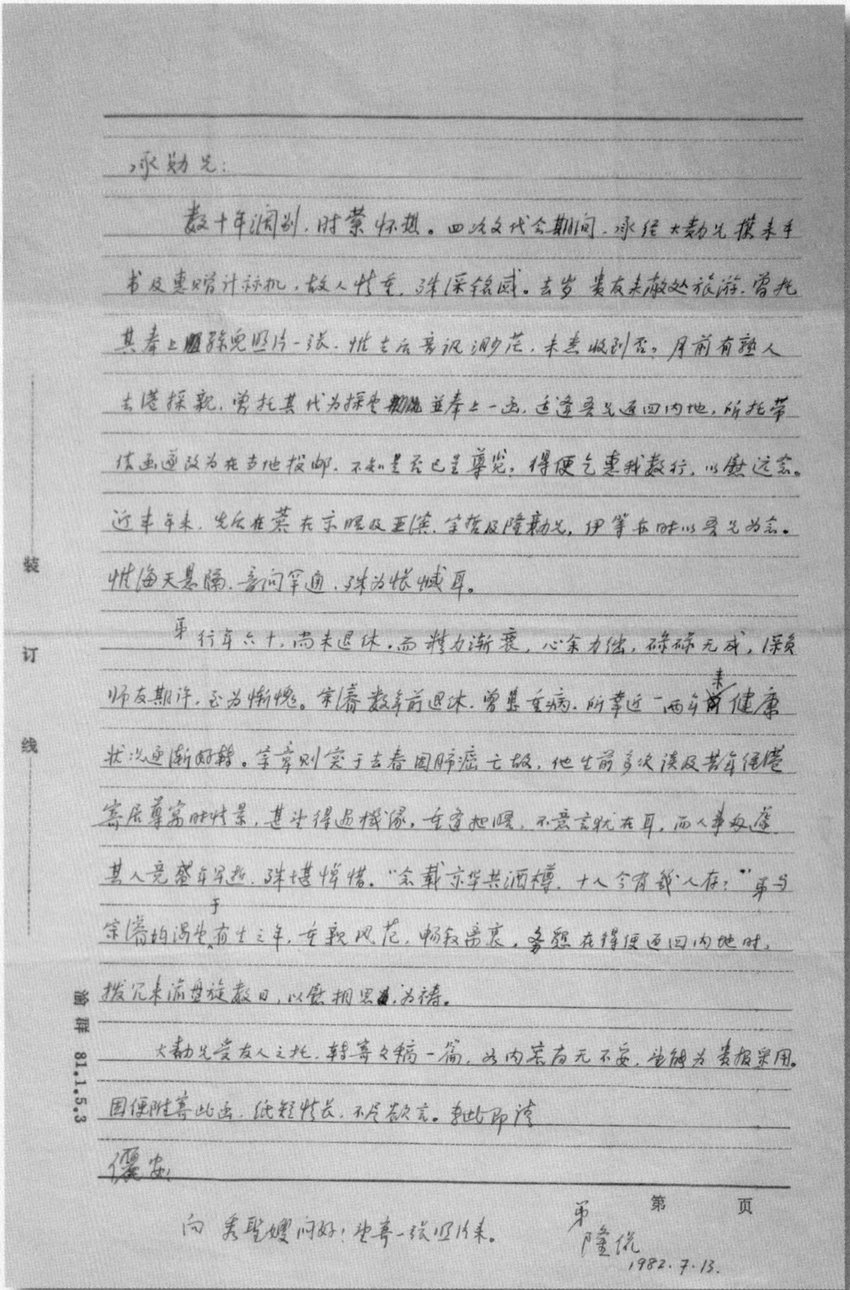
承勋兄：

数十年阔别，时萦怀想。四次文代会期间，承经大勋兄携来手书及惠赠计标机，故人情重，殊深铭感。去岁贵友来敝处旅游，曾托其奉上彩色照片一张，惟去后音讯渺茫，未悉收到否？月前有熟人去港探亲，曾托其代为探望并奉上一函，适逢吾兄返回内地，所托带信函遂改为在当地投邮，不知是否已呈尊览？得便乞惠我数行，以慰远念。近年来，先后在京与东昭及亚滨、宝燊及隆勋兄，伊等亦时以吾兄为念。惟海天暌隔，音问罕通，殊为怅惘耳。

弟行年六十，尚未退休，而精力渐衰，心余力绌，碌碌无成，深负师友期许，至为惭愧。宗濂数年前退休，曾患重病，所幸近一两年来健康状况逐渐好转。宇章则竟于去春因肺癌亡故，他生前多次谈及昔年在港寄居尊寓时情景，甚望得遇机缘，重叙把晤，不意言犹在耳，而人事如沧，其人竟盛年早逝，殊堪悼惜。"念载京华共酒樽，十人今有几人存？"弟与宗濂均渴望于有生之年，重叙风花，畅叙离衷，务恳在得便返回内地时，拨冗来沪盘旋数日，以慰相思，是为祷。

大勋兄受友人之托，转寄文稿一篇，如内容尚无不妥，望能为贵报采用。因便附寄此函。纸短情长，不尽欲言。专此即请

俪安！

向秀圣嫂问好！望寄一张照片来。

弟 隆侃

1982.7.13.

趙隆侃致羅孚信第二通

第三通

林安兄：

前寄葉靈鳳《讀書隨筆》及您的詩作，均已收閱。文彬先生從京返渝後，月前我和宗滲往他家拜訪，承告以尊況，並轉贈《讀書》雜誌一冊（其中刊有您關於唐人的一篇記敘文），頗慰遠念。

我是從六月二十日起回家休息的，已寫報告申請離休，尚未獲批覆，但也不必再去上班了。對這幾年從事的行政事務，像對抽了幾十年的紙煙一樣了，戒了，不再染指。終生勞碌，從此得以憩息下來，自是一件好事。今夏酷暑，加以暑期兩個女兒也先後攜帶孩子回來團聚，家裏成天鬧嚷嚷的，我也懶得出外走動，只有借看小說消磨時光。唯目擊時艱，心潮起伏。不能自已，昔人詩有「故國平居有所思」之句，其所吟詠的大約也就是這樣的意境吧。

上次來信中讀及你正着手編曹聚仁、徐訏文集，這當然是有益的事情，從現代我國文學史的研究看，以往的視野畢竟太窄。盡可能拓寬，有助於擺脫狹隘性。但是我更希望您能以主要的精力用於創作，以您數十年見聞之廣、閱歷之深，積蓄之富，如能以散文、雜文、筆記等形式表達出來，必定會大有可觀的。反之，聽其淹沒，那就太可惋惜。我們都已離古稀之年只有三四載，時間精力遠不及盛年，花費在編輯方面的過多，勢必影響創作。一孔之見，質之高明，未識以為然否？

此間近着手籌辦《紅岩春秋》雜誌，創刊號可望於明年初出版（係對外發行的黨史刊物），建議您能以《喬冠華和他的「國際述評」》為題為它撰寫一稿，如蒙俞允，盼即示覆，以便列入創刊號的目錄。另外，一九四四年——一九四八年期間重慶新聞文化界的人和事，您知之頗稔，可否從中選合適題材陸續撰寫一批稿件？主辦該刊的朋友頗重視刊物的可讀性與群眾性，着眼於從敵、我、友諸方面襯托，反映當時黨的作用，題材不限於黨組織直接的活動。所以，可寫的東西是不會少的。

前幾年有關方面約我寫一篇關於介紹解放戰爭時期此間出刊的地下刊物《反攻》的文章，因瑣事纏身，遲遲未能着手。近來市博物館擬編印論文集，約我撰稿，恰好該館收藏有《反攻》原件四冊，我又空閒無事，往館裏庫房借閱，作了一些摘錄，並約集當年參與其事的在渝友人共同進行了回憶，日內即擬執筆撰寫。據蘇辛濤兄回憶，您曾擔任《反攻》編務工作，並為其主要撰稿人之一，我也記得您曾參與此項活動，多方給予支持、幫助。請將具體情況相告，以便盡可能作準確的記述。

您曾告以今年秋冬擬出外遊覽，去歲聚散匆匆，殊未盡興。如能再度枉顧，自當掃榻以待。行期定後，請預先告知，以釋遠念。

羅進來看過您否？秀聖近來身體安適否？大公子仍在京否？均盼信中見示。

宗浚和孩子們都很想念您，囑我代筆致意問好。

餘容續敘，即頌

旅安！

弟 令芹

八月二十六日（一九八九年）

來信仍可寄我的單位，直接寄家中亦可。

第四通

承勳兄：

曉梅帶回來的信及詩稿早已收閱，昨天又收到了來信和附寄的照片，得悉近況，至以為慰。

囑為令親代購的書當即找出版社接洽，估計只要尚有存書，肯定是可以購得的（如已售完，就要等會後的機會了）。不論接洽結果如何，當另函奉覆。

您為《紅岩春秋》二期寫的文章，不少讀者（包括一些三十幾歲，較有文化的讀者）反映很好，具體地說，是覺得禁得住品味。該刊第三期將於今年十一月底前出版，來不及等您的作品了。但第四期無論如何希望有（最遲在明年二月上旬寄到）。題材當然由您自定，除以前建議寫有關《大公報》（特別是他的記者群）者外，暢培和我都希望您能寫一篇有關夏衍的回憶（如關於他當年在重慶、香港等地的一鱗半爪），配合他的近照（即用附寄的那張刊出），殊有意義。如無其他不便，務懇撥冗為之。

律詩十章，愚意以第四章為最佳，沉鬱深摯，頗近於南社諸子（如柳亞子）風格。論桑歷劫，年近七十二猶保持童心，彌足珍貴。

又：偶從一文摘性質的刊物上見到，馮友蘭著書（或著文）論新儒學時，曾對太平天國另有評價，說曾國藩在歷史上起了進步作用云云，很想看看他的原文，遇便乞代留意，如能找到一份寄我更佳。

仲純為少年時的知交，當年他較少宦家子弟的驕氣，品格是較純真的。異日如能白首重逢，共話雁山秋月，亦是一筆奇緣，但這卻是可遇而不可求的。

寄暢培的《葉靈鳳隨筆》尚未收到。

隆勳處自一九八一年匆匆一面後，即未再通音訊，其子女狀況亦一無所知。不知為甚麼，我和這位堂兄氣質上總有點疏隔，每一執筆，往往不知如何拉起話筆頭，而見面機會又少，不知不覺就生分起來了。

去年退休後，曾有志寫點文章，但看來事與願違，難免回會為空想。《紅岩春秋》第三期缺臨稿，臨印前勉強湊了一篇，內容是記敘一九四九年三月至十月的行程的，出刊後您當會見到。此文是無大意義，但不像該刊第一期所載拙作那樣有副作用，不改愧對故人。

左眼白內障摘除後，效果遜於去年，摘除後的右眼去年校正後配上遠視鏡，視力可達一點〇，而今年矯正後的視力僅達〇點八（因待穩定，延至今天才去配眼鏡）。同時，有持久力差的缺陷，難以彌補。當然，較摘除前之接近喪明，是不可同日而語的。據我所知：（1）多數人的白內障變化緩慢，不少十多年前已發現有白內障的，而迄今視力減退不大。像我這種發既遲，發展卻迅速（三年左右）者，並不多見；（2）目前國內的醫療水平，一般要長成熟了（即接近瞎了）才能摘除，而據醫生說，國外不必等長成熟即可摘除；（3）治療方法，不限於摘除一種，其他方法，各地多有實驗，亦有療效頗佳者；（4）摘除後有同時植入人工晶體者，則不必配眼鏡即可校正視力（成都有這一方面的專門醫院，在金牛區）。以上幾點，可供參考。

匆此，即頌

秋安！

弟 隆侃　一九八九．十．二十六

支秉淵先生十多年前去世，去世前的工作單位是一機部，如得便，可否向該部人事部門查詢一下他的子女的居址。因為雖未必通訊，早年同學，總希望知道去向。

又：今天上午暢培來，他已了解到：所囑代令親購買的書目前正在訂，出版社可郵寄，郵費約為購書款的百分之十五（原為百分之十現已漲價）。他擬在明天前去訂購，欲由《紅岩春秋》社代墊，發票交來後另寄奉，由您直接匯還該社即可。唯出書日期未定，訂購後要等一段時間才能得書，（估計不會等待太久）。

秀聖已到京否？

盼時通音訊。我這次稽延作答一因疏懶，二週前不久又住了一次院，活肺，但是，「慣遲作答愛書來」，卻總盼望收到您的信。

第五通

林安兄：

暢培回，得悉近況，至以為慰。承允為《紅岩春秋》撰稿並代為約稿，非常感謝！

又有一事相懇：我的媳婦吳景婭（羅易之妻）一年前已調《重慶晚報》工作，具體任務是參與「週末」版的編務。她一再要我轉請您抽空給該版寫點短文（每篇千字即可），內容着重向內地人介紹香港的社會、文化生活（諸如香港報人的苦與樂，文化人剪影，文壇逸聞，等等）。此事過於瑣細，本來未便啓齒，但在至交，就費心您這位長輩，推愛關懷，替她的工作壯壯聲勢吧。

我家的地址是（略），來信寄我的機關或家裏均可，這次暢培未帶回您的書信，頗以為憾，乞時時惠我數行？近作亦望惠寄，以慰遠念（尤其是居址或電話如有變動，一定要及時告知，以免聯繫發生困難）。

我打算寫點雜文，但不想投寄本地報刊，而擬投寄「大地」、《光明日報》副刊或其他適當的刊物，唯我對此甚為陌生。不知您是否便於從中媒介？如果方便，稿子以如何奉寄為宜？乞告。又擬撰寫《對於整風運動的回顧與思考》一文，估計不易發表，但寫下留着也好。

上次秀聖因時間緊迫，未及來渝。如能在今年抽暇惠臨，宗淩和我都會很高興的。這裏我住熟了，生活交通安排，不會有任何困難，大家都上了年紀。去一趟是一趟，只要能來就來吧。

匆此不達，順頌

安

弟 隆佩

一九八九．三．二十九

秀聖嫂均此問安！

令郎去港，今後還回北京否？

第六通

承勳兄：

手書奉悉，附函已轉暢培。

關於抗日戰爭期間文學大系的散文、雜文卷收入我的一篇舊作之事，實出意外，因為我從未涉足文壇，早年偶爾為文，純屬有感而發，亦從未存稿。經您來信一說，雪泥鴻爪，未免關情，於是託人去查檢了一番，原來是一九四一年在樂山當學生時在《野草》上刊登的《獻策的軍士》，內容是批評當時《戰國策》所代表的一種思潮的，並無可取之處，不知為何竟蒙編者青目？殊覺汗顏，知所關注，謹以奉聞。

德瑾健在，而且過得順順當當，家室完好，實屬幸事。來信說與她相別近五十年，其實不確的，一九四四年冬在重慶，我們兩人曾偕訪甫從湘桂戰火中逃難來渝的她和她的父母，地點在南岸某一農場，距今為四十五年。事後我還就支老先生的新中公司被毀一事寫過一篇題為《寵兒的遭遇》的報道刊於《新華日報》，不過因彼此學業不同，境遇各異，當時似乎共同語言即已不多，不知您還有印象否？我不想寫信向她問候了，如您遇便碰上，煩代向她和支伯母致意。

《紅岩春秋》第四期即將付印，第五期擬在明年一月底截稿，高汾、高集關於沈公的稿子，希望能爭取在第五期刊出，附刊照片，煩代為選定一併寄來。雜誌辦得不夠活，今後擬多登一些短文，亟盼能隨手寫一點，無須都是精心構思之作，懷人感事，可寫的東西很多的，例如《懶尋舊夢錄》的讀後感，就不妨寫。

我的近況如恆，請勿為念。偶憶一九四二年曾寫過一首詩，其中有「我在我思多苦惱，溟溟煙水渺歸程」之句，當年心境，於垂老之念，仍覺親切。

北國嚴冬，諸祈珍攝。秀聖近狀，亦盼便中見示，希望您們兩位能來渝玩玩，大家都是「一回相見一回稀」的年齡了。

紙短情長，不盡所懷。盼常贈數刊，以慰遠念。

匆此達，即祝

年禧！

弟　侃

一九八九・十二・二十八

第七通

承勳兄如晤：

一年多來少通音訊，時深懷想。不久前由健強兄帶來短柬及近作，喜出望外。與她見面，詳悉近況，尤慰遠念。唯她行色匆匆，致未能稍盡地主之誼，殊敢抱憾，煩相見時代致歉意。

弟退休已滿三年，然身閒而心不閒。前年夏，常深宵不寐，偶憶龔句：「少年攬轡澄清意，倦矣應憐縮手時」；「五十年中言定驗，蒼茫六合此微官」。倍覺惘然！記得五十年前在樂山時，寫過一首不合格律的七絕，其中有兩句至今還能憶及：「我在我思多苦惱，溟溟煙水渺歸程」。近來幾十年，即使在壯歲顛連之際，也沒有現過類似的心境，不料到了老年，竟又重新體味到當日的情懷。不同的是，青年時不管前語如何修遠，總能有一股求索的勁頭，現在畢竟是老了。雖然還覺得「朝聞道，夕死可矣」，但來日無多，能否聞道，確難逆料。郭沫若偉著說：「讀書十載探龍穴，雲水蒼茫未得珠」。像我這樣的人，從未認真讀過書，當然更無從得珠了。

星侄事我和宗浚以及我們全家都很關注。但愚以為既然誤會一時難以消除，則不妨泰然處之，「風物長宜放眼量」，這句話是很富於哲理的，對壯年人就更甚如此了。

《文匯報》星期三增刊上所載夏公《紺弩還活着》一文刊出時即已讀到，覺的是這兩年少見的佳作。健強兄來，始悉為兄代筆，更為感佩。前承允為《紅岩春秋》撰稿和約稿，仍懇抽空為之，題材不拘，悉聽尊便。

聞今春兄在京的幾位知友曾稱觴為兄祝賀七十誕辰，雲天遠隔，未能躬與其盛，有一瓣心香，遙祝康強！弟今年已是六十九歲，大家都到了「一回相見一回稀」的年齡了。因此，再一次衷心盼望兄在方便時能再到重慶在舍間小住，俾得暢敍離衷，宗浚也與弟有相同的願望。何時能成行，請盡早相告。

此次吳景婭（我的長媳，在《重慶晚報》工作）出差去東北途徑北京，特囑她前去看望，請予接談為感。平時可多寄短柬，或通電話，以釋遠念。

匆此布達，即頌

安

弟 隆侃 一九九一．六．三十

秀聖近況盼告。來信寄我的宿舍或單位均可，郵編相同。

第八通

勳兄如晤：

寄來的書與信均已收到，謝謝！

弟於春節前曾數度咳血，經服中藥已痊癒，但從成都回來去門診看感冒，仍被留下住院檢查，歷時一月餘，直至今天上午才正式出院。檢查結果，除肺氣腫外，未發現有甚麼病，可請勿念。幾年來，因常與料理別人療疾與治喪之事，加以一九八五年以後自己幾次住院，有時也難免想到死和身後之事，對時下盛行的哀榮之舉，諛墓之文，實在覺得沒有多大意思。一個人的一生，只要做到無愧於心，無負於社會，無慚於親友，就很可以了。更何況像我這一類，再普通不過的人，在走過的道路上本來就沒有留下甚麼痕跡。未識高明以為然否？

在蓉期間，兩次見到亞濱，她雖病體，然精神尚佳，談興不淺。大作給她看了，她對你甚為關切，建議抽空給她去一短信。郵政編碼是：六一〇〇一二。

馮友蘭先生的高論，涉及對整個近代中國史的看法，弟實不敢苟同的。對於太平天國，自然應當承認它那些嚴重的弱點（甚至是醜惡）；對於曾國藩，也自然不宜一筆抹煞（特別時謚之曰「漢奸」，顯然不妥），然而說太平天國是逆歷史潮流而動，曾卻是站在歷史潮流的正面。這樣的論斷至少是偏頗的。我看馮著雖以歷史唯物主義為標榜，骨子裏卻還是他昔年一代儒宗的思路，可惜自己在學問上荒疏已久，不然真想寫點甚麼，駁他一駁。哲學史其他各卷不必再找，弟主要是出於好奇，想看一看他在上述這一方面的議論罷了。

當然，馮翁自有其不可及處，一是某些獨到見解，二是文筆深入淺出。在近代學人中，是罕見其匹的。這一方面，與錢穆堪稱雙璧。

近讀中央文獻研究室所編寫的《周恩來傳》、《周恩來年譜》，均以一九四九年下限，這種體例是有其優越性的。

稿子還是盼望兄隨意寫一點。鄙意以為，怡情悅性的短文，甚而至於可寫可不寫者，均不妨寫之，因為此類文字，於人無害，且足於反應作者並未離世，亦並未遺世，只要有閒，為甚麼不可以寫呢？抗戰期間及其後，桂、渝、港諸地可記之人，之事，俯拾皆是，在兄是優為之的，只是不必懸格過高，反而束縛了自己的手筆，只當是一種消遣吧。

易錫和，經兄信中提及他的去世，弟依稀回憶得起，但印象已甚模糊。兄所撰輓聯情真意切，所寄託意又豈是對易一人的哀思！

今後盼不時惠我數行，以釋遠念。大家都年近古稀了，凡百事都要善自排遣。毛主席詩曰：「風物長宜放眼量」，此中哲理，殊堪玩味。有機會，仍望來舍間作客，稍作盤桓，以暢敍離衷，宗淩亦深盼再見到兄，囑代她致意。

乍暖還寒，諸希珍攝，書不宣意，即頌

日安！

弟　侃

一九九〇．三．三十一

《巴渝文化》一書，經了解，是博物館尚未寄，已催促其速付郵。又及

羅宗浚致羅孚信（一通）

承勳、秀聖：

隆侃離開我們已二十多天了，直到今天心情才稍平靜下來給朋友們寫信。因為只有電傳死訊的消息，實在太突至了。太簡單了。給親友們帶來太多的懸念，我應該堅強起來……。

第一個要寫信的人就是你們倆了。

在整理他的照片時，大兒子羅小龍題了這樣的話：

歲月如煙，往事歷歷。春華秋月，人去樓存。

我在相冊的扉頁上寫了幾句：

四十五年——您和我是這樣走過來！

您答應過：我們要到南昌到樂山到北京去旅遊。為甚麼您卻匆匆而去，留給我永遠的惆悵！

張文澄同志夫婦以七十五歲高齡，聞訊從成都趕回「千里奔喪」，使我們全家感激零涕。在他的主持下，市人大幾個同志寫了一篇懷念的文章，執筆者是范魯，是和他最接近的年輕人。文章雖有點拔高，但也真實地描述了他八五年到市人大以後在老張的麾下勤勤懇懇地工作的一些情況。特寄上一閱。

本來想一切從簡，但生病的消息封鎖了一段時間，終於逐漸傳開了，去醫院探病的人他作了詳細記載，接近一百五十人左右，這些去探病的人大多數都是至親好友，一般應酬的也有，佔的比例不大。「死訊」傳出，來家弔唁者就蜂擁而至，不得不和人大單位協商，匆匆設了一個簡易的「靈堂」，就利用他十平方米的所謂「書房」的那間屋子。我們小小的這個家，居然接待了二百多個憑弔者。宗哲、宗慧終於在火車幾經周折的情況下於火化前幾個鐘頭趕來了。八日火化，真不敢相信老趙就這樣匆匆而去了！去了！

寄上幾幅照片作個紀念吧。

希望經常保持聯繫。海星意外的結局我們全家和老趙生前都感到高興。

祝您們安康！通訊處如前不變。

宗浚　十月二十八日

為了晚報徵文，他寫了一篇「我認識的第一個共產黨員」，是寫的程小夏，居然獲得了二等獎，在頒獎儀式上，晚報主持人希望他能參會並講幾句話，但他已病倒了。這是他最後完成的一篇文章，也是他有生以來第一次正式獲獎的文章，他高興極了，老程八五年通訊後就無聯繫了。這次給他發了電報或電話無回音，也不知去向。

又及

張亞冰致羅海雷信（一通）

海雷：

憑記憶寫了一點東西，只能作為素材提供給你參考。

目錄中有《「六四」覺悟》，不知內容是甚麼？雖然《人民日報》近期刊發了題為《以包容心對待「異質思維」》的文章，但我認為涉入「六四」，仍屬敏感問題，要慎重，以不妨礙解決申訴問題為好。也許是我多慮，供參考。

對申訴，我給你母親寫了一信，附上，你先看看，如認為可以，請轉寄她。

收到信，請告我。

祝

好

亞冰

五．三（二〇一一年）

張亞冰致吳秀聖信（一通）

秀聖：

寄來的書已收到，很高興，謝謝。

海雷寄來一些材料，其中有《申訴》，我有些看法，供參考。

主要是無中生有的事情，應該澄清，自證清白。

申訴材料對為甚麼一直默默承受，這麼多年不申訴的原因是說清楚了，否認拿酬金也說了。但有些有關重要情況似乎也應該說清楚。

1、是否將情報交與敵人，如果沒有，就要明確地說沒有這回事，如是統戰工作中言語失誤可以說明，如是文件要求進行宣傳的，那就連失誤都談不上。

2、是否有酬金，是否拿了酬金。如果沒有，要重點明確說明。

3、是否買了別墅，這事是可以調查清楚的，不是憑那個人造謠就能污人清白。

4、孩子去國外讀書，既然錢是賣畫來的，也要說清楚。

當時還有那些重要情節構成所謂「罪」要理一下，說清楚到底事實是怎樣，如照相機，甚麼女人等等。

申訴除送賈主席，要向原判法院正式提出，還有要向統戰工作領導部門也即原領導承勳作統戰工作的上級部門提出。

申訴的目的是還以清白、平反、恢復名譽、恢復黨籍，並通知《大公報》撤銷錯誤決定，補發退休金等也要一一寫清楚。

您要勸勸承勳，自證清白是很必要的。老朋友們都希望他的不白之冤能得到解決。承勳一向低調，這事可不能低調，自己陳述事實真相比甚麼都強，即令客觀原因解決受阻，事實真相擺在那裏，黑白是分明的。

另宗哲通訊地址是成都金盾路九號四川省公安廳老幹處轉，郵編是六一〇〇四一。

祝

雙安，保重

亞冰

五．三（二〇一一年）

附：關於承動的幾點回憶

解放前我在成長過程中，羅承勳大哥是我的帶路人之一，我一直把他當師長和兄長，我們有一群同志和朋友都尊稱他羅大哥。關於他的事，印象深的有以下幾件，因無歷史資料，下述均憑回憶。

一、輔導我們學習革命理論

一九四五年初從渝女師畢業後，我開始教書，承勳開始時寄學習數據給我自學。下半年我到了重慶，在南岸一小學任教，後來在一個同志支持下，我組織了一個學習小組，有五、六個人，那個同志遠在北碚，不可能親自指導我們。這時，承勳承擔了這個工作，他介入我們的學習，是由於趙隆侃同志的關係，趙是中共南方局青年組領導的秘密外圍組織——核心小組的負責人，他周圍有一批進步的同志和朋友，承勳是其中之一，他們是高中同學，於是這個繁雜的輔導任務就落到他的肩上。承勳輔導我們學習了《新民主主義論》、《大眾哲學》等書，還讀了艾青和何其芳的詩歌等，承勳不僅要選擇和準備上述學習數據，還對我們不理解的地方進行講解，參與一起討論。每次他來南岸要從李子壩乘車至牛角沱，從牛角沱乘車至朝天門，再從輪渡過江到海棠溪，然後走很長一段路，才能到學習小組所在地。來的時間只能是星期天，也就是把他的休息時間全花在了輔導上。通過學習，提高了我們的認識，更激發了投身革命的熱情，嚮往着建設新中國。也為進一步更多團結群眾打下了基礎。一九四六年下半年，我轉到城區教書，學校沒有活動的地方，後來發現女青年會所在地環境較好，那裏來往一些進步人士，我們又在那裏開始組織學習，仍是承勳輔導我們，進一步學習了《共產黨宣言》、《黨章》等，解決了我不參加黨也可革命的「清高思想」，對黨的認識進了一步。由小組成員在南岸龍門浩和城區另一學校又籌建了兩個學習小組，讓更多青年受教育，這些人中的多數均參加了黨直接領導的外圍組織「六一社」，走上了革命道路。

二、參加「抗暴」

抗戰勝利後，蔣介石政權破壞和平統一，投靠美國，大打內戰，讓美軍大舉進駐中國各地，這些美軍在中國橫行霸道，中國人民心裏憋着一肚子火。一九四六年十二月二十四日，發生美軍強姦北大女生沈崇事件，消息傳來，渝市學生及廣大群眾極為震怒，中共四川省委順應民情，掀起抗議美軍暴行運動。在趙隆侃同志領導下，我們許多同志都投入了這個工作。當時，我的工作是在學校，承勳是在文化宣傳方面，他到底作了哪些工作我並不清楚，但他曾經利用編《大公晚報》副刊的機會，在副刊上整版編發讚美、歌頌、推動「抗暴」的文章，讀者反映很好。在重慶除了《新華日報》外，其他報紙如此整版發「抗暴」文章的不多見，「抗暴」一直受到特務的干擾破壞，承勳這樣做是冒着一定風險的。經過黨在各個方面的組織發動，一九四七年一月六日，渝市六十五所學校，一萬五千多學生舉行了盛大的遊行示威，民族正氣得以伸張，正義呼聲震撼山城。約在一月中旬，趙隆侃同志曾召集了幾十個投入工作的同志開會，總結這次罷課遊行的經驗，部署了進一步開展運動的工作。當時與會的渝女師學生自治會主席羅宗哲同志回憶，承勳是參加了這個會的，大家還欣賞了他編發的文章，足以說明他是積極投入了這次運動的。

三、參加辦重慶市委的機關刊物《反攻》

在四川省委和《新華日報》被迫撤離後，趙隆侃同志與育才學校黨支部書記廖意林同志接上了關係，廖介紹趙參加了共產黨。廖的愛人蘇辛濤和趙等在一起，商議辦一個刊物，配合《挺進報》進行宣傳黨的方針政策，教育群眾。這樣，可以填補一點《新華日報》撤走後，群眾極需聽到黨的聲音，了解解放戰爭的情況的迫切需要。趙和承勳談了這個設想，承勳大力支持，並積極參加創辦工作，編輯與寫稿。《反攻》出刊時間不長，歷史上的作用不容低估，它曾被明確定為中共重慶市委的機關刊物。

四、我們找黨的橋樑

承勳到香港後，還參與了一件很重要的事，那就是為重慶城中區與南岸區學運特別支部（簡稱城南學運特支）與時在香港的上級黨的領導機關搭起了橋樑。事情從一九四八年四月說起，當時，重慶天昏地暗，黨遭到大破壞，重慶市委書記和副書記相繼被捕叛變，《挺進報》也被破壞，那個市委副書記兼學委書記不僅出賣了江姐等同志，還以張德明的名字在報上發表自白書，公開出賣重慶的三個學運特支，沙磁、北碚兩個特支遭嚴重破壞，城南學運特支由於渝女師的羅宗哲有所暴露，將其撤往了江津再轉成都，被該校敵特誣為「打游擊去了」，並公開登報，因此牽連撤走與其有關的同志，因此撤退比較快，書記趙隆侃和支委向洛新均撤離原工作地點，但仍留在重慶，保存了組織。同時，川東臨委迫於自衛進行的武裝起義失敗，臨委書記壯烈犧牲，許多同志被捕，重慶和川東的民主力量一時失去了主心骨。

特支面臨十分艱險的環境，後來增補了王大昭同志和我為特支支委，組成臨時特支，開展應變工作。在當時的情況下，最迫切的是尋找黨的領導，我們相信，只要堅持鬥爭，遲早會找到黨。在重慶、川東我們無法找到黨，也不敢貿然表明身份尋找黨。我們曾託上海、武漢、香港的關係找黨，都無結果，有回信稱「本大利微，不擬前來」，令人十分焦急。直到十一月前後，時在香港《大公報》工作的承勳寄了一信到南岸仁濟醫院特支聯絡點，收信人是趙的曾用名，聯絡點那個同志一時也弄不清到底該把信交給誰，直到那個同志的多年好友，一個知道內情的「六一」社員知道此事，才將信取回交給我，從其暗語中得知，承勳已找到原南方局青年組的朱語今同志。我們真是喜出望外，趙立即去信暗示已與組織失去聯繫，請轉告朱予以幫助。過了一段時間，再次接到承勳來信，表示朱同意派人去香港。臨時特支決定趙隆侃同志去香港，趙去見到朱語今，經過初步審查，才引去見了另一負責人，趙詳細彙報了情況，並寫出書面材料，經過審查，該負責人明確表示：特支彙報的情況屬實，批准恢復與上級黨的聯繫，承認原所轄的和應變期接受的全部黨員和社員，並批准應變期臨時特支委員會改為正式的特支委員會，其組成人員不變。這是重慶地下黨大破壞後，後被《紅岩兒女》一書譽為「碩果僅存」的第一個代表一級組織去香港找上級黨的。趙接上關係後奉令回渝找到川東負責人鄧兆明，鄧去香港見到錢瑛大姐，川東、重慶地下黨才與上級黨恢復了關係。如果沒有承勳這個橋樑，我們找到黨不會那麼順利，真是功不可沒。

五、經濟上支持革命、幫助同志

承勳當時收入比一般教、職人員要高一些。他在經濟上總是盡可能幫助大家。當我們有個同志得了很厲害的傷寒，十分危險，不送醫院就活不了。發起捐助，十幾個人好不容易才湊夠約一半費用，我找到承勳說明情況，他拿出了另一半費用，才將那個同志生命挽救過來。宗哲的姐姐宗俊生孩子難產，其費用也全是承勳援助。宗哲在校經濟上遇到困難，承勳也常給予資助，宗哲學校一個「抗暴」積極分子弄丟了別人的鋼筆，無力賠償，十分為難，承勳在前述「抗暴」總結會上為此獎了一支新民鋼筆給宗哲，她轉贈給丟鋼筆的人，才賠償了別人。

我當時曾經手小量發行《挺進報》，發行對象中有資助過《挺進報》的，其中承勳也資助過，當時資助的錢都不多，我都交給了給我《挺進報》的劉庸鑄同志（解放後才知道他是《挺進報》特支書記）。因此，

我聯想到承勳參加辦《反攻》經費自籌，從辦刊的幾個同志的收入來看，我猜想承勳是經費自籌的主要人員。（這點需承勳回憶核實）

承勳經濟上支援革命，幫助同志，但本身生活簡樸，潔身自好，從未見他亂花費，連電影院都沒有見他進去過。

另外，承勳曾用封建餘、司馬牛（幾個人合用名）的別名在《新華日報》等報上寫過許多雜文，常是一語中的，辛辣諷刺舊社會的腐敗，他的文章是匕首，是投槍，一點一滴都刺在敵人心上，讀者看了解氣，振奮，思想受到啓迪，發揮了教育群眾的作用。

張亞冰

二〇一一．五．三

戊輯

曹聚仁致羅孚信（一通）
全如珣致羅孚吳秀聖信（一通）
薛君度致羅孚信（二通）
李鑄晉致羅孚信（一通）
楊慶堃致羅孚信（一通）
周策縱致羅孚信（二通）
王浩致羅孚信（一通）
聶華苓致羅孚信（一通）
凌叔華致羅孚信（一通）
蔣彝致羅孚信（三通）
曾景文致羅孚信（一通）
黃俊東致羅孚信（一通）

葛浩文致羅孚信（一通）
葉維廉致羅孚信（二通）
夏易致羅孚信（一通）
簡華玉致羅孚信（一通）
高凌珠致羅孚信（一通）
羅孚致高凌珠信（一通）
吳秀聖致高凌珠簡幼文信（一通）
卜少夫致羅孚信（一通）
胡菊人致羅孚信（一通）
關朝翔致羅海雷信（一通）
陸鏗致羅孚信（一通）
崔蓉芝致羅孚信（一通）

曹聚仁致羅孚信（一通）

承勳我兄：

奉上陳紀瀅的《美國訪問》、程天放的《美國論》，曾虛白的《東遊記》，請查收。兄何以忽然要研究美國問題來？

專上，即頌

*祺

弟 曹聚仁 頓
二、二午

全如珣致羅孚吳秀聖信（一通）

羅先生、羅太太：

收到海雷的電郵提到一九七一年組團訪華事，文中有些背景與事實不符，為對歷史有交代，現把當年的一些人和事說一說。內容分為三部份：

1、與羅先生相識及介紹的朋友

大約在一九六八或六九年我們與羅先生經過關朝翔醫生介紹相識之後又經相互朋友介紹胡金銓、戴天、

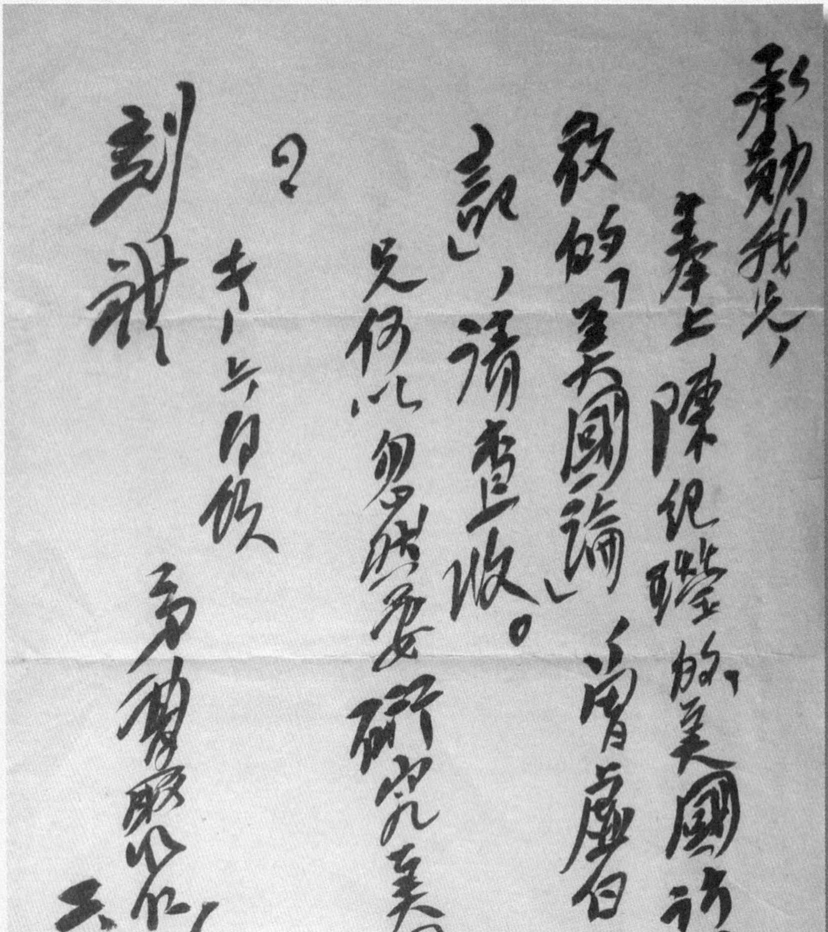

承勳我兄，
奉上陳紀瀅的「美國訪問」，經
我的「美國論」，曾虛白的「東遊
記」，請查收。
兄何以忽然要研究美國問題耶
？
十一月六日飯
刻祺
弟曹聚仁上
六二年

曹聚仁致羅孚信

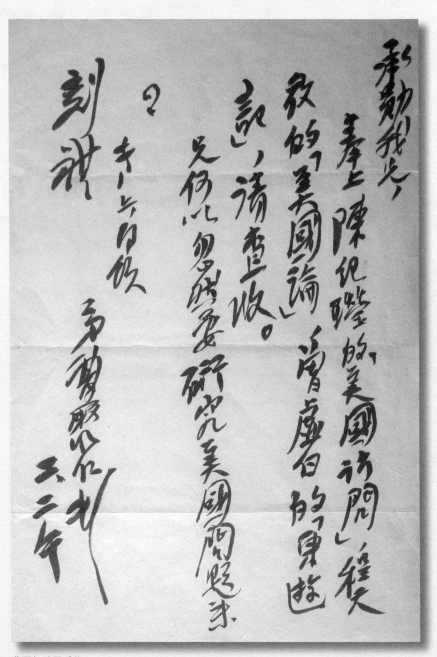

胡菊人、湯項（湯項為國畫家湯定之的兒子，讀者文摘編輯又與我在港大教書時同過事）時時相聚。不外是松竹樓、樂宮樓、鴻長興等北方餐館。之後我們又介紹了一些朋友與羅先生。現在還記得的有：

王冀，美國國會圖書館中文部，當時在中文大學圖書館工作。

王大衛，龍先生姐夫之三妹的夫婿，當時任職美新處。

洪越碧，其夫John Fincher，任職美駐港領館的政治領事，洪本人在中文大學將趙元任《語言學文集》譯成中文。其夫已過世，洪在美國華府。

張培霈，美新處的文員，老燕大學生。張先生收藏林風眠的畫，記得介紹給羅先生。

劉傑，美國新聞週刊駐港代表。

（因為我在港大教中文，不少學生是外交官或學者，我們不時介紹一些有意了解中國的人給羅先生。主要是美國人但也有日本人。）

須磨未之秋，日本駐港總領事，在中國出生，在東北長大，曾任田中角榮的赴華翻譯。其父曾在戰前任日本駐南京總領事，是日本名家之後。

小原育夫，駐港領事後回日本在外務省工作。

奧格桑柏格（Oksenberg），美國哥倫比亞大學政治系教授，當時在港大進修中文，為我學生。曾在卡特時間任國家安全顧問，後在夏威夷大學任教。

李柏桑（不記得英文），為上者學生，也為哥大學生。曾任布什時期安全顧問，現仍在DC的諮詢公司，在港時也為我的學生。

傅高義（Ezra Feivel Vogel）是劉傑介紹給我，為我的學生，當時是哈佛的社會學教授。後任費正清中心主任，曾任克林頓的安全顧問。

最後三人在七十年代初期去華訪問，都找過羅先生諮詢。

費正清（John Fairbank）為哈佛大學歷史系教授並主管哈佛東亞研究所。他是一九三二年來中國開始學習中文的，一生的工作都與中國有關。四十年代他在重慶主持過美國駐華新聞處工作，同當時的中國文化界有廣泛的交往，他更是在冷戰時期頗有影響的漢學家。他退休後由傅高義接任將東亞研究所改為費正清中心。他在解放後第一次訪華（七十年代）經香港時，我們便請了羅先生、趙澤隆、李宗瀛、劉芃如太太共晚宴。仍記得他在席中提到在京會晤了喬冠華，並提到如何解決「現代化」之後機械替不了人力，而如何解決人口問題。費太太是梁思成、林徽因的好友，極為關心北京城市的建設，特別惋惜舊城牆的拆移。

2、北美第一團名單

北美第一團在美國方面由龍繩文相邀，他是一九四五赴美後，未回過中國。經他相邀的學術界朋友有：

何炳棣，台灣中央研究院院士，浙江，原清華畢業。曾與姚依林（？）為清華同學，後在美國芝加哥大學任教歷史。其夫人為邵力子的姪女。

楊慶堃，廣東人，原燕大畢業與吳文藻、謝冰心、費孝通為舊友，當時在匹茲堡大學教社會學。

薛君度，廣東人，為黃興的女婿，曾在中文大學做過訪問學者。在美國馬里蘭州立大學教現代中國史。

黃宗智，加州洛杉磯大學歷史系教授，教中國現代史。（黃宗智並非龍繩文在美邀請，是後在港參加的獨立人士）。

在美國方面龍繩文請了，非學術界的朋友有：

傅海瀾，原燕大職員傅涇波的幼女，傅為司徒雷登的秘書，也是契子。司回美後一直與傅家同住到過世。傅海瀾本人在北京時嫁了一美國軍人，夫早逝，她有軍隊的撫卹。

龍國璧，為龍繩文妹。一九四六年來美讀大學，後便做家庭主婦。其夫陳進求為廣東人，父親陳慶雲曾做過孫中山的侍衛，後任國民政府海外部部長並擔任過杭州筧橋航校負責人。

黃宗智姐姐及姐夫。

在香港方面由龍繩德出面相邀：

何友輝，廣東人，畢業於芝加哥大學，返港後任教於港大心理系。

郭蘭珍，何友輝太太，曾任台灣中華航空公司服務員，台灣長大的外省人。

全如珦，北京人，自一九六四年由京赴港成婚便再無機會探親（因局勢之變遷），極為思念老母，曾多次請人幫忙，僅曹聚仁先後遞過多次我的請求信函給有關方面，均未果。因此只有我本人參與。因兩幼女（五歲、一歲）不便隨行，龍繩德便留在香港未同行。

還有兩人是羅先生推薦：

葉楠，葉楚傖兒子。

袁曉園，葉楠夫人，台灣國大代表，語言學家。

黃宗智及黃的姐姐、姐夫。

組好團後，由羅先生出面與北京有關方面聯繫。在當時的政治氣氛下我們都知道羅先生的重任，也都相信羅先生。在訂好十月訪華後便在九月中發生了林彪事件，我們只從港報得知有飛機墜毀在外蒙，其他都不知曉，到了廣州後也未曾有人提起。

3、在華訪問的記憶（一九七一年十月十二日—十一月八日）

當美國的人士們抵港，大家共同推選出團長為何炳棣，副團長為龍繩文。此行於一九七一年十月十二日由香港乘火車抵羅湖，經邊防驗證後再乘火車赴廣州。在羅湖的邊防對美國客人較客氣，對香港的同胞較嚴格，我與其他港客都是經過仔細翻查，凡是他們未見過的一律不准帶，例如我攜帶一塑膠鎮紙中間有一小昆蟲在鎮紙內，邊防人員幾經核查最後沒收。當時已感到雖然與香港只隔一橋，但人們的思維和眼界就那麼不同，真體會到閉關鎖國的意思了。

我們一行人都下榻於廣州華僑大廈，大廳內的毛主席與林彪站在井岡山的油畫仍掛在大廳內。抵廣州後，每日安排參觀，去過：農民運動講習所舊址、烈士公墓、廣交會會址、博物館、佛山沙滘公社。吃過北苑飯

1971 年，北美第一團在北京合照。前排右起：羅孚、龍繩文、傅海瀾。前排中為何炳棣。

店、畔溪飯店。上述所去之地，似乎沒有其他遊客，很是冷清。記得住了一週多，我因是向港大請假探親二週，甚為焦慮，每日都在問何時可去京，回答總是「快了」。記得在一週以後，一天夜晚通知我們翌日去杭州，不管如何，只要動就好。在杭州的和平賓館（原西冷飯店住下），當時有從北京來的三男一女接待我們，他們自稱中國旅行社的幹部。他們分為四批，陪同不同的人，參觀時也不多言，吃飯從不參加，但人都很友善，在杭州遊了西湖，新安江水庫（錢塘江），何炳棣提議去「樓外樓」吃飯，去時僅我們兩桌，很是清靜。

從杭州到上海，此時陪同們讓我們寫下希望見的親朋，我寫了在上海音樂學院教鋼琴的堂姐，在抵滬翌日參觀後，便見到在和平賓館大廳坐着的堂姐，她是一九五一年從美國回滬，認識何炳棣，見到我並在餐廳吃到了冰激淩，她感動的說「有如夢境」。在上海參觀了朝陽工人新邨幼兒園，上海第六人民醫院，見到斷手再植的陳醫生。之後又去了蘇州。參觀了虎丘劍池、雷峰塔、留園、虎跑泉、寒山寺，在參觀中陪同介紹的同志便說「周總理如何保護了這些文物，等等」。

大約過了兩週左右的一天夜晚，陪同通知大家明日去京。抵京的飛機在晚上着陸，當我一邁出機艙便見到日夜思念的老母及幼妹，恍如隔世，母親已成了一老太太了，看時心酸。陪同們說特准我母與妹與我同住，當時住在金魚胡同的和平賓館。該賓館建在我家舊友王家的前院，後花園仍保留。

在京期間，名勝之地參觀了故宮、天壇、明十三陵、長城、頤和園，印象與其他城市一樣「清靜」，似只為我們而開放。

在京的第二日，羅先生出現了，他與我們參觀了清華、北大，並會晤了章士釗先生。

在北大見到了馮友蘭，特別在一小院落中會晤。我問過「您的鬍子呢？」他笑談「這是新生的馮友蘭」，會晤時他由姪女陪同。當時北大的領導周培源、周一良接待了訪問團，不少軍隊的同志與革委會的負責人也同在。

在清華時，何炳棣很激動，在一聲學實驗室，校方放出「東方紅」音樂，而何先生大唱清華校歌。我見到我的小六伯（小六伯在清華校醫做了一輩子），他為清華校醫，當時已八十多歲，與錢偉長同住蔚蘭院，因此錢偉長對我很是親切。

在參觀上述兩校時，多由革委會等負責人介紹情況，不外是「舊的已打倒，我們建立了新的學校」之類。老教授們也簡單介紹，感覺上距離很遠。

我們要求見章士釗，因他與龍雲先生為私交，龍雲先生墓碑的字為章先生所書。一天午後通知我們去史家胡同拜會章老，龍繩文、龍國璧、我本人及羅先生均參加了，章老送我一小條「天高雲瞻」贈我，是在一九七一年十一月。（在去京前羅先生便將章老所著《柳文指要》介紹過給在港的文化界人士）

在京期間有另一李姓領導陪同，後又分別在王家後花園午宴。由喬冠華出面，並有羅青長陪同，告知部份團員「家中出事，林彪外逃」並告知保密。我們各個守口如瓶，到了香港才彼此得知，其實外邊已知道了這天大秘密。

最後，在我邊寫，邊看照片，邊回憶，邊落淚時，特別想到我們的好朋友，我們尊敬的老朋友，一位謙謙虛虛，看淡名利，堅守信念的羅先生，羅先生在當時的政治形勢下擔當風險組織了第一個華人團回北京是件大事，這樣的大事是應在中國的現代史上有所記載的。我們與羅先生相識四十餘年，我們從未問過羅先生的背景，但是我想他定與當時領導中國在「白區」工作的周恩來的班子有關。看看今天中國自己的黨史，除了與外敵鬥，與國民黨鬥，便是與自己鬥。翻看今天的報刊，看看今天的電影、電視劇，盡是些「平反」。如今人們在看娛樂般看這類事件，為甚麼不平下心來想想，為何有這樣「誹謗、中傷、造謠」之小人伎倆在黨內橫行？為甚麼勝利一到手便容不得與你在不同戰線上共同為一目標但未謀過面的同志有絲毫信任，這不是唯我獨尊嗎？這難道有「為人民謀利益的信念嗎？」現時中國無論是國內的開明人士或國外的自由派人士都說「民主」，我認為在達到這一「民主」過程中，中國人民應多體會邏輯思維，任何事情都應推理分析，以求真相。

二〇〇九年五月

薛君度致羅孚信（二通）

第一通

羅兄：

一月中返美後曾寄上一信，二月中又一信，謂擬於五月中以後偕內子返國一行。想已得收。久未見覆，甚念。因國際東方學者大會百週年紀念大會七月中在巴黎舉行。弟須前往宣讀論文，要預交包機票價旅館訂銀。如與返國行期衝突，二者必須放棄其一。而且實不知兄是否已代安排，所以請您可能早日賜覆。如需自行申請辦理手續，亦請告知。

內子大哥黃一歐兄，據聞仍在長沙，任湖南政協常委，今年八十歲。五弟黃乃，文革時任教育部局長。弟還國時，聞在五七幹校有位姪子黃儀恭，一九六九年北京化學纖維工學院畢業，不知身在何處，均欲一見。能否查到？

弟意先北後南，最近又想五月間先南後北，看看情形，尊意如何？專上敬請

撰安

君度

一九七三年三月二十六日

第二通

孚兄：

離港前以俗務冗集，酬應紛繁，致不獲趨候起居，慚愧之至。昨日收到臨江春雨圖，足見厚愛。當晚即懸諸客室，此後當為寒舍之「交談對象」，即英文所謂 Conversation Piece 也。

此次在港，屢承照拂，萬分感激。下次來時當圖報*。兄處諸友好乞代致意。匆匆即頌

撰安

弟 君度 上

七六年二月十九

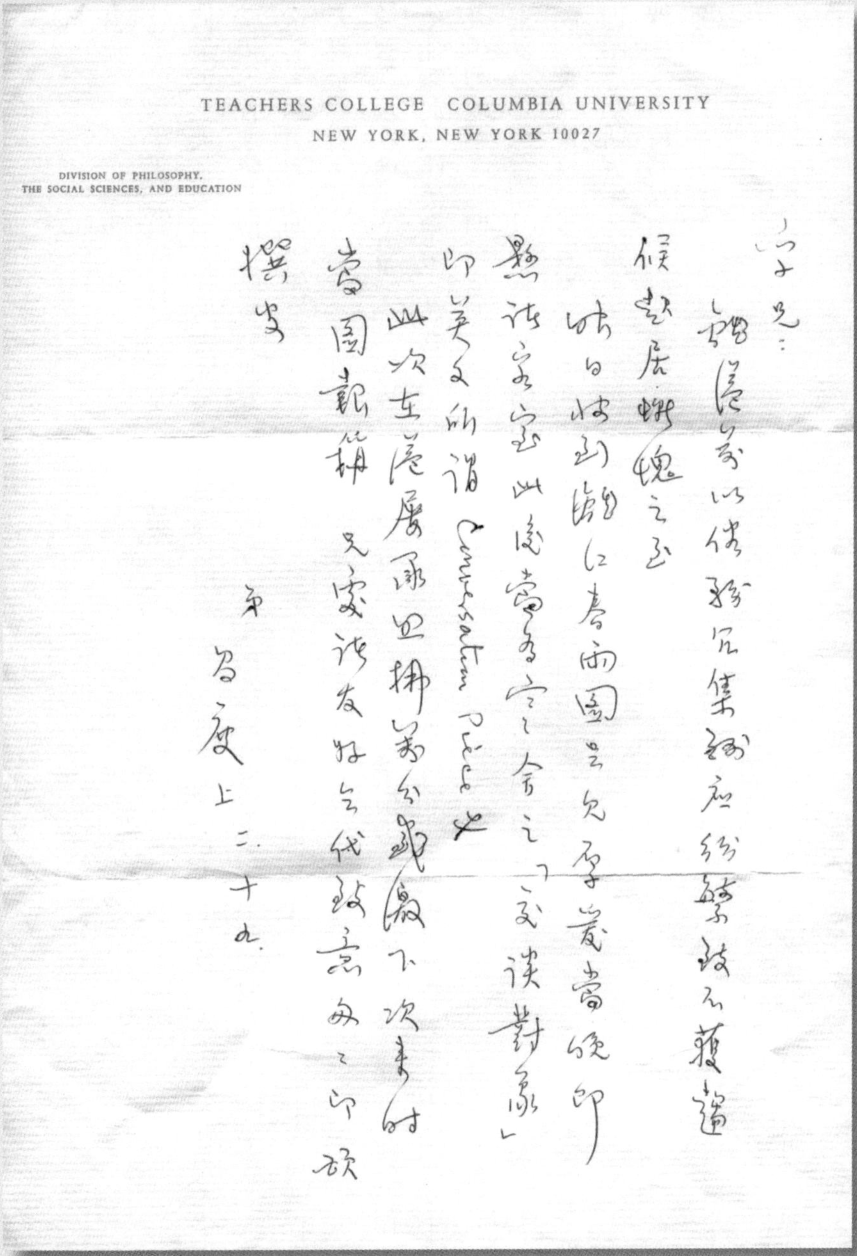
TEACHERS COLLEGE COLUMBIA UNIVERSITY
NEW YORK, NEW YORK 10027
DIVISION OF PHILOSOPHY,
THE SOCIAL SCIENCES, AND EDUCATION

薛君度致羅孚信第二通

李鑄晉致羅孚信（一通）

羅孚吾兄：

返美已快半年，萬事皆忙，未及早候，請諒。

據最近返美之美國美術考古訪華團團員返後所談，其一月之內，在上海、蘇州、南京、鄭州、洛陽、西安、廣州等各地參觀博物館及其所藏唐宋元明畫，至為精彩，讚嘆不絕，弟亦特邀曾訪大陸學者七人，於下週三全美大學美術及博物館之大會 College Art Association 年會時，報告其印象及經過，附上大會議程一部，可知大概。

弟曾與現在港之時學顏[53]教授談及，希望可組一在美研究美術考古之中國學人，能赴大陸再作一月之行，望能繼此美國美術考古訪華團，同能參觀各地所藏名畫，尤以北京故宮所藏者為最，未知時女士曾否與兄提及，抑或應在此向華盛頓之聯絡處接洽也。

去夏弟等能行一月，得以認識國內一般情形，至為興奮，且得欣賞各地名勝，參觀大學，公社，工廠及博物院，實為快事，感激不置，返此後，亦曾用幻燈片演講多次，報告情形，一般反響，均極滿意，惟遺憾者，即弟專門研究宋元畫史，而未得一見故宮所藏耳。

費，李，馬諸兄，及唐駕時兄，均請代候。

祝

年安

弟 李鑄晉上　一九七四，一月十七

53 時學顏，藝術史學家，加拿大國家美術館的館長，香港中文大學中國藝術史教授。

楊慶堃致羅孚信（一通）

此信請面交羅孚先生。

羅孚先生：

去歲曾奉一函，請教先生是否仍有訪美興趣一事，諒邀鑒及。黃壽林君上月來美西，曾作長途電話之談，弟請其回港時約先生面敘。先生如有意見，他可轉達此間。茲再乘陳郁立[54]來港之便，託帶此函。先生高見亦可着其轉達。

另有一事，想趁此機會一陳。去年弟向中國駐美京聯絡處入境簽證部門紀立德先生去函，說明一九七八或一九七九年想再到中國訪問，作學術性的觀察，為在美高等教育工作準備教材寫作。素知請求去中國人數眾多，特作長期的事前申請，求將此請登記輪候。但回信是如此簡略，對請求之內容全不置答。弟認為這不是為國家辦事的應有態度。如申請事由不合國家政策或條例，應該有所說明，使大眾有所遵循，今只以探親人眾數字了結一切，殊難令人置信。美國許多無關宏旨的人物，甚至一些排華反動分子，不少獲得多次入境訪問機會。美國左翼青年團體不獨能隨意前往，且在刊物登廣告招人前往，條件只是回美後願意作演講報道所見（這些事情我們早都做了）。就算帶政治色彩的人士，如英國郵船伊利沙伯號遊客數百人，近亦得遊覽廣州數日的機會，該船公司今且以遊覽為題，大登廣告招客前往中國，說是已與中國當局妥作入境安排。這些准許各類人士來華訪問，一瞻革命的偉大成果，對國家的國際信譽至有補益。但他們的入境並不受探親人眾所阻，今獨以此為由，攔阻有志服務中國的僑胞。在政策上這是欠解的。以鄙見所及，海外僑民知識分子

54 陳郁立，美國心理學家、漢學家，波士頓大學教授。

對國家服務途徑，一是宣傳，一是教育。宣傳着重鼓吹，面對民眾。教育如是大專學院階層，則是面對高級教育階層的青年一代，一面指出中國革命的偉大成就，一面分析革命途徑的曲折艱苦，及以客觀態度分析，解放後新社會的建立的佈局，進展與難題。目的是想使高級教育青年折服，以同情態度看中國問題，轉而以其在社會的領導地位去影響群眾。這種工作繁忙艱苦，延年累月，願意做的人並不很多。而持此志向的人，又如此被一言拒絕。弟畢生沉埋案卷，少事交際，今遇此困難，可謂投訴無門。憶前年在港，先生曾聲明不能續辦外僑入境事，言猶在耳。此信之意絕非請求先生幫助辦理此事。事實上，一九七九年以前，弟之旅行機會極微。所願者是請您面告陳郁立夫婦，北京有何機關，人名，地址，弟可去函提意見，希望其考慮入境限制的條例作相當修正，並對弟之請求重新考慮。一個完善的政權，對於遭受困難的人，是應予以投訴的門徑的，弟所請求，只是投訴門徑的指示，深盼先生有以教我。此請安好。

弟 楊慶堃

七月十九日

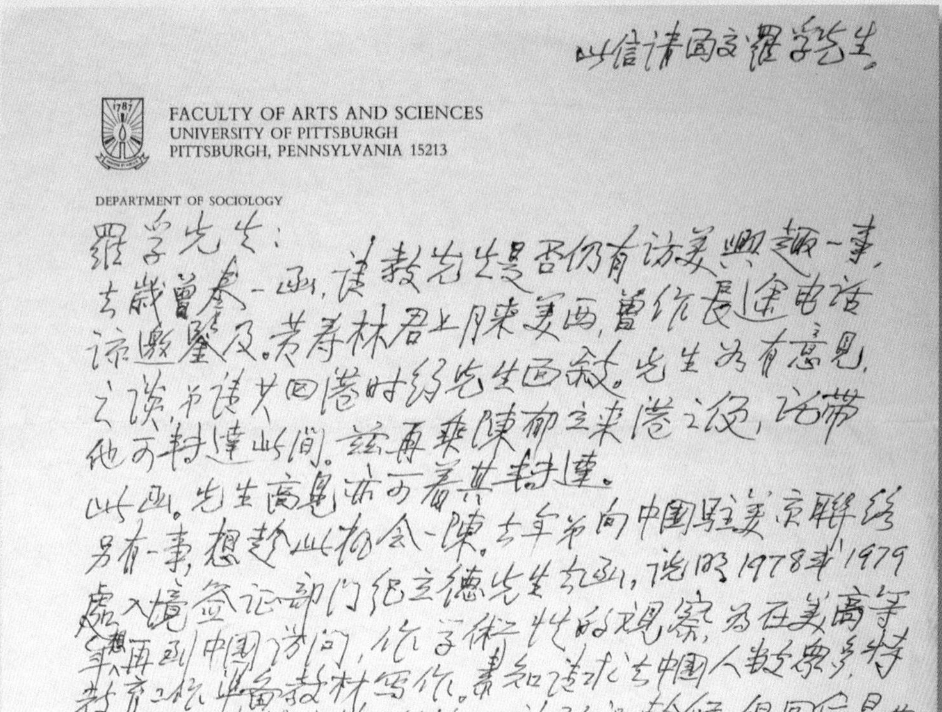

此信請面交羅孚先生。

FACULTY OF ARTS AND SCIENCES
UNIVERSITY OF PITTSBURGH
PITTSBURGH, PENNSYLVANIA 15213

DEPARTMENT OF SOCIOLOGY

羅孚先生：
去歲曾奉一函，請教先生是否仍有訪美興趣一事，
諒邀鑒及。黃壽林君上月來美西，曾作長途電話
交談，并請其回港時約先生面叙。先生如有意見，
他可轉達此間。茲再乘陳御之來港之便，託帶
此函。先生意見亦可請其轉達。
另有一事，想趁此機會一陳。去年我向中國駐美京聯絡
處入境簽證部門紀立德先生去函，說明1978或1979
年想再到中國訪問，作學術性的觀察，為在美高等
教育工作準備教材寫作。素知請求去中國人數眾多，特
作長期的事前申請，求將此請登記輪候。但回信是如
此簡畧，對請求之內容全不置答。我認為這不是為國家
辦事的應有態度。如申請事由不合國家政策或條例，應該
有所說明，使大眾有所遵循。今只以探親人眾數字了結
一切，殊難令人置信。美國許多普通宗旨的人物，甚至一些排
華反動分子，不少獲得多次入境訪問機會。美國在野去年國
体不獨能隨意前往，且在例如登廣告招人前往，條件祇是回
美後願意作演講報導所見（這些事情我們早都做了）。就算
非政治色彩的人士，如英國郵船伊利沙伯號游客數百人近亦
得游覽廣州埠上日的機會，該船公司今且以游覽為題，大

楊慶堃致羅孚信，第1頁。

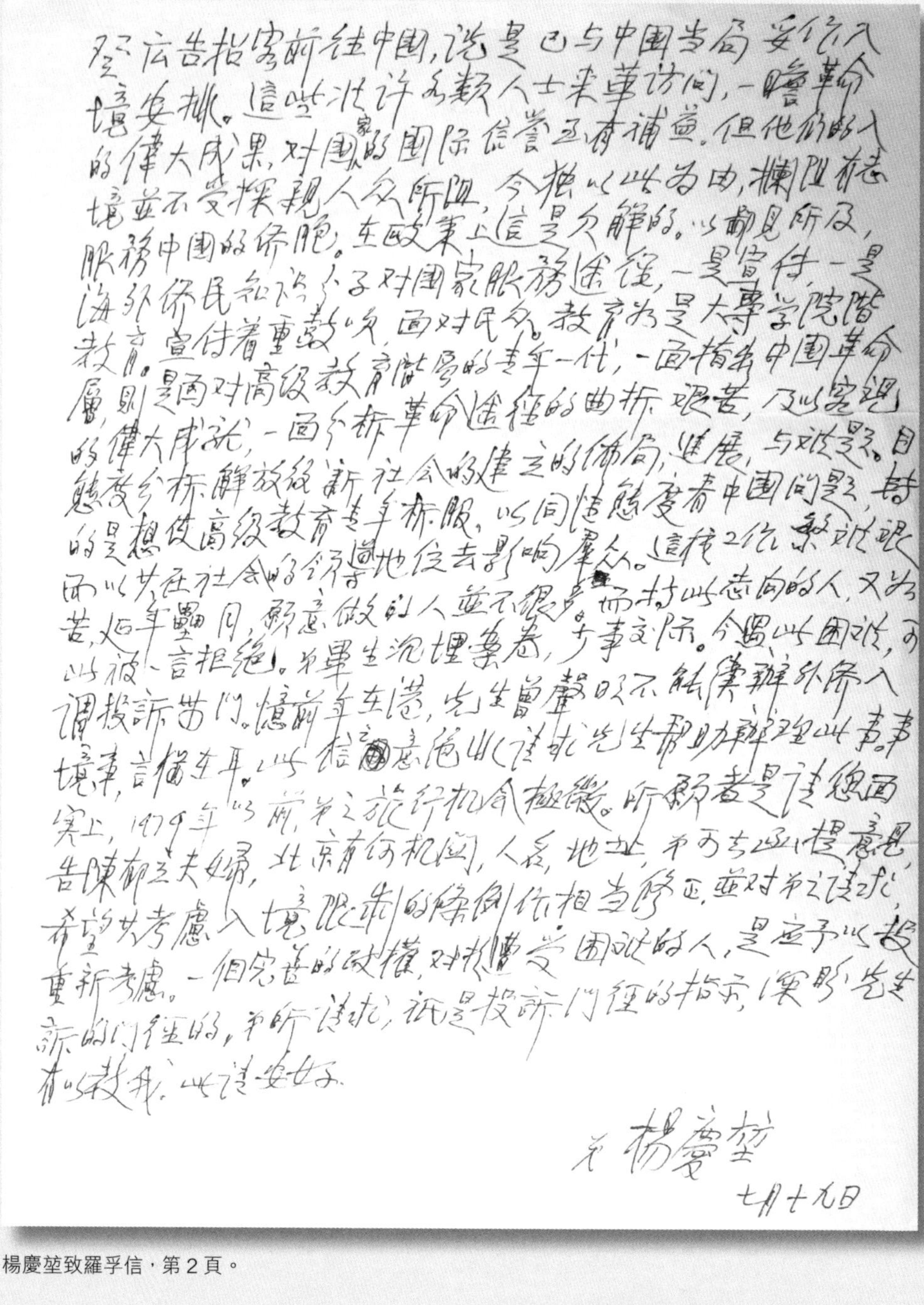

登之広告招客前往中国，説是已与中国当局妥允入境安排。這些此许多数人士来華访问，一瞻革命的偉大成果，对国家的国际信誉亦有補益。但他们的入境並不受探親人众所歡迎。今擬以此為由，擱阻彼服務中国的侨胞。在政策上這是欠瞭的。以愚见所及，海外侨民知識分子对国家服務途徑，一是宣传，一是教育。宣传着重鼓吹，面对民众。教育为是大專学院階層，則是面对高级教育階層的青年一代，一面指出中国革命的偉大成就，一面分析革命途徑的曲折艱苦，及以客觀態度分析解放後新社会的建立的佈局，進展，与难题。目的是想使高级教育青年折服，以同情態度看中国问题，將而以其在社会的領導地位去影响羣众。這種工作需求艱苦，近年羣同，願意做的人並不很多。而持此志向的人，又每以被一言拒絕。弟畢生沉埋案卷，少事交际。今遇此困难，可謂投訴無門。憶前年在港，先生曾聲明不能代辦外僑入境事，言猶在耳。此信之用意絶非请求先生帮助辦理此事事實上，1974年以前，弟之旅行机会極微。所願者是請總理告陳郁之夫婦，北京有何机関，人名，地址，弟可去函提意見，希望其考慮入境限制的條例作相当修正，並对弟之请求，重新考慮。一個完善的政策，对於遭受困难的人，是应予以投訴的门徑的。弟所请求，祇是投訴门徑的指示。深盼先生有以教我。此请安好。

弟 楊慶堃

七月十九日

楊慶堃致羅孚信，第2頁。

周策縱致羅孚信（二通）

第一通

羅孚兄：

你三月二十日的信，早已收到。因你要我複印王調甫的《猛悔樓詩》，不料我的妻子吳南華最近患病住入醫院一個星期，我要每天去看她，忙個不停，現在她已出院，我又得開車去接她。我自己也要去補牙，所以躭擱了。（陸小曼並無詩集。）

我今年十一月下旬仍會來加州阿巴尼市住三、四個月和兩個女兒多見面，還有孫兒孫女，也算一點安慰。此外，在年內就不打算出外了。

你說秋天會去香港。我以為香港秋天還熱麼？你當然知道。那裏人太擁擠，應酬也多，盼你好好保重。加州天氣溫和，時地較舒適，只是熟人遠隔，不太方便。

不知你收藏的近人詩稿手跡，何時可以影印出版？應速其成。如陳獨秀、蘇曼殊、黃節、齊白石、章士釗諸人的詩稿，尤須盡先影印出版。如方便印寄我一些，也可隨時欣賞，或可略加評介也。

《明報月刊》四月份影印我的《論詩絕句四十首》，想你早已見到，只是印得太小了。台灣有個新詩刊物印了我一些「新詩」，也不便寄給朋友。舊詩倒佔了這點方便。

匆匆即祝健樂

嫂夫人均此。

弟 周策縱

二〇〇一．四．十九

附寄《紅樓夢案》拙書
《猛悔樓詩》複印本
近詩《海灣春興》請吟正

第二通

羅孚先生：

十三日在吳瑞卿[55]家見到你，健康如昔，真是高興！瑞卿説，等她從東部回來後，我們來看你們。

這裏複印中大出版社最近出版我的《紅樓夢案：棄園紅學論文集》的封面和開頭幾頁，連「自序」全文。不知你可否就自序和目錄寫一短文介紹於《星島日報》？此書我手頭只有給次女的一本，無法寄上。全書平裝三百六十頁，印得很精美，圖片多為彩色。我不知定價如何，可能是港幣一百六十元左右？

幾顆圖章都是用紅色套印的。「幼琴」和「不可無一，不可有二」是我在陌地生自刻的。「如石」旁的「周策縱印」小鉥，是我在初中時（一九三一年）自刻在筷子頭的，雖然印得不清，倒富於紀念意義，可算我早期雕刻之一。

希望你保重，即祝

健樂　並問嫂夫人好

並問候海呂姪

弟　周策縱（時年八十五）

一．二十．○一

55　吳瑞卿，作家、電視主持人。香港中文大學哲學博士，一九九八年移居美國。

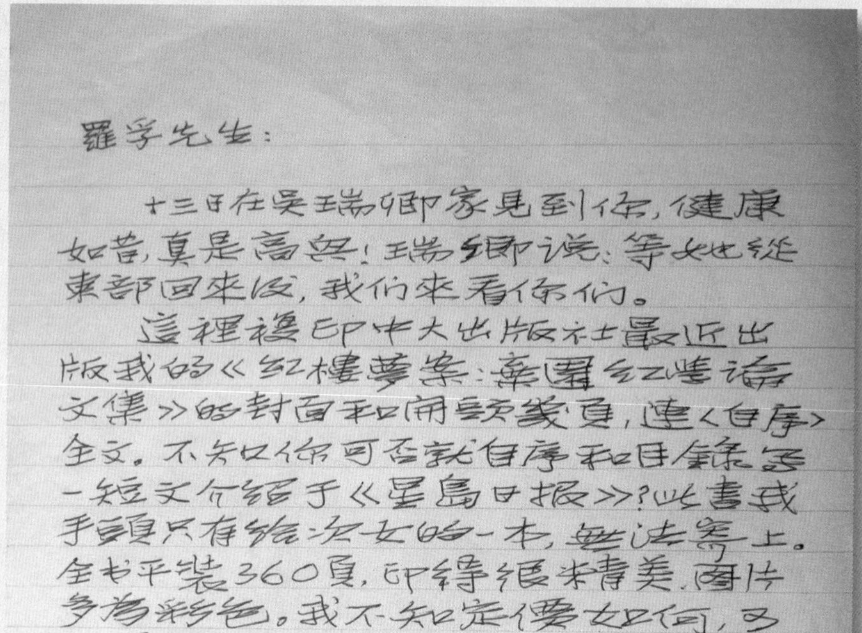

羅孚先生：

十三日在吳瑞卿家見到你，健康如昔，真是高興！瑞卿说：等她從東部回來後，我们來看你们。

這裡複印中大出版社最近出版我的《紅樓夢案：棄園紅学論文集》的封面和開頭幾頁，連〈自序〉全文。不知你可否就自序和目錄寫一短文介紹于《星島日报》？此書我手頭只有給次女的一本，無法寄上。全书平裝360頁，印得很精美，圖片多為彩色。我不知定價如何，多约是港幣160元左右？

幾顆圖章都是用紅色套印的。「幼琴」和「不可无一，不可有二」是我在陌地生自刻的。「如石」旁的「周策縱印」小鉩，是我在初中時（1931年）自刻在筷子頭的，雖然印得不清，倒富于紀念意義，可算我早期雕刻之一。

希望你保重，即祝
健乐 並问
嫂夫人好

並问候海星姪

弟周策縱 1-20-01
（时年85）

周策縱致羅孚信第二通

王浩致羅孚信（一通）

（無上款）

……

具體考慮，有沒有能力略盡綿薄：（一）最晚何時交稿才有用？（二）已有何種稿件？（三）所期望於弟之稿件以何種內容為合宜？大約長短之限制如何？

關於弟，一方面，上週才趕完「數理邏輯通俗講話」（英文，打字四百頁）寄交北京科學出版社，剛才看了一下，似乎沒有章節適於「論文集」。七五年九月底曾寫過一篇講知識分子的中文稿約一萬字，現在覺得許多地方反而想不清楚了。去年曾就魯迅作一講演（是在「借鑒魯迅的求索」一文後另外的話）稿子不長，一時沒有找到，但也不是預備印出的。此外近幾年來用英文寫了幾篇學習辯證法的東西，也不滿意，預備過幾年再想，都只是東寫幾句西寫幾句，離成篇還遠得很。

一般說來，弟對在香港發表文章，一直沒有一個清楚的概念，如果便中我兄能有所指教，非常感激。此請

編綏！

修永兄有便祈代問候！

弟 王浩 敬上

一九七八年六月十日

聶華苓致羅孚信（一通）

羅孚先生：

在香港承您款待盛宴並歡聚數次，至今才寫信，很抱歉。只因回來後人就垮了，至今才恢復，同時還為國內出書寫了幾篇序文。

今年的「中國週末」已籌備很久，白先勇、張系國破例參加。台灣將有詩人吳晟來參加。國內本是艾青和劉賓雁，但最近接到作協電報，劉賓雁因為工作關係，不能來了。我們都十分失望。我尤其擔心：台灣的政府以及海外「反共」報刊將藉此機會大作「反共」宣傳。甚至白先勇、陳若曦等也可能寫文章。

劉不來愛荷華（本已由作協告我他可來），不論是哪方面的決定，確是不智的決定。在高雄事件之後，若是劉那樣的作家能到愛荷華來，不用任何雄辯，就是對台灣、海外智識分子一個有力的號召，就會大快人心。

現在，我這個小小的「橋樑」，作事講話，都沒力量了。

謝謝。希望八二年再見。

聶華苓

八月十一日（一九八一年）

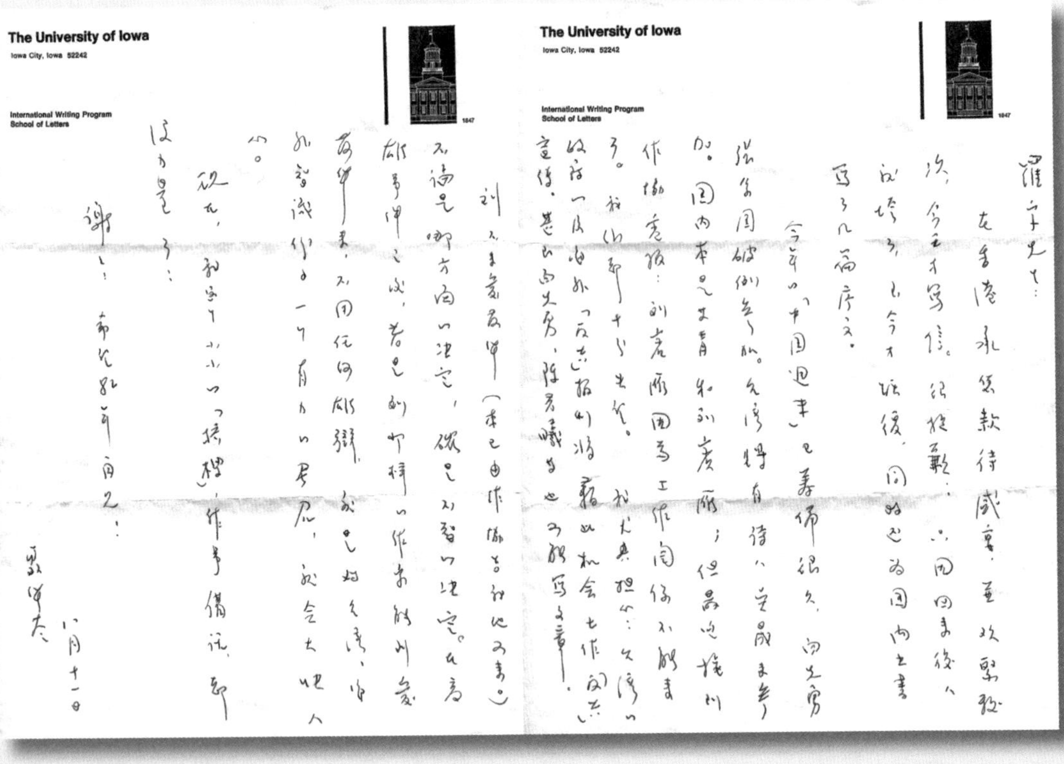
The University of Iowa
Iowa City, Iowa 52242
International Writing Program
School of Letters
1847
The University of Iowa
Iowa City, Iowa 52242
International Writing Program
School of Letters
1847

聶華苓致羅孚信

凌叔華致羅孚信（一通）

羅先生：

您寄來拙作剪報及尊函之時，值我上飛機之日，匆匆放入行篋中，到港後又碌碌奔走辦回國及過港手續，次日即行入廣州，故未能到報館聆教，至以為憾。恭詢及要幾份剪報亦未作答，深以為歉，望原宥。

如若不太麻煩，希望再寄四份剪報到英地址，開列如下：（地址略）。因拙作有糾正往事作用，故擬寄與親友。

我大約五月中旬可以返英，過港時如時間允許，當即貴報館訪費彝民先生及夫人並兩位副編輯陳、李兩先生，但如只領到四十八小時過境護照，只好是候之來日了。便中乞為先說一下。匆匆專問

文安

凌叔華 上

七五．四

蔣彝致羅孚信（三通）

第一通

孚兄：

此次過港，得晤教三次，不勝興遇之至。昨日所寫和莊焰大使詩，有幾個字須改正如後：

遠離親墳年年夢，
不見神州四二春。
抹目飛回新宇宙，
行將熱血寫崑崙。

明晨返國，二月後再過港，望能再聆教焉。匆此辭行。順頌

春安

弟 彝 手書

四月十四日（一九七五年）

第二通

孚兄：

前上一信，想已達覽。弟最近將新著「重訪祖國」英文本已交書局付印，茲奉上八張彩色幻片，為弟新書之大頁插圖，只是書局因印費大貴，不願添印彩色，足可惜也。弟想請兄在香港報上設法印最便宜之彩色

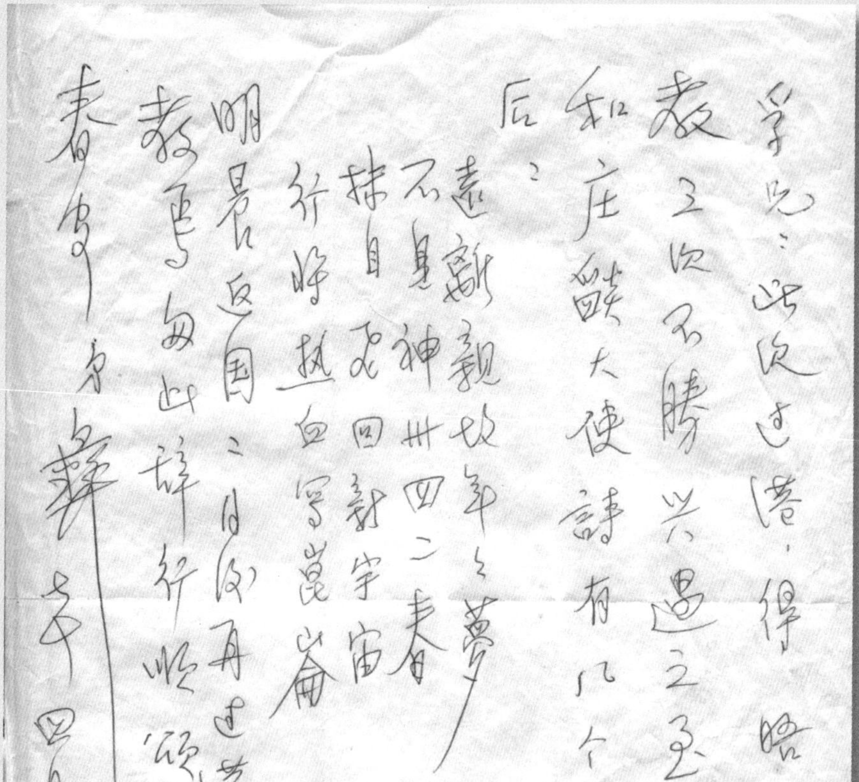
孚兄：此次过港，得晤

教，之次不胜兴遇之至。昨日所写

和庄铁大使诗有几个字须改正为

后：

远离亲故年年梦

不息神州四二春

扶自我回新宇宙

行将挺立写崑崙

明春返国之日须再过港，必能再聆

教益，匆此辞行，顺颂

春安　弟　彝　上　四月十四日

蔣彝致羅孚信第一通

雜誌登一登，寄來此間，弟可交書局老闆並懇兄設法抽暇為一短文，說是第一個海外華僑畫家所寫得新中國印象，如何如何？弟想將「江山如此多嬌」一幅印成大畫片，房中可掛，在此可有銷路？弟可定一千張，不審兄可在香港設法辦理否。

匆此，敬頌

春禧

弟 彝 手書

二月十四日（一九七七年）

第三通

孚兄：

此次過港，得與兄坐敍三次，深以為樂。最後還蒙賜食，菜多奇珍，未曾嘗過，甚飽得福。行前得讀《新晚報》兄述弟「祖國之行」短文，《大公報》所記尚未見到，如已登載，請抽暇賜寄一份。所*者，弟此次在國內整整兩個星期，足跡達十省，可能見到者極多，當時，拉雜說來，有些語焉不詳，或有遺誤之處。弟在國內遊覽時，未能細述於日記中，但可述可頌點特多，目前初歸，尚無法整理，將來很想先用中文寫述，可能細論，然後再擇其可為西人容易明瞭者編輯為英文。弟沿途速寫不少，加以照片為助，雖黑白易印，但可增明顯，暫擬中文書名為「祖國奇蹟記」，將弟所見及之處，一一分別細述出來，加上簡單淡墨插圖，以助文字不明之點。未審兄同意否？如有高見，敬請賜示。弟對此書不願草率從事，務求其能傳真象為目的。弟九月一日將飛澳洲西部大學主講十二次，也許到其他各大學多講幾次。現在留美尚有兩個月。現正着手清理積件。耑此先陳並謝賜食之情誼焉。順頌

大安

顏、陳二兄乞代致意。
所允獻醜——桂林山水——容緩奉上
在衣袋中發現港幣拾元，特寄上，還電費債尚不足也。又及

弟 彝 手書
八月廿五日（一九七五年）

曾景文致羅孚信（一通）

羅孚先生：
本月十五日親至郵局航空寄上拙著《三凡（藩）市》一書，收到否？
前日去信華盛頓中國聯絡處護照簽署主任紀立德先生，特抄附上奉閱，以茲參考。
香港方面打聽美籍人士申請旅遊國內手續辦法，進展如何？乞示。
若能辦到四月底至六月間成行，最為理想。未知先生以為有可能否？本月八日曾寄上葉中敏女士我等履歷想已達覽。承贈畫冊，殊屬珍品，感甚謝甚。
祝
好，並
新年康樂！

弟 曾景文 啓
一九七六年元月廿八日

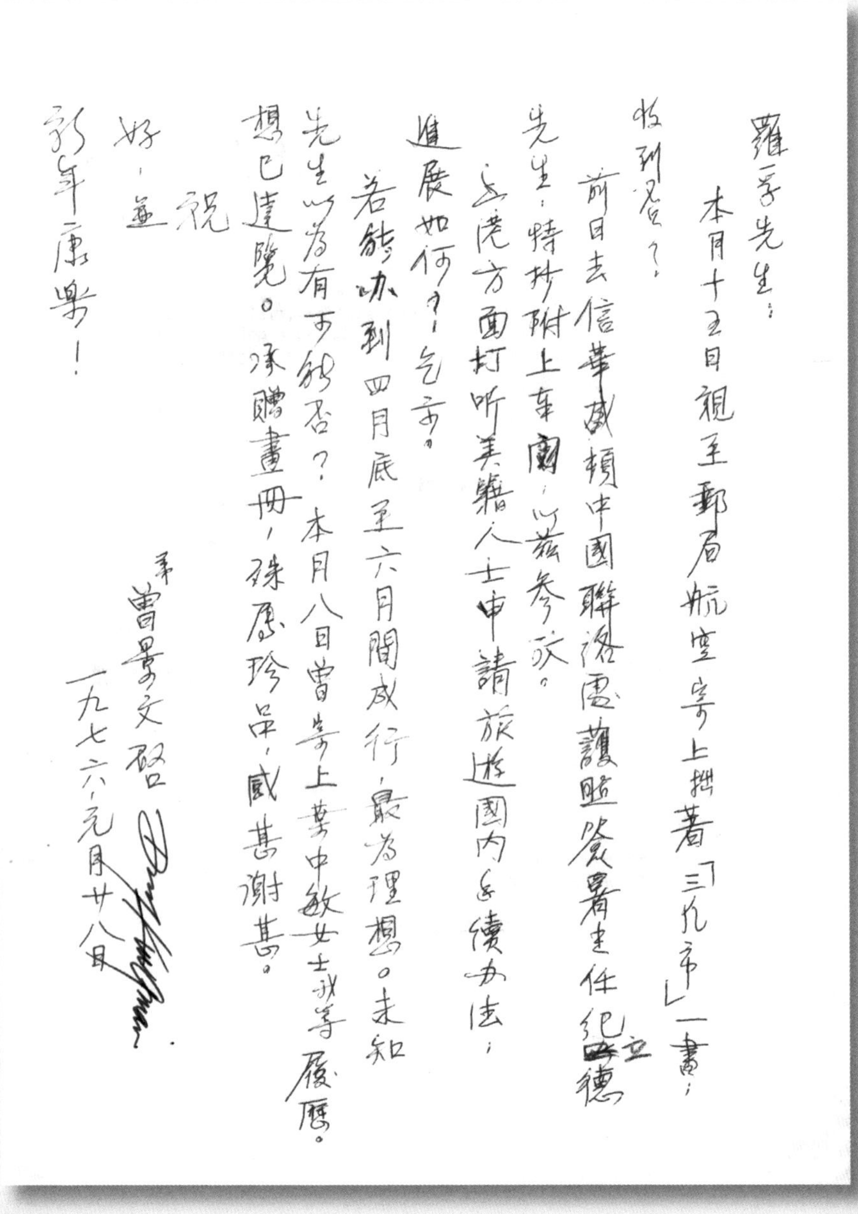
羅孚先生：
本月十五日視王鄭君航空寄上拙著「三九市」一書，收到否？
前日去信華盛頓中國聯絡處護照簽署主任紀立德先生，特抄附上來函，以茲參攷。
向港方面打听美籍人士申請旅遊國內手續辦法，進展如何？乞示。
若能成功到四月底至六月間成行，最為理想。未知先生以為有可能否？本月八日曾寄上葉中敏女士找我等履歷。想已達覽。承贈畫冊，殊屬珍品，感甚謝甚。
祝
好，並
新年康樂！

弟 曾景文啓
一九七六、元月廿八日

曾景文致羅孚信

黃俊東致羅孚信（一通）

絲韋先生：

您好！今天接友人葛浩文（他在三藩市州立大學教現代中國文學，著有英文本《蕭紅》書。譯過陳若曦的小說，太太是中國人，他會說國語、寫中文、年紀四十多些）的來信，託我轉交一封信給您，現在奉上。他盼望能直接與您通信，信封上有他任教學校的地址。您看如何：便中覆信給他。

耑此即頌

近好！

弟 俊東 上

七九年五月三十一日

葛浩文致羅孚信（一通）

絲韋先生：

將近一年前曾讀到您的大作「從丁玲馮雪峰談起」（《星（新）晚報》，一九七八年三月九日）。最近又在《大公報》上看了一篇唐瓊先生（不知這位長輩為何人）著「蕭軍其人」。我因為正在搜集有關蕭軍的

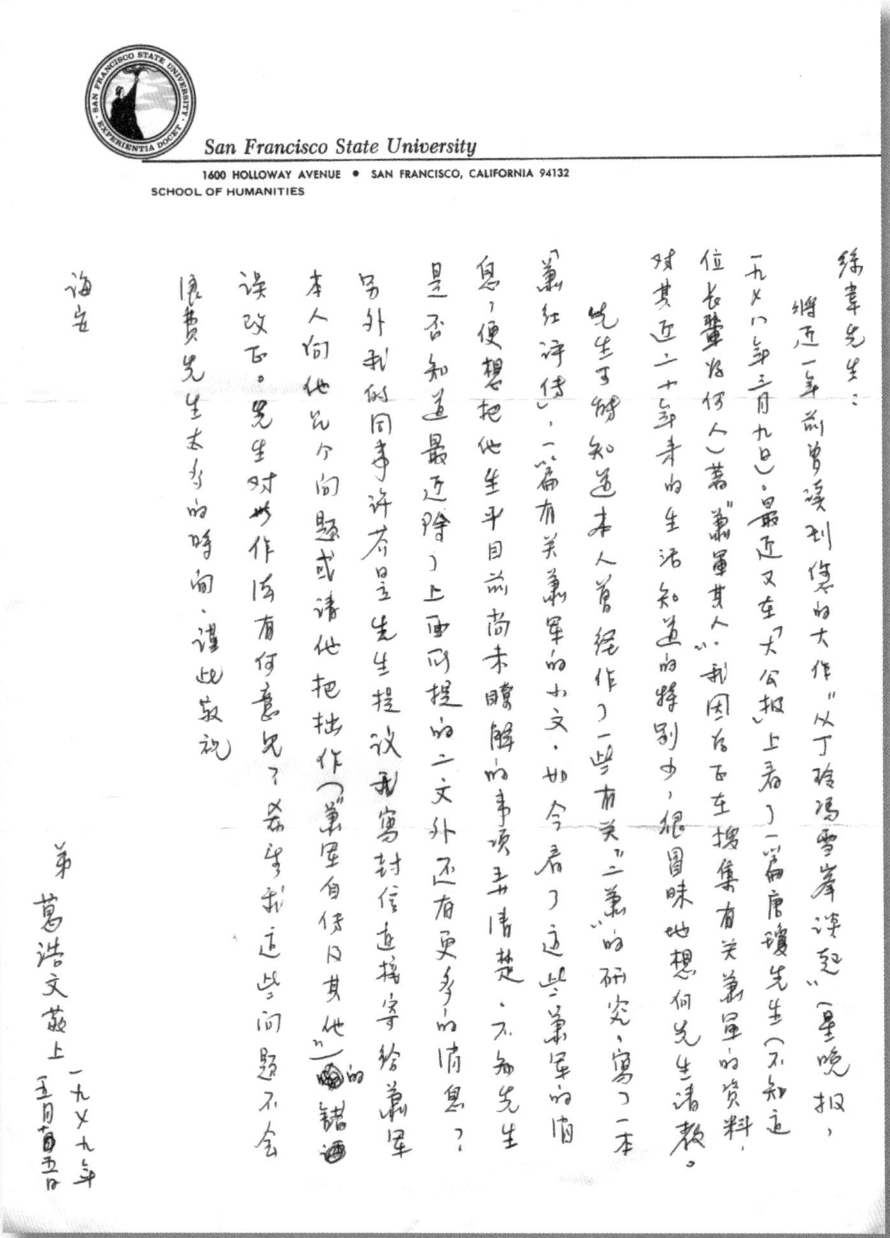

San Francisco State University
1600 HOLLOWAY AVENUE • SAN FRANCISCO, CALIFORNIA 94132
SCHOOL OF HUMANITIES

緑韋先生：

將近一年前曾讀到您的大作"从丁玲馮雪峰談起"（星晚报，一九七八年三月九日）。最近又在"大公报"上看了一篇唐瓊先生（不知道位長輩為何人）著"蕭軍其人"。我因為正在搜集有关蕭軍的資料，对其近二十年來的生活知道的特別少，很冒昧地想向先生请教。

先生可能知道本人曾經作了一些有关"二蕭"的研究，寫了一本"蕭紅評傳"，一篇有关蕭軍的小文。如今看了這些蕭軍的消息，便想把他生平目前尚未瞭解的事项弄清楚。不知先生是否知道最近除了上面所提的二文外还有更多的消息？

另外我们同事许芥昱先生提议我寫封信直接寄给蕭軍本人向他介紹问题或请他把拙作（"蕭軍自傳及其他"）的錯誤改正。先生对此作法有何意見？盼望我这些问题不会浪费先生太多的时间。谨此敬祝

誨安

弟 葛浩文敬上
一九七九年五月十五日

葛浩文致羅孚信

資料，對其近二十年來的生活知道的特別少，很冒昧地想向先生請教。

先生可能知道本人曾經作了一些有關「二蕭」的研究，寫了一本《蕭紅評傳》，一篇有關蕭軍的小文。如今看了這些蕭軍的消息，便想把他生平目前尚未了解的事項弄清楚，不知先生是否知道最近除了上面所提的二文外還有更多的消息？另外我的同事許芥昱先生提議我寫封信直接寄給蕭軍本人問他幾個問題或請他把拙作（「蕭軍自傳及其他」）的錯誤改正。先生對此作法有何意見？希望我這些問題不會浪費先生太多的時間，謹此敬祝

海安

弟 葛浩文 敬上

一九七九年五月十五日

葉維廉致羅孚信（二通）

第一通

羅承勳先生：

剛發一信，有關蕭乾先生論我的文章的事，我原告訴你，文章不必等我過目，我認為以蕭先生的文筆，根本沒有問題的。但登出的日期我忘了和他商量，所以我今天又去了一信，告訴他最好在我到了香港以後

（八月一日以後），原因是，我回港途中還要到台灣探親友，在這之前登出，以台灣當局目前的敏感度，可能有些不便。蕭先生文章是否也要在香港刊登，在哪裏，我不知道，如果在香港刊登，最好是在我來了香港以後，香港的右派人士比台灣還敏感，為了避免這些不必要的「騷動」，我們還是小心些，才可以做的文化的合作。八月見

葉維廉 拜

六・三十（一九七八年）

第二通

承勳先生：

蕭乾一連來了三封信，堅持要我過目，我後來又回了他信說，我到香港就先做這件事，我一家搬來香港，安頓的事必費時費神，恐怕不能馬上來拜訪你。不知能否請你把文章影印一份，先寄我辦公室，我一到便可以先看，把這件事解決。

到香港以後，麻煩朋友的地方很多，到時還要向你請教。近來據說你在《大公報》每有提及我，你真客氣。我已久不詩，文也疏（論文除外），也許到香港可以回復一點生機。

維廉 拜

七・八（一九七八年）

夏易致羅孚信（一通）

羅孚兄：

我回來了已經一個星期了，知道你們忙，所以沒有去騷擾你們，現在把經過情形大致敍述如下：

我在愛荷華逗留了三個月，芝加哥五天，紐約十天，倫敦兩個月，巴黎六天。

這五個多月，對我個人來說，是一個大收穫，但工作上卻沒有甚麼貢獻！這五個多月，沒有寄甚麼稿回來。我只想盡量利用在外國的時間，多看多想。

在愛荷華，我也沒有發表過甚麼講話。聶華苓曾提議，由她、我，加上也是由香港去的陳韻文，或者再加上由台灣去的東年（筆名，《聯合報》編輯。很年輕，只有二十七歲）聯合開一個研討會。她認為這個會可能很有意思，四個中國人，聽眾隨便問起甚麼問題，四個人的答案都可能不同。但東年不想參加。我呢，覺得自我去美後，國內情況已有很大改變，而我自從一九七一年回去參觀之後，一直就沒回過國內，對國內的種種實況與變化，有些外國人比我知道得多得多。過去，我對國內的了解，只根據報紙，近年揭露出來的事實，有許多，對我來說，是一次又一次的「意料之外」。為了避免失言，我也就不參加了。後來，陳韻文也不講了。

遇到的三幾個來自台灣的朋友，他們都很關心國事，主張中國統一。有一位李藍，她表示很想在這方面盡一點力。至於東年，他認為，如果新中國方面「修正」一下，那麼統一便沒有問題了。不過，他又認為台灣人民生活水準高，不一定願意合併，不過，他所顧慮的問題，現在已經有解決的方案了。

此外，這幾個台灣朋友，還有幾種看法。

1、為中國之有四人幫問題，是因為沒有一個很完整的制度去保證合理的行政。如果行政以「人」為主腦，那就「人亡政廢」，或是「一朝天子一朝臣」，與台灣相去不遠。以後應該建立一個很好的制度，保證不再有此等事發生。

2、認為，現在甚麼都歸咎四人幫，是不是一切的錯，都是四人幫之過呢？

3、幹部權力太大，不民主。

4、認為台灣建設得比國內好。

在紐約的秦松，（為海洋文藝寫詩的那個）有許多零零碎碎的意見，大都是關於藝術的，例如認為西方現代藝術，表面看來，脱離現實，但事實上，也反映了他們的現實。他又認為西方藝術自有他們的普及與提高的途徑。一個新的藝術派別興起之後，過了一個時期，這種藝術便通過種種途徑，廣泛地沁入到建築，傢具以及種種實用與非實用的美術領域裏等等。

李藍希望我回來之後，向你們提出，他們想組織一個僑美台灣文學藝術工作者回國參觀團。回國之後，與中國方面的作者聯合開座談會，並立即把座談會內容，發佈海外爭取廣泛影響。李藍又說與李怡很熟。李怡曾經希望她在美國組織婦女團體，相信在我回來以前，李藍已經通過李怡提出了組團回國參觀的建議了。

聶華苓在許多場合，都含蓄委婉地為中國說話。

聶華苓的次女，王曉藍將會帶着二十套美國 Exxon 攝製的舞蹈影片到中國去，這事你們大概早已知道了。曉藍表示很希望兩年後，（說這話時是一九七八年十一月），能有機會到香港參加藝術節的表演，她的媽媽聶華苓也有這個希望。曉藍是有志於運用現代舞的技巧來表達「中國人」的題材。相信你們會找到有關方面人士幫助她達到來港表演的志願的吧！

愛荷華大學亞洲語言文學系的中文教授丁愛真説，他們系裏面有一筆基金，是用來經常添購亞洲各國的各科出版物的，負責這事的人是搞日文的，因此，購買了不少日文書籍，而丁愛真自己很忙，沒有甚麼餘暇涉獵中國方面的重要出版物，因此，如果你們能經常向她介紹，她便可以為系裏添購許多中文書了。

又，在愛荷華時，我為了避免人們以為我來自新中國，我時時更正，說明我來自香港。我這樣做，沒別的，只因為提防人們把我的一言一行，當作有了代表性。

我去紐約、芝加哥、倫敦，目的是看看一般華人在外國的一般生活。

1990 年代攝於香港。左起：羅孚、金庸、劉詩昆、李怡。

關於今後如何寫稿，希望能與編者聯繫。如果甚麼時候，有旅行團回國參觀各地，我也很希望有機會參加，好增加認識與了解。

夏易
一九七九．三．五

簡華玉致羅孚信（一通）

敬愛的羅先生：

今寄上兩袋資料，是我們父親的遺作。是我近年返穗整理好的，請多多指教！我們姊弟幼文、興全、華捷、百靈的各人雖分散各洲，仍保持親切聯繫！○六．十二月，在梁羽生午宴自助餐見到您和羅太，極之有幸，高興！我華玉，特別感謝您們對我各方面的關懷愛護與幫助！

祝您們體健、福壽、安康！不斷揮筆寫作!!

我明年要返加拿大溫哥華了，會與梁羽生文統兄嫂、楊健思小姐保持聯絡你！有機會到港探望您們！

新春樂

簡又文56長女
簡華玉　敬上
於穗

56 簡又文，歷史學家、太平天國史專家。曾任馮玉祥部政治部主任、廣州市社會局局長、「立法委員」等職。一九四九年後，簡又文居香港。一九七〇年，經羅孚和梁羽生多方努力，簡又文將自己收藏的隋《劉猛進碑》捐贈給廣東省博物館。

高凌珠致羅孚信（一通）

羅先生，太太：

敬讀你們的來信，簡醫生和我都十分感動。這兩年都沒有勞煩羅先生改我的詩，自己知道太沒有進步，不想浪費你的時間和精神。現寄上拙作，敬請指教。

後學 高凌珠 敬上

（二〇一二年）

遊艾菲索斯城（土耳其舊城）

斷壁（或牆）殘垣不堪遊，
萬古唯留旅客愁。
長天雁過雲山遠，
一柱擎天棄荒丘。

車遊土耳其

莫言此地崎嶇路，
世上風波更不平。
峭壁出沒白雲中，
煙樹參差淡猶濃。

東歐行

異域四月風和雨，
江山如畫亦如煙。
古今多少興亡事，
萬里江山一夢中。

青山環抱舊宮樓，
淘盡帝皇千古愁。
古來多少英雄輩，（英雄多少凋零盡）
波濤流盡古今憂。

羅先生、太太：
希望你們近日身體安康。
寄上今年三月黃山遊詩兩首，敬請改正。謝謝。

友人江海別，
幾度隔山川。
今見渾疑夢，
相逢各問年。

高凌珠
敬上

奇峰峻嶺白霧繞，
翠竹蒼松雲路行。
黃山景色雄且秀，
巧奪天工妙無窮。

羅孚致高凌珠信（一通）

簡太：

你的詩大有進步，頗有詩味，多數也合平仄，有些只改幾個字就行了。

《與舊友同遊滇》第四句「坎坷笑送走」，改為「坎坷付東流」。因「笑送走」不合平仄，也不押韻。

《洱海》只改一字，「未飲人已醉」改為「未飲人先醉」。

《拜羆武侯》題目可改為《武侯祠》。最後一句「卻嘆漢朝已遙遙」，改為「千古英雄事業高」。

《遊九寨溝》第一句改為「路轉峰回景色幽」，第二句改為「湖光山色盡盈眸」，第三句改為「谷如翡翠深千尺」，第四句改為「且喜憑闌一望收」。

記得還有一首白話詩，好像也還可以，只是後來找不到了。

從這幾首舊體詩看來，你只要再加努力，就可以寫得出像樣的詩篇的。

匆匆，祝春節快樂！

簡醫生安好！

羅孚上

二〇〇七、二、五

吳秀聖致高凌珠簡幼文信（一通）

簡太、簡醫生：

我們時常想念你們。我們和胡友玉大姐也常常見面，她和簡太一樣開朗、親切。聽説你們今年又去東歐旅遊了，非常羨慕。要不是老羅「小中風」後，行動不便，我真想和你們一起，到處旅遊。

我們在三藩市那幾年中，因為認識了你們兩位，常在你們家中參加朋友的聚會，生活中增加了許多歡樂。特別是有甚麼病痛，一般的病，便即時的得到簡醫生的治療，而且是免費的（一笑）。我記得有一次，老羅的臉部，有幾處傷痕，當天，又是假期，沒有護士，結果由海星暫充護士，拿住一個托盤，簡醫生就給老羅縫了幾針！

還有老羅的前列腺癌，是簡醫生介紹專家給治療的。我在將要離開美國前，突然小便出血，經簡醫生介紹那位專家，很快就做了手術。這已是十年前的事了，當時醫生說，五年或十年後會復發，現在已過了十年，感謝上蒼，感謝那位醫生，更感謝簡醫生。

我們這一生也見過不少人，也認識了不少知名或不知名的朋友。我可以真心誠意地說，簡醫生、簡太太，你們是我們最敬愛的朋友。

祝健康！長壽！

秀聖

二〇一二、七、一九

卜少夫致羅孚信（一通）

承勳兄：

太週到了，不過那天查良鏞、岑才生都講了話。

五十年不變，我已打破鄧大人的記錄，超越五十年了。

附上新天[57]近期兩冊，另弟近著一本，祈多指教！祝

儷福　並賀

弟　卜少夫　敬上

一九九五年二月十七日

胡菊人致羅孚信（一通）

羅公：

承蒙賜稿，感謝至深。數年來屢聞友人自京來説，羅公生活逐漸寬鬆，可到處旅遊，又常讀到港刊上大作，可見身心康泰。弟為之心裏萬分安慰。世上事情，總有河清海晏之一日也，信然。

附回照片三張，珍品也。

所囑之事，自當遵守，釋念。

祝一切好。

弟　菊人

十七．八（一九八八年）

57　新天，指卜少夫主編的雜誌《新聞天地》。

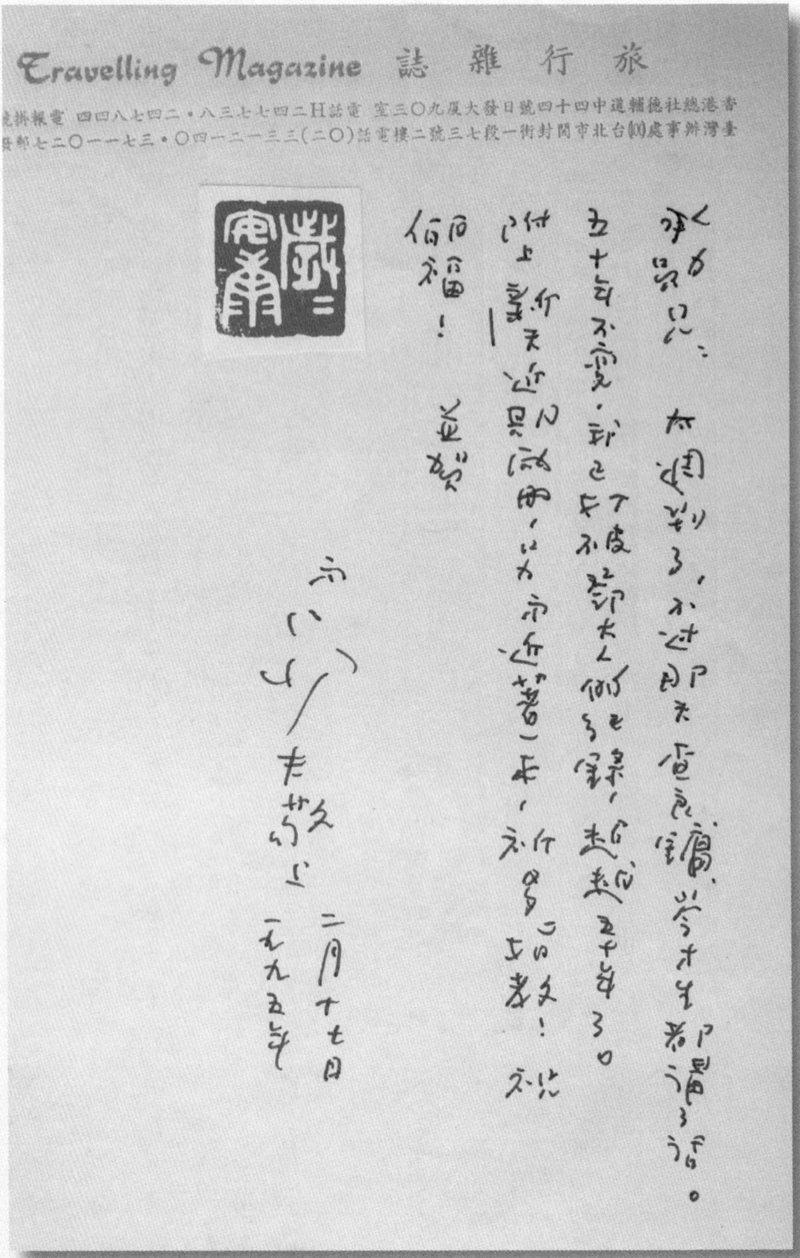

Travelling Magazine 旅行雜誌

香港總社德輔道中四十四號日發大廈九〇三室 電話H二四七七三八・二四四八七四四 電報掛號

臺灣辦事處(四)台北市開封街一段七三號二樓電話(〇二)三三一二一四〇・三七一一〇二七郵

承勳兄：

大函收到了，不過即去宣讀，今才先都還了話。

五十年不變，我已活不了，節大人們回憶錄，越越五十年了。

附上新作夫近只做曲，以及示近著一本，請多指教！此頌

儷福！ 並賀

弟 卜少夫 敬上 二月十七日

一九九五年

卜少夫致羅孚信

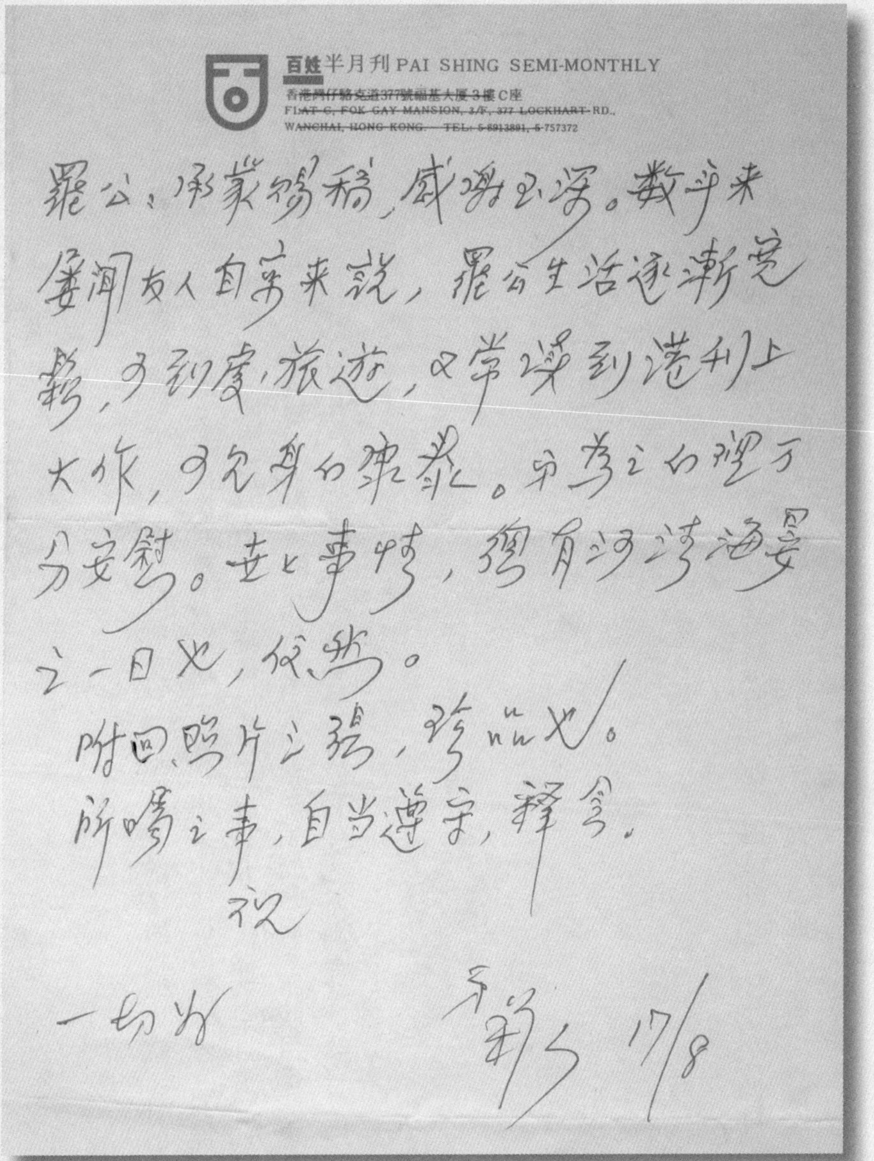

百姓半月刊 PAI SHING SEMI-MONTHLY
香港灣仔駱克道377號福基大廈3樓C座
FLAT C, FOK GAY MANSION, 3/F, 377 LOCKHART RD., WANCHAI, HONG KONG. TEL: 5-8913891, 5-757372

羅公：承蒙賜稿，感激至深。數年來屢聞友人自京來說，羅公生活逐漸寬鬆，可到處旅遊，又常讀到港刊上大作，可見身心健康。弟等之心理十分安慰。世上事情，總有河清海晏之一日也，信然。

附回照片二張，請收之。

所囑之事，自當遵守，釋念。

祝

一切好

弟 菊人 17/8

胡菊人致羅孚信

關朝翔致羅海雷信（一通）

海雷：

那次的飯局是確有此事，作東的是我，出主意的也是我。不記得曾受羅孚的指導建議。目的確是為了拉攏當時的左右雙方，試將幾位老友的友誼再挽回來。參與的人除了你文中所提的幾人外，我記得還有嚴慶澍，他是《大公報》的人，也是一名能喝酒的文人。當時是何時，在何地方，我都不記得了，只知道是香港某酒家。在飯局中，戴天和菊人都喝醉。而且，我還記得戴天曾在洗手間嘔過。所談何事，也都完全不記得，想必都是天下大事，香港新舊事之類，並無客套，也並無談及左右雙方靠攏等政治語言。

朝翔

十月廿四日

陸鏗致羅孚信（一通）

承勳兄：

我剛剛跟顧一樵[58]先生通了電話，他告訴我，海呂已去看了他。他已訂好四月廿一日自紐約飛北京的機票，留京時可能與兄見個面。我告訴他：「羅承勳是一個非常好的人。」他馬上說：「他的小姐也非常

58 顧一樵，即顧毓琇。

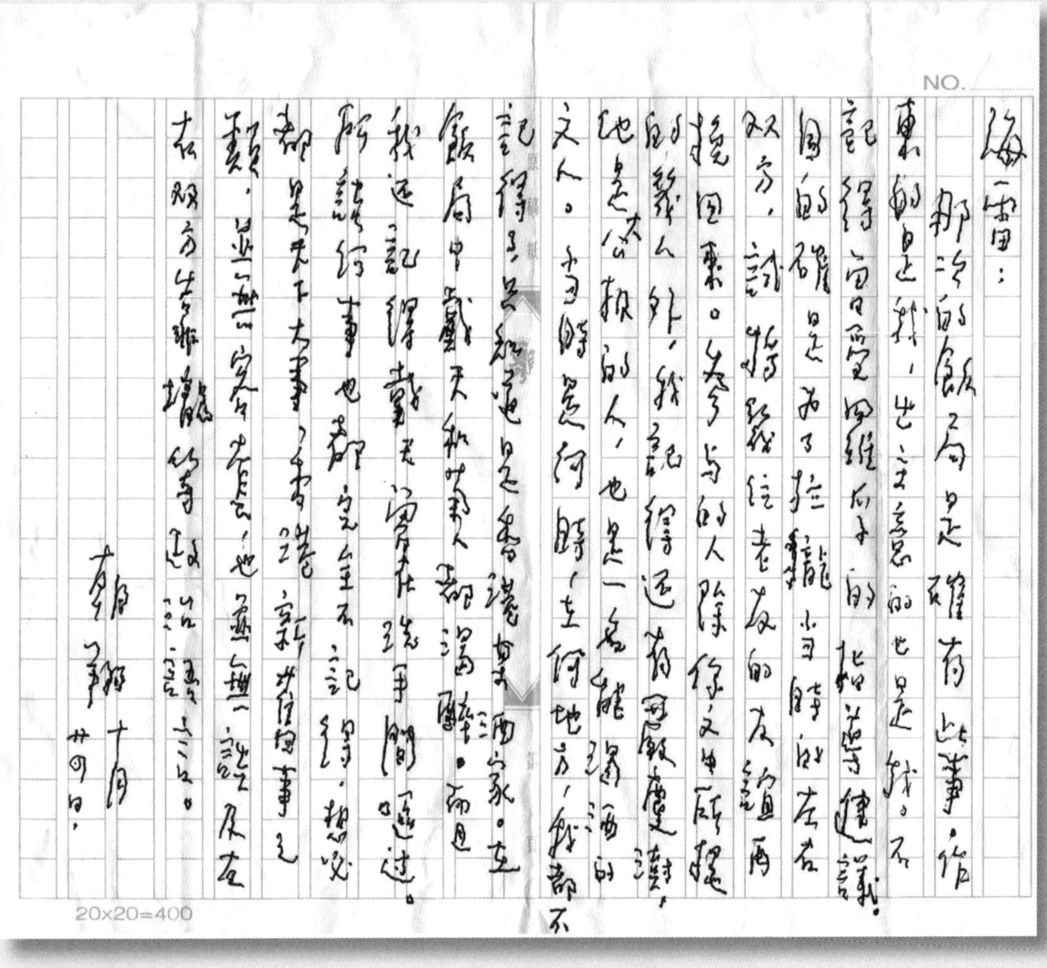

海雷：

那次的飯局是確有此事，作東的是我，出主意的也是我。不記得曾受羅孚的指導建議，目的確是為了拉攏當時的左右雙方，試將疏離老友的友誼再拉回來。參與的人除你文中所提的幾人外，我記得還有嚴慶澍，他是大公報的人，也是一名能溝通兩派的文人。當時是何時，在何地方，我都不記得了，只知道是香港某酒家。在飯局中戴天和胡菊人都喝醉了，而且我還記得戴天當時在洗手間嘔過。所談的事也都完全不記得，想必都是天下大事，香港前途，新中國事之類，並無實在意義，也無統一，談及左右雙方去聯繫等話題云云。

朝翔 十月廿四日。

關朝翔致羅海雷信

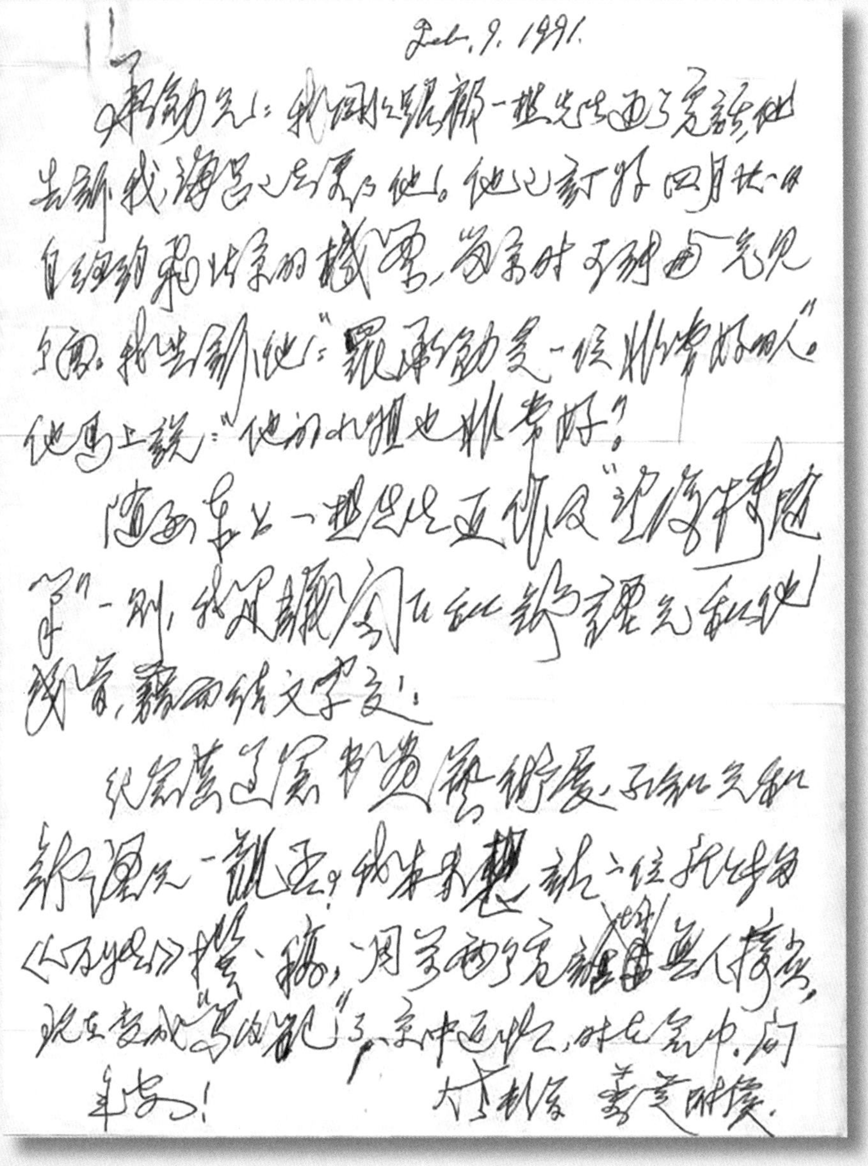
Feb. 9. 1991.

陸鏗致羅孚信

1985 年 4 月，羅孚和陸鏗（左）攝於北京羅孚寓所。

好。」

隨函奉上一樵先生近作及「望海樓隨筆」一則，我建議閱後和舒諲兄和他幾首，藉而結文字交。

紀念黃遵憲書畫藝術展，不知兄和舒諲兄一觀否？我本來想請二位就此為《百姓》撰稿，一週前兩個電話均無人接應，現在變成「馬後炮」了。京中近忙，時在念中。問年安！

大聲 頓首

蓉芝 附候[59]

九．二．一九九一

崔蓉芝致羅孚信（一通）

尊敬的朋友：

江南遺骨在朋友們的深切關懷和顧毓琇老師的仁心慈惠下，今年五月廿七日得以照原定計劃安葬於中國安徽黃山龍裔公墓。

是日，烏雲籠罩黃山，陰雨淅瀝不停，作家吳祖光先生稱之謂：「天哭江南」。

事先，祖光大兄和程思遠先生伉儷均在電話中表示應邀參加葬儀，後因中共中央當局下達「家事家辦」原則，思遠先生寄來了弔詞。祖光則堅持非來不可，歷經波折，與自美前往的張國雄先生，於廿七日淩晨自

59 江南一九八四年遇刺身亡，一九九〇年陸鏗與江南遺孀崔蓉芝同居。

屯溪（現已改為大黃山市）乘車趕到。而自台灣輾轉飛抵屯溪的周幼非先生則遭婉拒，廢然而返。

先後收到發自北京、上海、昆明、大連、海口、懷寧、台灣、香港、日本、美國各方友人的弔詞，輓聯、唁電、花圈近兩百件，包括了您的贈賜，對死者是安慰，對生者是鼓勵，我將永銘心板。

當天參加葬儀者七十餘人，主要是我的雙親、叔叔崔巍和姪女崔雯全家，以及在安徽的親戚；江南的弟弟劉旭、劉亮，妹妹劉芳三對夫婦和他們的子女們，安徽方面的人士也有幾位自合肥趕到。錢繼承先生（龍裔公墓負責人之一）自始至終出了很大的力。

葬儀按中國禮俗進行，安放靈骨，封穴，獻花，上香燭，燒錢紙，默哀，燃放鞭炮，全體出席人士繞墓一周，瞻視江南的漢白玉雕像，並欣賞嵌在靈穴前大理石碑上祖光先生題詞：「山河永戀」。江南生前心懷家國，死後得能長眠於黃山之麓，不僅滿足了他山河永戀的情懷，也表彰了他為人間正義獻身的精神，與山河同在，與明月同光。

依伏朋友之義，蓉芝得能辦好這件大事，除了感激還是感激。

謹此奉聞。並頌健康

崔蓉芝 敬叩

一九九一．七．十五　舊金山

羅孚先生：

有機會去北京定拜望您，您是江南常想念的朋友之一。

七／十五，九一

書名題字：邵燕祥

www.cosmosbooks.com.hk

書　　名　羅孚友朋書札（上冊）

主　　編　羅海雷　高 林

責任編輯　陳幹持

美術編輯　郭志民

出　　版　天地圖書有限公司
香港黃竹坑道46號
新興工業大廈11樓（總寫字樓）
電話：2528 3671　傳真：2865 2609
香港灣仔莊士敦道30號地庫（門市部）
電話：2865 0708　傳真：2861 1541

印　　刷　亨泰印刷有限公司
柴灣利眾街德景工業大廈10字樓
電話：2896 3687　傳真：2558 1902

發　　行　香港聯合書刊物流有限公司
香港新界荃灣德士古道220-248號荃灣工業中心16樓
電話：2150 2100　傳真：2407 3062

出版日期　2021年7月／初版

ISBN ： 978-988-8549-83-2